Di Fabio Genovesi negli Oscar

Chi manda le onde
Esche vive
Il mare dove non si tocca
Versilia Rock City

FABIO GENOVESI

IL MARE
DOVE NON SI TOCCA

I edizione Scrittori italiani e stranieri settembre 2017
I edizione Oscar Absolute ottobre 2018

ISBN 978-88-04-70331-0

Questo volume è stato stampato
presso ELCOGRAF S.p.A.
Stabilimento - Cles (TN)
Stampato in Italia. Printed in Italy

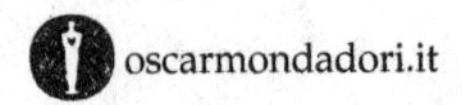

Alcune (poche) cose qua dentro me le sono inventate, ma sono le più credibili.

Al villaggio c'erano anche Ettore, Lea, Alessandra, Luca e altre anime favolose. Non sono in questo libro, ma sono felice che siano nella mia vita.

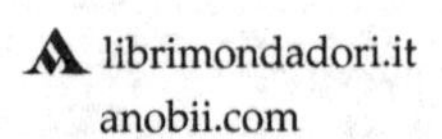

Il mare dove non si tocca

Ai miei strani maestri

PRIMA PARTE

Dio benedica la barca scassata
che ci riporta indietro.

JASON ISBELL

1

La maledizione

Com'è iniziata, nessuno lo sa. Forse un nostro antenato ha profanato la tomba di un faraone, forse ha fatto arrabbiare una strega o ha stecchito un animale che era sacro a un dio vendicativo, l'unica cosa certa è che da quel momento la nostra famiglia si porta addosso una maledizione spaventosa.

È brutto ma è così, è la prima cosa che ho imparato a scuola.

Anzi no, la prima l'ho imparata appena entrato in classe, e cioè che nel mondo esistevano tanti altri bambini della mia età, e questi bimbi avevano solo tre o quattro nonni a testa. Io invece ne avevo una decina.

Perché il mio nonno dalla parte di mamma aveva un sacco di fratelli solitari, che non si erano mai sposati e a una donna non avevano mai nemmeno stretto la mano, così da quella famiglia gigante ero venuto fuori solo io, che ero il nipote di tutti.

Infatti litigavano sempre per decidere chi mi portava in giro, e quando il nonno è morto è diventato ancora peggio, allora la nonna Giuseppina ha appeso un foglio al platano in cima alla strada, con sopra scritti i turni della settimana: lunedì a pesca col nonno Aldo, martedì a caccia col nonno Athos, mercoledì un gelato con Adelmo, giovedì a cercare gli uccelli col nonno Aramis e avanti così fino a farli contenti tutti. L'unico che sul calendario non arrivava mai era un giorno libero, da passare insieme ai bambini della mia età. Che invece fra loro si vedevano, e conoscevano un sacco di giochi pazzeschi che quella mattina a scuola sentivo per la prima volta: nascondino, campana, rubabandiera, gli bastava dirne uno e subito via a correre o a saltare secondo regole che per me erano assurde ma per loro normalissime, e invece guardavano strano me se gli chiedevo quante carpe avevano pescato quell'estate, o se avevano qualche penna di fagiano da scambiare.

Loro un fagiano non l'avevano visto mai, e una carpa non sapevano cos'era, e allora il primo giorno sono rimasto a guardarli da lontano, quegli esseri misteriosi che avevano tanti giochi ma pochissimi nonni, come se fossi finito su Marte in classe con gli alieni.

Infatti alla fine del primo giorno di scuola, mentre tornavo a casa pedalando dietro alla mamma, mi sentivo proprio come un astronauta che torna da una missione nello spazio, da un posto così lontano e impossibile che anche passando per le solite strade avevo paura di non trovare più la via del mio mondo. Che era una stradina a fondo chiuso dove ogni nonno si era costruito una casetta e ci abitavamo solo noi, e infatti all'inizio della via c'era proprio un cartello di legno con sopra scritto a mano:

BENVENUTI A VILLAGGIO MANCINI
VIETATO ENTRARE

E come al ritorno di un astronauta, nella stradina c'era una grande folla ad aspettarmi: erano i miei parenti, che non mi hanno lasciato scendere dalla bici, mi hanno circondato e volevano sapere com'era andata, come stavo, se mi avevano fatto del male.

E io non gli ho detto come stavo, perché non lo sapevo nemmeno io. Li ho solo guardati uno per uno, i miei tanti nonni, e mi pareva di vederli per la prima volta. Poi gli ho chiesto se da quel giorno potevo chiamarli zii.

«Ecco!» hanno urlato alla mamma. «Visto? Non ce lo dovevamo mandare a scuola!»

E io ero d'accordo con loro, infatti non volevo tornarci mai più. Però la mamma mi ha detto che sennò arrivavano i carabinieri e mi portavano in prigione. Mi sono fatto spiegare com'era, la prigione, e in fondo era abbastanza simile alla scuola, con la differenza che toccava andare fino a Lucca. Allora ho insistito con la scuola, quei piccoli alieni sono diventati i miei compagni di classe, e i miei tanti nonni sono diventati lo Zio Aldo, lo Zio Athos, Aramis, Adelmo, Arno e via così. Tutti col nome che cominciava per A, come i loro genitori che si chiamavano Arturo e Archilda, fino all'ultimo nato che era il mio nonno vero, e però lo dovevano chiamare per forza Rolando. Ci hanno studiato un sacco, ci hanno litigato per nove mesi, e alla fine l'hanno chiamato Arolando.

Giuro, Arolando. E come mai dovevano chiamarlo per forza Rolando, nessuno lo sa. La mia famiglia è così, dietro ogni scemenza c'è una storia che non finisce mai, milioni di racconti che schizzano fuori da ogni millimetro del nostro cammino tutto storto, con particolari precisissimi a tonnellate. Delle cose veramente importanti, invece, non si sapeva mai nulla. Nessuno ne parlava, e a forza di non parlarne si smetteva di saperle, così da segreti diventavano misteri.

Come appunto il motivo del nome Rolando-Arolando, ma soprattutto come questa storia della maledizione che ci portiamo addosso, che nessuno sa quando è iniziata e perché. Io poi non sapevo nemmeno che esistesse, fino a quel pomeriggio del 1980 che avevo sei anni e avevo appena iniziato la scuola.

Ero alla bottega della Signora Teresa e scartavo un ghiacciolo al limone, mentre la mamma parlava con lei di là dal bancone.

La bottega stava vicino al Villaggio Mancini, e c'ero cresciuto dentro. Ma davvero, nel senso che appena nato ogni settimana la Teresa mi metteva sulla bilancia che serviva a pesare prosciutti e mortadelle, e diceva alla mamma quanti etti avevo preso.

Però si vede che quel giorno non ero ancora cresciuto abbastanza, perché lei e la mamma parlavano fra loro a mezze parole per non farmi capire, per tenermi lontano da quel segreto lì che invece mi avrebbe fatto invecchiare di colpo.

Frasi corte e strane, versi di gola e occhiate, parole che si rimpallavano di qua e di là come in una partita a tennis, dove io ero la rete e ogni informazione mi doveva scavalcare senza toccarmi mai. Ma come nel tennis, ogni tanto un discorso veniva fuori un po' troppo corto e mi finiva addosso, e allora afferravo pezzetti di senso tipo *Davanti a tutta la classe, Teresa*, oppure *Che vergogna, la maestra come minimo lo denuncia, che vergogna!*

Io succhiavo il mio ghiacciolo con gli occhi per aria, cercando di mettere insieme quei pezzi, e un po' mi faceva rabbia che la mamma e la Teresa non volessero farmi capire i loro discorsi. Ma al tempo stesso mi veniva da ridere, perché quella storia che le due tenniste cercavano di tenermi nascosta io la sapevo meglio di loro e del mondo intero.

Perché quella mattina, a scuola, purtroppo c'ero io.

La maestra stava spiegando la preistoria, era arrivata alle caverne dove vivevano degli uomini pelosi che camminavano gobbi e sembravano scimmie, ma io intanto disegnavo sul quaderno un dinosauro gigante. Perché mi dispiaceva troppo che a un certo punto i dinosauri erano spariti tutti, e allora questo qui lo facevo super forte, con le branchie per respirare sott'acqua e le ali per volare via dai pericoli, così se arrivava il diluvio universale o un'altra disgrazia lui si salvava, e quando spuntava sulla Terra la disgrazia più tremenda di tutte, e cioè gli esseri umani, lui poteva sgranocchiarli via dal mondo in un momento.

Ma proprio mentre disegnavo i denti lunghi e tantissimi nella sua bocca spalancata, che era un punto delicato e ci voleva grande precisione, la porta della classe si è aperta di schianto, ha sbattuto contro il muro tipo una bomba e per la scossa mi è schizzata via la mano, con un frego lungo il foglio che ha sciupato il lavoro di una mattina.

Però di solito le scosse funzionano così, le prendi e ti si ferma il cuore per un attimo, poi ti calmi e tutto torna a posto. Qua invece no, dopo la scossa ho alzato gli occhi e ho visto cosa succedeva, e allora la paura è diventata cento volte peggio. Perché lì dritto sulla porta mezza abbattuta c'era lo Zio Aldo, con la sigaretta in bocca e quegli occhi stretti che gli venivano quando succedeva qualcosa che lo faceva arrabbiare, tipo il vino che diventava aceto o un semaforo che diventava rosso.

E forse pure la maestra conosceva quello sguardo, perché all'inizio è saltata su e gli ha chiesto *Ma lei chi è!*, poi però lo zio le ha indicato i banchi e lei a testa bassa è venuta a sedersi in prima fila insieme a noi.

«Allora bimbi, state attenti» dice lo zio, con la voce che sembra un posacenere di marmo sbattuto contro un muro di cartavetra. «Stamani vi dovete scordare tutte le cazzate che vi insegnano qui. Stamani parliamo di cose serie. State zitti e non rompete le palle e imparate subito e bene, intesi?»

Facciamo tutti di sì, pure la maestra.

«Bene. Allora cominciamo. Datemi la rete di ferro.»

Ma la rete di ferro non c'è.

«Pace, va bene anche il filo di ferro.»

Ma in classe non abbiamo nemmeno quello.

«Eh? Ma non c'è nulla in questa scuola! E vabbè, sentite, ve lo spiego a voce come si fa, ma state zitti e fermi che sennò mi arrabbio e diventa un casino.»

Strizza la sigaretta fra due dita, fa una tirata così forte che la punta luccica e poi prende fuoco, se la strappa di bocca e con un pizzicotto la fa volare verso la finestra. Solo che la finestra è chiusa, la sigaretta picchia nel vetro e rimbalza per terra sotto il banco di Mirko Turini. Mirko fa per allontanarla, ma lo zio urla «ho detto zitti e fermi!» e allora lui rimane così, più fermo che può, cercando di soffocare senza fare rumore.

Mentre lo zio comincia a ragionare del posto giusto per tirare su un pollaio, che deve essere scostato da casa perché la cacca delle galline puzza, ma non troppo lontano sennò non senti quando arrivano le volpi e le faine.

E tutti lo ascoltano attenti, anche se non capiscono una parola. Tutti tranne me, che invece capisco anche troppo bene. Perché di come si costruisce un pollaio ne abbiamo parlato proprio ieri, che lo zio voleva portarmi a rubare i cachi nel campo dello Zio Arno. Il campo sta in fondo alla nostra via, e se Arno lo vede gli spara col fucile caricato a sale, però se ci sono anch'io no. Se ci sono io parte un colpo, lo Zio Aldo gli urla *Sono col bimbo, sono col bimbo!* e allora Arno spara solo per aria, urla *Ladro, ladro maledetto!* e mentre va a cercare un bastone noi scappiamo.

Però ieri non ci potevo andare, dovevo finire la lezione.

«La che?»

«La lezione.»

«E che è questa novità.»

«Ora vado a scuola zio, e la maestra ci dà la lezione da fare a casa.»

«E quanto ti paga la maestra per questa lezione?»

«Nulla, credo. La faccio gratis.»

«Ecco, e allora se la fai gratis la puoi fare quando ti pare, anche mai.»

«Ma la maestra poi si arrabbia.»

«E con che diritto? Se non ti paga non può pretendere nulla. Guarda che lei a scuola non ci viene mica gratis eh, la pagano.»

«Davvero?»

«Certo, sennò col cazzo che viene. Infatti la lezione la dovrebbe fare lei, però non ne ha voglia e la scarica su di te. Non farti fregare, lascia perdere questa scemenza e andiamo.»

«Ma non posso zio, non sono tranquillo. Mi manca solo questo problema qui di matematica, fammelo fare e poi si va.»

«Che palle! E va bene, dài, fammelo vedere che si fa insieme. Ti ho insegnato a scrivere, posso insegnarti anche a fare i conti.»

E questa cosa dello scrivere è vera. Quando ero piccolo piccolo, passavo le sere con lui e gli altri zii e col nonno Arolando, che era ancora vivo e ritagliava insieme a noi tante lettere da un rotolone di carta giallo, lettere grandi che poi appiccicavamo una dietro l'altra su un panno rosso e diventavano parole, e servivano come striscioni nei cortei del partito comunista. È così che ho imparato a scrivere, mi facevano vedere com'era fatta la A e io ne ritagliavo un sacco, poi la B, la C e avanti così, infatti quando è cominciata la scuola e la maestra ci ha spiegato l'alfabeto io lo sapevo già benissimo. Anche se all'inizio ero confuso, perché secondo me mancavano due lettere. Lei ha detto di no, che c'erano tutte dalla A alla Z, e allora ho capito che, anche se gli zii me ne facevano ritagliare tante, la falce e il martello non erano nell'alfabeto. E da lì non ho più avuto problemi con l'italiano.

Con la matematica però sì, e tantissimi. Non è solo che non la capisco, è che la matematica mi mette proprio tristezza, mi basta pensare che esiste e sento una cosa amara in gola come quando mi capita in mano una foto del nonno Arolando che sorride, e io gli volevo tanto bene e mi sembra così ingiusto che lui, come i dinosauri, si è estinto e non ritorna mai più. E quello che non ritorna mai più, nel caso della matematica, è il tempo della vita che butti via mentre cerchi di risolvere i suoi problemi assurdi, come appunto quello di ieri:

Pino il contadino possiede 20 galline, che ogni giorno producono 10 uova fresche. Un mattino, però, Pino si sveglia e scopre che 5 galline sono scappate dal pollaio e altre 5 sono state rubate dalla volpe. Povero Pino, quante uova avrà quel giorno da portare al mercato?

L'ho letto a voce alta, e per un attimo ho davvero sperato che lo zio mi desse la soluzione. Senza spiegazioni, senza farmici arrivare col ragionamento, solo il numero delle uova e addio compiti. Poi ho alzato gli occhi e ho visto il suo sguardo spalancato nel nulla, e ho capito che non sarebbe andata così. Ha cominciato a scuotere la testa con una smorfia di schifo sulla bocca, mi ha strappato il quaderno di mano e l'ha strizzato forte come il collo di uno che ha fatto una cosa brutta.

«Ma che è questa roba! Come fanno a scapparti cinque galline in una notte, come fa una volpe a fregartene cinque in un colpo! Questo Pino è un coglione, ma cosa vi insegnano a scuola?»

«Non lo so zio. Ma la soluzione la sai?»

«Certo che la so! La soluzione è *zero*! Quel coglione di Pino non vende nemmeno un uovo, scemo com'è di sicuro sbaglia strada e al mercato non ci arriva nemmeno!»

Ha detto così, ha preso la penna e ha disegnato uno zero sulla pagina grosso come la mia testa. Lo ripassava così tanto e così forte che sembrava una ruota che correva impazzita, poi un vortice che girava e girava pieno di rabbia, e ha smesso solo quando ha bucato il foglio e un bel po' di quelli sotto. Poi mi ha stretto un braccio e mi ha tirato via, fuori all'aria aperta piena di uccelli che siccome erano furbi scappavano lontano da lui, e mi ha liberato dalla morsa solo quando siamo arrivati in fondo alla strada, per sdraiarci a terra e passare sotto la rete dello Zio Arno.

Ma intanto lo Zio Aldo ci rimuginava ancora, perché mentre strisciavamo come serpenti in mezzo al granturco continuava a sibilare *Dieci galline in un colpo... che imbecille... poveri bimbi cosa vi insegnano, poveri bimbi...*

Poi la giornata è finita ed è arrivata la notte, e nella mia famiglia la notte non porta mai consiglio. Anzi, peggiora le cose. Ecco perché al Villaggio Mancini, se succede una roba che ti fa arrabbiare e lì per lì faresti qualcosa di brutto, conviene farlo subito senza pensarci, perché se arriva la notte ribolli ancora di più e la mattina dopo è cento volte peggio. Infatti la mattina dopo era stamani, ed ecco che lo zio è venuto a scuola, ha sequestrato la classe e ci spiega come si costruisce un pollaio serio.

«In cima ci mettete un bel giro di filo spinato tutto intorno. Anzi, due giri. O anche tre, il filo spinato non basta mai. Così, se per sbaglio una gallina tenta di scappare o qualche bestiaccia prova a entrare, la mattina dopo la trovate impiccata lassù che dondola, e risolvete anche il problema di cosa mangiare per cena. Capito ragazzi? Oh, avete capito o no!»

E tutti fanno di sì tante volte, pure la maestra, mentre io cerco solo di nascondermi dietro le spalle della mia compagna davanti. Che già è difficile per una testa normale, figuriamoci per la mia così gonfia di riccioli che mi esplodono da tutte le parti. Ma ci devo riuscire, perché se lo Zio Aldo mi vede e mi saluta viene fuori che sono suo nipote, e mi sa che non è una bella cosa. In generale, ma stamani soprattutto.

«Bene, allora col pollaio siamo a posto, ora passiamo all'orto. Come si fa a seminare per bene? Cominciamo coi pomodori, prendete...»

«Oh, ma che succede qua?» Dalla porta arriva quest'altra voce, che lo blocca. È grossa come la sua, e grosso è anche Mauro il bidello, che entra in classe col grembiule sbottonato perché sulla pancia non si chiude.

Lo zio si volta di scatto, e uguale la maestra si alza dal banco: «Mauro, finalmente! Per cortesia, allontani questo individuo, è entrato con la violenza e ci ha presi in ostaggio».

Mauro la guarda, guarda lo zio tutto serio, alza le mani e gli va addosso urlando.

«Grande Aldo! Ma che ci fai qui!» Si abbracciano e si danno delle pacche forti sulle spalle.

«Nulla Mauro, insegno un po' di cose utili a questi bimbi.»

«Ah, bravo, era l'ora!»

«Ma come, era l'ora!» fa la maestra. «Mauro, è impazzito anche lei?»

«No» risponde lo zio con gli occhi a palla, «pazzi siete voi! Ma cosa gli insegnate a questi ragazzi? Contadini rimbambiti che non sanno fare il loro lavoro, pomeriggi persi a risolvere problemi che non servono a nulla. Qua invece di andare avanti si va indietro, una volta si sapevano tante cose e ora non sanno più un cazzo. Fra poco comincia il ventesimo secolo e questi ragazzi ce li facciamo entrare così.»

«Guardi che nel ventesimo secolo ci stiamo già da un pezzo.»

«Ah, ecco, ancora peggio! Allora stamani ho detto basta, son venuto qui e le cose che gli servono davvero a questi bimbi gliele insegno io.»

«Amen» fa Mauro. «Parole sante. Certo però, di tanti giorni, proprio stamani?»

«Perché, stamani che giorno è.»

«Ma come che giorno è, stamani Oreste ammazza il maiale, no? A me mi tocca stare qui fino a mezzogiorno, ma dopo ci vado di corsa.»

Lo zio per un attimo lo fissa e basta, poi si mette una

mano davanti alla bocca. Ma da là dietro schizzano lo stesso tante bestemmie una attaccata all'altra, offese al Signore e alla Madonna e a tutti quelli che stanno intorno a loro nei quadri in chiesa.

«Me lo sono scordato Mauro, porca XXX, me lo sono scordato! Oreste ammazza il maiale e io sono qui, a perdere tempo con questi deficienti!»

Dice così, poi si tuffa verso la porta e sparisce senza salutare. Anzi, magari. Invece arriva lì e si blocca, si volta di nuovo alla classe, e mi punta col dito. «Oh, Mauro, lo vedi quello lì brutto con tutti quei riccioli? È mio nipote, tienimelo d'occhio.»

Solo dopo queste parole lo Zio Aldo scappa via, e tutti si voltano verso di me, pure la maestra. Io pianto gli occhi nel legno consumato del banco e vorrei solo infilarmi là dentro come un tarlo, scavarmi una piccola galleria e vivere per sempre tranquillo lì in fondo. Perché un tarlo non lo vedi mai, un tarlo non ha tutti questi riccioli in testa e anzi non ha proprio i capelli, e soprattutto non ha parenti. Un tarlo sparisce quando vuole e non lascia traccia, a parte un buco piccolo piccolo.

E invece qua sparisce solo lo zio, con Mauro che gli urla dietro *Va bene, io lo tengo d'occhio, però te tienimi da parte un po' di salsicce!* Mentre la maestra torna alla cattedra e gli dice di non urlare, e poi lo dice anche a noi, perché tutti in classe cominciano a ripetere le parolacce che hanno sentito dallo zio, soprattutto le bestemmie, che gli sono rimaste in testa meglio delle istruzioni sul pollaio perfetto e non le potranno scordare mai.

E allora ecco, magari non era proprio questo che aveva in mente lo Zio Aldo, però si può dire che stamani ci ha davvero insegnato qualcosa.

Anzi, la sua lezione aveva avuto così tanto successo da scavalcare il muretto della scuola e spargersi per il paese, infatti adesso la risentivo a pezzetti nella partita a tennis tra la mamma e la Signora Teresa.

E più i loro discorsi si scaldavano e meno stavano attente

a scavalcarmi, le loro parole mi passavano vicine alla testa, mi sfioravano proprio, e alla fine ecco il momento sconvolgente che ho capito quella frase, tutta intera e chiara e insieme spaventosa. Quando la mamma ha detto *Menomale che non hanno chiamato la polizia, io non so più come fare*, e la Teresa ha alzato le mani al cielo e ha sospirato *C'è poco da fare Rita, lo sai, è colpa della maledizione.*

Ha detto così, giuro, e io ho smesso di leccare il ghiacciolo al limone, ho smesso di respirare, poi con l'ultima aria che avevo dentro ho chiesto: «Che maledizione?».

Di colpo le due tenniste hanno interrotto il gioco, hanno abbassato gli occhi addosso a me e la Teresa si è tappata la bocca. Solo che ormai quel che aveva detto l'aveva detto, e io l'avevo sentito, e il ghiacciolo cominciava a colarmi sulle dita in tante strisce appiccicose come tentacoli di un polpo che si avvinghiavano alla mano, al polso, al braccio e piano piano fino al cuore. E il polpo è un animale intelligentissimo, lo Zio Aramis diceva che tutti i pesci del mare, anche la spigola che è la più furba, in confronto al polpo sono degli idioti. Ma non c'era bisogno di essere intelligente come i polpi, ci arrivavo pure io a capire che questa cosa della maledizione era grave, e bisognava saperne di più.

«Mamma, che maledizione?»

«Eh? Ma che dici, quale maledizione.»

«La maledizione dello Zio Aldo, l'ha detto la Teresa.»

«Ma no, hai capito male.»

«Lo Zio Aldo è maledetto?»

«Ma no, è una scemenza che dicevano in paese tanto tempo fa, sulla nostra famiglia. Che te ne frega.»

«Me ne frega tantissimo invece! Se è della famiglia ci sono dentro tante persone che gli voglio bene. Ci sei pure te mamma.»

«Sì ma io non c'entro, stai tranquillo.»

«Ah, menomale. E allora non c'entro nemmeno io» ho detto. E sono quelle cose che, quando le butti lì, gli altri dovrebbero subito rispondere *Ma no, figurati, te c'entri meno di tutti, te non c'entri proprio per niente!*

Invece la mamma è rimasta zitta per un po'. Ha guardato me, poi la Teresa, poi di nuovo me: «È una scemenza Fabio, è solo una favola».

«Bene, se è una favola allora raccontamela.»

«No, è una favola brutta e scema.»

«E lo Zio Aldo, lo zio c'entra, vero?» chiedo. Ma non serve una risposta, basta guardare le due tenniste in faccia per capire che lo Zio Aldo c'entra così tanto che quasi non ci sta tutto intero. «Ecco, allora quando arriviamo a casa me la faccio raccontare da lui!»

E giuro che non ci avevo studiato, non l'avevo detto per strategia o con della furbizia dentro, è solo che questa cosa la volevo proprio sapere, e allora se gli altri stavano zitti io la chiedevo a lui. Che me l'avrebbe detta subito, e nel modo più tremendo di tutti. Allora la mamma ha respirato forte, ha infilato il pane e il latte e gli ultimi pezzetti della spesa in un sacchetto e l'ha dato a me, che l'ho preso con la mano appiccicosa di ghiacciolo.

Ha detto alla Teresa di mettere tutto sul conto, e a me: «Ma niente Fabio, è una storia scema, sui maschi della nostra famiglia. Dice che se arrivano a quarant'anni e non si sposano, diventano pazzi. Tutto qua.»

Poi è partita verso la sua bici, è salita in sella e si è voltata per vedere se le stavo dietro. Ma io ero una cosa ferma, dura, piantata davanti al negozio.

Non l'avevo mica capita per bene questa storia dei maschi che diventano pazzi, però diventare pazzi non era una bella cosa, e fra i maschi della mia famiglia c'erano tante persone che gli volevo bene. Cavolo, c'ero pure io! E se esisteva un modo assurdo per chiudere questa rivelazione spaventosa, era proprio quel *Tutto qua* che ci aveva messo la mamma, tentando di sorridere.

«Sì mamma, però... però quarant'anni sono tantissimi, no? Cioè, uno a quarant'anni è vecchio, e se impazzisce non si nota nemmeno, vero? È già difficile arrivarci, a quell'età. Anche te mamma, a te manca ancora tantissimo prima di arrivare a quarant'anni, no?»

Lei mi ha guardato, mi ha guardato un altro po': «Lasciamo perdere», ed è partita.

E io dietro, col sacchetto appeso a una manopola del manubrio, tutta appiccicosa e al gusto limone. Una pedalata, due, il negozio si allontanava alle spalle e io speravo che anche questa storia della maledizione rimanesse lì, lontana da me, sempre più lontana.

Ma le storie sono come il dinosauro invincibile che stavo disegnando quella mattina a scuola, prima che arrivasse lo Zio Aldo a incasinare tutto. Le storie vengono da lontano, ma respirano sott'acqua e hanno ali giganti per raggiungerti dovunque.

Come questo urlo disperato che mi è saltato addosso da là dietro, così forte che mi sarei girato lo stesso, anche se non stesse gridando il mio nome. Era la Signora Teresa, sulla porta del negozio, le braccia al cielo:

«Sposati, Fabio! Basta che ti sposi e va tutto bene! Sposati Fabio, perlamordiddìo!»

2
Il mio babbo è Little Tony

Sulla cima del monte, nel buio del bosco, una luce silenziosa. È un fuoco che si accende, e le prime fiamme tremano come un cuore che batte spaventato addosso agli alberi e fino ai rami storti là sopra, vene nodose che si gonfiano sotto la pelle nera della notte verso l'occhio bianco della luna, puntato sull'orrore che sale insieme a questo urlo spaventoso.

Perché il fuoco viene da un mucchio di legna, e lì sopra legata a un palo c'è una donna. Vestita di nero come nerissimi sono i capelli e gli occhi che alza al cielo mentre grida, e le fiamme già le mangiano le gambe. Poi il suo sguardo torna qua e si pianta in faccia ai dieci uomini dritti e scuri davanti a lei, che la stanno bruciando. Stringono falci e forconi, hanno la croce al collo e sono vestiti come la gente al palio di Siena. Però sono i miei zii.

E mentre il fuoco sale a consumarle il petto, la strega alza un braccio per salvarlo ancora un attimo dal rogo, e li indica uno per uno:

«Io vi maledico, fratelli Mancini! Vado all'Inferno, ma vi porto con me nell'inferno della pazzia!», la bocca si storce in una risata malefica. «Questa maledizione ricadrà su di voi e sui vostri figli maschi. E sui figli dei vostri figli. E sui figli dei figli dei vostri figli. E sui figli dei figli dei figli dei vostri figli. E sui figli dei figli dei...»

«Sì, abbiamo capito!» dice l'uomo più vicino al rogo, che a guardarlo bene è identico allo Zio Aldo. Butta altra paglia sul fuoco e una vampata di fiamme ingolla la strega, ma per un attimo resta l'eco del suo urlo *Maledetti! Maledetti!*, sale nell'aria e si impiglia fra i rami secchi lassù, che si chiudono come mani di scheletro in un abbraccio mortale addosso alla notte e agli zii e a tutto quanto.

Pure addosso a me, che nel sogno non c'ero, ma lo stesso tentavo di dire alla strega che non era giusto, che io ero il figlio dei figli di chissà quanti figli, però questa storia del rogo non la sapevo nemmeno. L'unica volta che i miei zii erano entrati in chiesa l'avevano fatto per sbaglio, una notte di capodanno che il camion aveva sbandato e c'era finito contro, figuriamoci se mi risultavano degli antenati così religiosi da mettersi a bruciare le streghe. Non era colpa mia, io a quell'epoca non ero ancora nato e non sarei nato per un sacco di tempo, con questa maledizione non c'entravo nulla. Anzi, l'avevo sentita dire solo oggi pomeriggio, per caso nella bottega della Teresa mentre succhiavo un ghiacciolo, che è un'invenzione moderna e buonissima e alla strega le offrivo volentieri un morso per fare la pace, ma mi sa che non è una cosa facile, mangiare un ghiacciolo mentre prendi fuoco.

E però appunto non era colpa mia, non era colpa mia. Lo urlavo alle fiamme, al bosco, alla luna piena lassù che mi fissava senza rispondere. E diventava sempre più bianca, sempre più larga e piatta, fino a trasformarsi nel soffitto di camera mia. E invece dei rami del bosco che si scuotevano, ho sentito qualcosa che scuoteva me, due mani vere e forti che mi svegliavano e mi tiravano fuori da questo incubo. Mi sono tirato su col busto, sudato e senza respiro, ho guardato il viso del mio salvatore, e ho abbracciato stretto Little Tony.

Che a dirla così sembra di essere uscito da un sogno assurdo per tuffarsi dentro un altro ancora più folle, lo so, ma giuro che era proprio così: il mio babbo era il famoso cantante Little Tony, l'Elvis Presley italiano.

O almeno, io ci credevo tantissimo. Perché la mamma faceva di tutto per evitarmi dispiaceri e delusioni. Diceva che a darmeli ci avrebbe pensato anche troppo la vita, e allora finché lei poteva mettersi in mezzo cercava di tenermi felice.

E un giorno alla tv c'era un programma per vecchi dove facevano rivedere cantanti vecchi che cantavano tanto tempo fa, quando nessuno era vecchio. A un certo punto sale sul palco un ragazzo con un ciuffo gigante e una giacca stupenda piena di stelle e le ragazze impazziscono e urlano il suo nome, che appunto era Little Tony. E Little Tony era uguale identico al mio babbo.

Che era bellissimo, il più bello del paese e di tutta la costa dal fiume Magra fino all'Arno laggiù. Era famoso il babbo per quanto era bello. E a renderlo ancor più irresistibile c'era il fatto che a lui non gliene fregava niente. Girava sull'Ape e andava a sistemare rubinetti docce e caldaie, senza accorgersi delle ragazze che lo guardavano passare e avrebbero tanto voluto che sistemasse pure loro. Si stringevano le mani al petto e soffiavano piano il suo nome, *Giorgio, oh Giorgio*, che era il nome perfetto perché per dirlo devi stringere le labbra come quando stai baciando qualcuno. Solo che Giorgio non baciava nessuna. E nemmeno ci parlava, nemmeno gli sorrideva, perché per sorridere a una persona devi accorgerti che esiste, invece per il babbo esisteva solo il lavoro. Ma poi un giorno, quando ormai cominciavano tutte a rassegnarsi, dal nulla il babbo si è sposato con la mamma, e da quel momento le ragazze del paese le hanno tolto il saluto. Quelle belle la odiavano perché pensavano che non se lo meritava, e quelle brutte perché se Giorgio si fosse messo con una bellissima l'avrebbero capito, erano le regole del mondo, ma per una volta che il mondo aveva concesso un'eccezione a queste regole spietate, ecco, poteva toccare a loro invece che alla Rita sposare quell'uomo magnifico, identico al famoso cantante Little Tony. Così identico che appena l'ho visto in tv ho spalancato gli occhi e li ho buttati addosso alla mamma e alla nonna:

«Ma... ma quello lì è il babbo!»

E loro, dopo un attimo, «quello lì è Little Tony».

Allora gli occhi mi si sono spalancati ancora di più, mi facevano male proprio. «Ma davvero? Il babbo è Little Tony?»

Mi hanno guardato, e devono avermi trovato nello sguardo una felicità troppo luminosa, troppo scintillante per spegnerla con quella secchiata gelida che la gente chiama verità. La mamma si è voltata alla nonna, poi di nuovo a me, e ha risposto: «Sì».

Io sono rimasto con una bolla d'aria in gola che non andava né su né giù. Il mio babbo era una stella, un cantante famoso, una cosa già incredibile di suo, ma ancora di più nel caso del babbo, che nella vita normale era praticamente muto.

Faceva segni, indicava, solo ogni tanto gli usciva una parola di bocca ma sempre spersa e sola, e per darle un senso ci voleva fantasia: diceva *tardi*, e magari mi voleva dire che stavo facendo tardi per la scuola o il catechismo. Diceva *fame*, e voleva dire che era l'ora di pranzo o di cena. Diceva *acqua* e poteva essere che aveva sete, o che ti offriva da bere, o che cominciava a piovere. Era così il babbo, ma non per cattiveria. Anzi, mentre ti rispondeva a segni ti guardava con quegli occhi verdi come bottiglie luccicanti in mezzo al mare, che ti allagavano di bontà. Andava d'accordo con tutti, tranne che con le parole. Parlava coi fatti, la sua bocca preferita erano le mani. *Con le parole non si piantano i chiodi nel muro*, diceva. Anzi, no, lo diceva il nonno, ma il babbo lo indicava e faceva di sì con la testa.

E invece adesso, su quel palco alla tv, ballava scatenato e riempiva il microfono con una voce stupenda e senza fine.

«Ma come mai a casa sta sempre zitto?»

«Be', per forza» ha detto la mamma. «Il motivo è semplice, è semplicissimo», ma invece di dirmelo guardava la nonna.

E lei: «Perché risparmia la voce, no? Tienitelo per te, Fabio, ma il babbo sta organizzando un grande ritorno, un ultimo concerto di addio, e allora si risparmia per quello. Ma mi raccomando, è un segreto, non dirlo a nessuno».

Io ho fatto di sì, poi di no, ho stretto la bocca e l'ho tappata con la mano. Per tenere chiuso dentro quel segreto clamoroso, insieme a tutta l'emozione e la fierezza per il mio babbo. E da quel giorno ci pensavo io a proteggerlo, come una guardia del corpo alta un metro e dieci. Andavamo al bar, o al negozio di pesca o al ferramenta, e se c'era la fila io cercavo di spostare le persone e dicevo *Largo, largo, fate passare Little Tony*. Ma lui scuoteva la testa, perché era famoso ma anche modesto e voleva fare la fila come tutti, e arrivato alla cassa pagava come la gente normale, anche se era una grande stella. Anzi, la stella più grande di tutte, perché magari tanti cantanti sul palco facevano impazzire il loro pubblico, sì, ma chi altro poi si presentava a casa dei suoi fan, e gli aggiustava lavandini e gabinetti? Solo il mio babbo, che era un artista completo. Un grande cantante e un grande uomo, che stanotte aveva pure trovato il tempo di venire qua in camera di suo figlio, a svegliarmi da un incubo tremendo e ripieno di streghe e maledizioni.

«Grazie babbo, grazie di cuore!», l'ho abbracciato stretto, «io non c'entro nulla, non l'ho bruciata io, io non c'ero nemmeno, nel medioevo!»

Lui ha fatto di sì, e mi ha detto «dormi».

Ma non potevo più. Perché non era stato solo un brutto sogno, da quel pomeriggio sapevo che era una condanna vera e tremenda e ce l'avrei avuta addosso per sempre, quando dormivo e quando ero sveglio. E quindi dormire, adesso, non era possibile.

Allora il babbo mi ha preso per le braccia, mi ha tirato fuori dal letto e mi ha detto «vieni con me». E solo in quel momento mi sono accorto che non era in pigiama, ma con giubbotto e calzoni e scarpe da lavoro. Gli ho chiesto dove andavamo, lui ha voltato la testa dall'altra parte e ha risposto «fuori».

«Ma fuori dove, che ore sono?»

Ha alzato due dita.

«Le due? E dove andiamo alle due di notte?»

Ha preso i miei calzini da sopra il termosifone, ha aperto l'armadio e mi ha passato pantaloni e giubbotto pesante. «È freddo» ha detto stringendosi fra le braccia, mi ha aiutato a vestirmi sopra il pigiama e poi via, in quel freddo che diceva lui.

Insomma è così, un attimo prima stavo a letto, scaldato dalle coperte e da un rogo che bruciava in mezzo al medioevo, adesso di colpo eccomi qua nel freddo di una notte di ottobre al Villaggio Mancini, da qualche parte lungo il ventesimo secolo.

E lì per lì, se lo guardavi dalla strada principale dove passavano le auto e il resto del mondo sotto la luce dei lampioni, poteva sembrarti solo una via a fondo chiuso. Ma bastava un passo, il primo passo verso il buio, e capivi che invece eri entrato in un posto a sé, un vero villaggio che sulle mappe non risultava eppure eccolo qui, con tanto di cartello che ti dava il benvenuto e insieme ti diceva di stare alla larga.

Per prima trovavi la casa della nonna Giuseppina, di fronte quella dove stavamo io e la mamma e il babbo. E dopo le nostre, se ti facevi forza e scendevi in profondità, una per una le case degli zii, sempre più lontane dall'illuminazione pubblica e dalla luce della ragione. Quella dello Zio Aurelio, che però era vuota perché lui ormai viveva nell'Aldilà, e quella dello Zio Adamo che anche quella era vuota ma perché si era trasferito a Mantova, e non tornava mai e non chiamava mai, solo a Natale spediva per posta un salame, senza biglietti, senza nulla, e quel salame era per noi l'unica differenza tra essere a Mantova ed essere morto. Più in là ancora, sperse nelle tenebre, le case dello Zio Aldo, di Athos e Aramis e Adelmo e via così, fino in fondo alla strada nel campo dello Zio Arno, che stava sempre lì dentro col suo cane Bufera in una roulotte tutta rotta, e per essere sicuro di non allontanarsi le aveva tolto le ruote.

E adesso andavamo proprio da quella parte, con la luna piena che si stendeva addosso al Villaggio, identica al mio sogno di prima. Mi faceva ripensare al bosco scuro, alle fiamme, agli occhi e alle parole della strega. Allora ho allungato il passo per stare appiccicato al mio babbo, che non sapevo cosa ci faceva in giro alle due di notte, ma con lui il motivo di tutto era sempre uno solo: il lavoro. Magari l'avevano chiamato per un'urgenza, come i medici, solo che invece di una persona che si sentiva male c'era un tubo che perdeva o un termosifone che non scaldava, e lui correva in aiuto. Anche se erano le due di notte, anche se stanotte era il suo compleanno. Perché lui aggiustava tutto, subito e sempre, questa era la missione del babbo.

E insieme la condanna della mamma. Infatti l'unica volta che li ho sentiti litigare è stata una sera che andavamo a cena da una signora del coro della chiesa, e prima di uscire la mamma l'ha fermato sulla porta e ha detto: «Giorgio, per piacere, cos'hai lì sotto?».

Il babbo ha abbassato gli occhi al giacchetto, che era un po' gonfio da una parte ma poco, e ha scosso la testa.

«Giorgio, te lo chiedo per piacere, stasera no, almeno stasera no.»

Lui l'ha guardata, ha guardato me, poi ha alzato i suoi occhi verdi al cielo che cominciava lì subito dopo la porta di casa, ha aperto il giacchetto e ha tirato fuori una busta di plastica con dentro cacciaviti, chiavi inglesi, stoppa, pinza, tenaglie. L'ha posata sul tavolo di cucina, la mamma ha brontolato qualcosa e poi ha fatto per uscire, ma lui si è messo una mano nella tasca dietro dei jeans e ha tirato fuori anche due pile, del filo elettrico, una scatoletta piena di viti diverse. E la mamma l'ha guardato tutta seria, però ha resistito solo un attimo e poi le è scappato da ridere, si è voltata al vialetto e finalmente siamo andati a cena.

Ma tanto, con gli attrezzi o senza, finiva sempre così. Che a tavola tutti mangiavano e chiacchieravano, tranne il babbo che non parlava e ascoltava solo. Poi a un certo punto smetteva pure di ascoltare, perché sentiva il richiamo disperato di uno scarico che tossiva, di un rubinetto che piangeva, degli spruzzini in giardino che non spruzzavano bene. E a questo richiamo il babbo doveva rispondere.

Chiedeva di andare in bagno, usciva dalla stanza e non tornava più. All'inizio ci faceva caso solo la mamma, con un misto di rabbia e vergogna, poi qualcuno diceva *Oh, ma Giorgio è cascato nel cesso?* E tutti ridevano, pure la mamma, ma lei meno e per finta. Perché sapeva che magari nel cesso non c'era caduto, ma se andavano a controllare ce lo trovavano sdraiato sotto, in mezzo alle tubature smontate e con la maglia buona tutta sporca di grasso. E insomma, andare alle cene con lui era come andarci da sola, a fine serata salutava i padroni di casa chiedendo scusa, e loro rispondevano *Ma di cosa, Rita, ci ha rimesso a posto la casa, grazie di cuore!* E il babbo sorrideva e se ne andava, la mamma se ne andava e basta.

Come andavamo adesso io e lui, zitti nella notte fonda, lungo la stradina del Villaggio Mancini e fino dietro alla casa dello Zio Aldo, dove c'erano delle sedie di plastica vuote intorno a un fuoco acceso.

E sarà stata la luna piena, saranno state le fiamme che tremavano addosso agli oleandri e alle canne di bambù e anche addosso a noi, insomma ora sì che mi sembrava di essere tornato nel mio incubo. Solo che al posto del rogo c'era un fornello a gas, e invece della strega bruciava un bombolone pieno di grappa.

Cioè, il bombolone era pieno di qualcosa tipo bucce di frutta o vinaccia o cose così, e a forza di bollire diventava un vapore che passava in un tubicino lungo e tutto attorcigliato, girava e girava lì dentro e così si raffreddava, e alla fine del tubicino per qualche miracolo cadeva goccia a goccia in un secchio lì sotto, come un pianto incendiario di grappa che faceva *plìp plìp* nel buio della notte.

Il babbo si è seduto vicino al fuoco, ha tirato fuori un telecomando, e per un attimo ho pensato che magari lo Zio Aldo aveva piazzato una tv in giardino. Ma ovviamente il babbo non voleva usare quel telecomando, lo voleva sistemare: come gli altri uomini si portavano dietro le sigarette o qualcosa da sgranocchiare, lui teneva sempre in tasca qualcosa da aggiustare. Ha aperto quell'affare di plastica e me l'ha fatto vedere, per insegnarmi come si faceva, ma mi sa che non avevo preso il suo talento perché non ci capivo nulla, e in più avevo tanto freddo e mi veniva da accostarmi al fuoco. Solo che il bombolone brontolava e sbuffava e avevo paura che scoppiasse, e allora sono rimasto lì, a metà strada fra la morte per assideramento e quella per esplosione.

E mi faceva pure un po' male la pancia, ma quello era colpa di tutto il gelato che avevo mangiato a cena. Era il compleanno del babbo e faceva quarant'anni precisi, come quelli della maledizione, solo che lui si era sposato e in più non aveva il sangue dannato dei Mancini, quindi era salvo due volte. Infatti aveva cenato tranquillo e senza pazzie, spaghetti con le arselle e fritto misto, e alla fine la torta di compleanno che come ogni anno non era una torta, ma una vaschetta gigante di gelato tutto alla crema. Che era assurdo, perché sul gelato è un casino piantarci le candeline, e poi a lui e alla mamma nemmeno gli piaceva. Infatti l'avevo mangiato solo io, mezza vaschetta tutta in pancia mentre il babbo mi guardava e sorrideva e finiva gli ultimi pezzetti di fritto misto.

Ci ripensavo adesso davanti al bombolone della grappa, e avrei tanto voluto domandargli come mai ogni anno portava a casa tutto quel gelato alla crema, se piaceva solo a me. Ma il mio babbo era Little Tony, e risparmiava la sua voce bellissima per un grande concerto di addio, quindi non gli ho chiesto niente. Ho solo detto: «Babbo, a me la crema mi piace, ma di più la nocciola, di più la panna. Secondo me il prossimo anno si potrebbe prendere dei gusti diversi, tanto lo mangio solo io».

Ma era una cosa buttata lì, senza pretendere risposte, giusto per mettere un po' di suono nel fumo che mi usciva dalla bocca mentre respiravo. E però dopo un attimo, sarà stato per il vino bianco della cena, sarà stato il vapore della grappa che riempiva l'aria, sarà stato che quel giorno compiva quarant'anni e gli faceva effetto, insomma il babbo ha posato il telecomando per terra, ha alzato gli occhi e li ha piantati nei miei per un momento che è durato così tanto da sballare tutti gli orologi, tutti i calendari del mondo. E poi, lo giuro con le dita a croce sul cuore, la sua bocca si è aperta e da lì è scappata fuori una parola, poi un'altra, poi un'altra ancora.

Sei... anni... avevo...

Come le prime gocce di una tempesta improvvisa, e infatti ho guardato il babbo e mi è venuto da aggrapparmi forte alla sedia, mentre dalle sue labbra partiva un uragano che ha travolto me, la sedia e il campo intorno e ci ha portati via, in un altro mondo, un altro tempo.

«Sei anni avevo. Come te adesso. E anche quel giorno lì era il mio compleanno. Aiutavo i nonni nel campo, e mi piaceva. Però alle sei la sera non mi piaceva più, perché da lontano sentivo il campanello del Parigino che passava su un'Ape tutta bianca e vendeva il gelato. Lo vendeva in centro, ai bimbi che uscivano dalle scuole e lo potevano comprare, qua da noi invece ci passava solo perché era la strada per tornare a casa sua. Era una via di sassi e strinta e storta in mezzo agli olivi, e anche qui di bimbi ce n'erano tanti, però di soldi no e il gelato non lo poteva prendere nessuno. Solo ogni tanto in casa spuntava un uovo in più, la mamma me lo dava e io lo davo al Parigino, che in cambio mi faceva un cono piccolo alla crema. Però non succedeva mai. E allora quando sentivo quel campanello mi si strizzava lo stomaco dalla voglia, mi stendevo nel campo e mi tappavo le orecchie fortissimo. Soprattutto l'estate, che c'era un caldo che spaccava i campi, la terra si apriva e dentro ci vedevi le formiche e i vermi e altre bestie tutte morte arrostite. Ma l'uovo per il gelato non ce l'avevo mai. Nemmeno quel giorno lì, che l'estate era finita e però era il mio compleanno. Non c'erano nemmeno i soldi per un regalo, e infatti la mamma, che poi era la tua nonna, aveva trovato un nastro rosso in un cassetto e me l'aveva legato in fronte e aveva detto *Auguri Giorgio*. E a me mi piaceva pure eh, come regalo. Facevo finta di essere Tex quando va nel villaggio dei Navajo, sai, che si leva i vestiti da cowboy e si veste da indiano, e si mette quella fascetta in testa. Poi però ho sentito il campanello del Parigino e il gioco è finito, perché era chiaro che io non ero Tex. Il vero Tex come minimo sparava alle ruote dell'Ape e la faceva ribaltare, così tutti i bimbi della strada potevano correre a prendersi il gelato. Perché era giusto, perché era buono, e perché era il mio compleanno, porca puttana. Invece io ero lì sul ciglio della strada e potevo solo stendermi in terra, e pensare a cose brutte come che il Parigino quando faceva il gelato non si lavava le mani, ci sputava dentro o ci faceva la pipì. E però nulla, lo volevo lo stesso, lo volevo tantissimo. E anche con le orecchie tappate il motore dell'Ape mi faceva tremare le ossa, lo sentivo che si avvicinava sempre di più, arrivava davanti a me e si fermava. Ho aperto gli occhi, e il Parigino era lì che mi guardava col braccio fuori dal finestrino.

"Bimbo, che succede, stai male?"

Io ho fatto di no, senza guardarlo.

"Sicuro?"
Ho fatto di sì.
"E in testa che hai, che roba è?"
Lì per lì non ho capito, poi mi sono ricordato del nastro rosso. Ho detto che era un regalo, per il mio compleanno.
"Ah, oggi è il tuo compleanno?"
Ho fatto di sì.
"E allora auguri! Quanti anni fai?"
"Sei" ho detto. E ho anche fatto il numero con le dita.
"Bravo. È un giorno speciale. E sai come si festeggia un giorno così speciale? Con un bel gelato. Ce l'hai un po' di spazio nella pancia?"
Ho fatto di sì, così forte che la testa quasi si staccava dal collo e rotolava fino all'Ape per mangiare il gelato prima del resto del corpo. Ce l'avevo sì lo spazio nella pancia, e una voglia di gelato che non finiva mai.
"Bravo bimbo. E l'uovo da darmi, quello ce l'hai?"
No, l'uovo no, quello era l'unica cosa che non avevo. Ho smesso di fare sì a ripetizione, e una volta sola, appena appena, ho scosso la testa.
E il Parigino: "Ahia, peccato! Ciao bimbo, e tanti auguri eh!".
Con un sorriso che gli riempiva tutto il muso, mentre già si allontanava insieme al casino del motore e a quel campanello maledetto. L'Ape spariva in fondo alla via dentro la polvere che si alzava e girava e diventava una nuvola, e dentro quella nuvola ci sono rimasto dritto e fermo non so quanto tempo, come minimo un'ora o due. E giuro che per tutto il tempo io ho pianto. Ho pianto così tanto e così forte che forse quel giorno ho finito le lacrime che avevo come riserva per tutta la vita, e infatti non ho pianto mai più. E anche il gelato alla crema non l'ho mangiato più, basta l'odore e mi viene la nausea. Però da quel giorno ho cominciato a lavorare tanto, tantissimo, senza smettere mai. Fino a oggi che faccio quarant'anni. Quarant'anni, porca puttana, e invece mi sembra un attimo, sai? Avevo la tua età precisa, ho sbattuto gli occhi per la polvere che aveva alzato il Parigino e *bùm*, eccomi qua. E il gelato alla crema mi fa schifo, però

quando è il mio compleanno lo voglio sulla tavola, una vaschetta piena. Perché lo sai cosa mi garba tanto a me, Fabio, ma tanto tanto? Mi garba stare lì al tavolino come stasera, seduto comodo con un bel bicchiere di vino fresco, a guardare il mio figliolo che mangia tutto il gelato che vuole. Mi garba tantissimo. Sono scemo, lo so, però sono anche felice, e allora va bene così.»

Tutto questo mi ha raccontato il babbo, di là dal fuoco in quella notte incredibile. Mi ha guardato per un altro dei suoi attimi senza fine, poi ha abbassato gli occhi alle mani e si è stupito di trovarle vuote, ferme, senza trafficare con qualcosa.

Come fermo ero rimasto io, ad ascoltarlo senza poter respirare, ascoltare come bere, ingollando tutta la sua voce che praticamente sentivo per la prima volta. E volevo che non smettesse, che andasse avanti ancora e ancora. Solo che non funziona così. Non è che alzi gli occhi al cielo e in quel momento passa la cometa di Halley, e tu le dici *Molto bella, complimenti, adesso rigirati e passa un'altra volta*. No, è una meraviglia che vive dentro un attimo speciale, e tu sei stato fortunato a trovarti lì in quell'attimo, così breve e clamoroso che ti domandi se era vero o l'hai solo sognato, mentre il babbo già tornava al suo silenzio e al telecomando.

Sistemava i pezzetti di plastica che c'erano dentro e nessuno al mondo sapeva cosa ci stavano a fare, tranne lui. E di sicuro in qualche minuto il telecomando funzionava come prima, anzi meglio di prima, magari diventava un supertelecomando che se pigiavi un canale per sbaglio lui metteva la tv sul canale giusto che volevi davvero.

E però, per finire questo miracolo, gli mancava un cacciavite. Si è alzato e si è palpato le mille tasche di calzoni e giubbotto, ma proprio non ce l'aveva, allora mi ha detto che andava un secondo in casa a prenderlo. Cioè, in realtà mi ha detto solo «prendo il cacciavite», ha indicato casa nostra e via.

E io avrei voluto seguirlo, perché mi dispiaceva lasciarlo solo dopo quella cosa bruttissima che gli era successa quando aveva la mia età. Che erano passati tanti anni ma insieme un attimo soltanto. E mi dispiaceva anche di più aver mangiato solo mezza vaschetta di gelato, l'altra metà nel freezer per i giorni dopo. Però avevo freddo, e accanto al fuoco ci stavo troppo bene, e poi lui ha aperto la mano per dirmi di stare qui che tornava subito. Ho fatto di sì, mi sono messo comodo, e gli ho chiesto se mi portava il gelato avanzato. Perché di colpo lo volevo, lo volevo tanto.

Il babbo mi ha guardato, ha sorriso e ha fatto di sì, poi è sparito dalla luce del fuoco e di là dagli oleandri. E io sono rimasto solo, nel calore delle fiamme sotto il bombolone, nel rimbombo della sua voce così stupenda. E capivo i milioni di persone che riempivano gli stadi per ascoltarlo, e mi sentivo fortunato a essere suo figlio, e che nel giorno del suo compleanno il regalo l'aveva fatto lui a me, con una vaschetta intera di gelato e un concerto speciale solo per noi.

Una cosa così bella che mi è venuto il dubbio che magari stavo ancora sognando: prima un incubo con la strega che bruciava, ora un sogno splendido col mio babbo che parlava e mi raccontava di quando aveva la mia età.

Ma andava benissimo così, quando succedono le cose splendide va bene sempre, anche se è solo un sogno. Basta non svegliarsi mai.

3
Dieci dita sono troppe

Il babbo era andato a prendere un cacciavite, ma era passato un pezzo e non tornava. Forse non trovava quello giusto, o forse mentre stava nella sua officina aveva sentito la voce di un rubinetto o di un tubo che gli chiedeva aiuto da chissà dove. Oppure era andato via da un minuto appena, ma a me sembrava tanto tempo perché a stare qua da solo nel buio mi montava la paura, e la cosa che più aveva bisogno del suo aiuto stanotte ero io.

La fiamma ballava sotto il bombolone della grappa, e riempiva il mondo di ombre nere e tremolanti e spaventose, soprattutto quelle spinose degli oleandri che andavano su e giù addosso al muro della casa dello Zio Aldo, come tanti denti appuntiti che rosicchiano la pelle delle cose fino a trovarci sotto i loro misteri.

E insieme alle ombre c'era l'odore che veniva dal bombolone e mi faceva girare la testa, e da un momento all'altro mi aspettavo di vedere la strega del mio incubo che arrivava qua a cercare i miei zii per vendicarsi. Ma non li trovava e allora se la prendeva con me, che ero il loro nipote e anche se mi mancava un bel po' ai quarant'anni non aveva senso aspettare così a lungo, tanto la mia fine era la stessa: crescere insieme agli zii e sempre più simile a loro, e diventare pazzo.

Ma pazzo veramente eh, non come quelli che dicono *Oh, io sono pazzo, mangio il gelato anche d'inverno*, oppure *metto la giacca a quadretti sui calzoni a righe*. No, quella è gente normalissima, così normale che sogna di essere strana, e se gli dici che è pazza è il complimento più stupendo che gli puoi fare. Io invece parlo di persone che d'inverno vanno a dormire sui monti, in mezzo alla neve, perché così fanno come il cibo nel frigo e si conservano più a lungo. Parlo di uomini adulti che si vestono da cowboy, col cappellone e gli stivali, e stanno tutto il giorno nascosti dietro il cavalcavia dell'autostrada aspettando l'attacco dei mohicani. E a queste persone, se gli dici che sono pazze, non gli piace proprio per niente. Anzi, si tappano le orecchie e fanno di no con la testa sempre più forte, e scappano via urlando *Non è vero, io non sono pazzo, non sono pazzo!*

Sono persone che conosco bene, so i loro nomi uno per uno: cominciano tutti per A, perché sono i miei nonni o i miei zii o come il mondo decide che li devo chiamare.

E io gli volevo tanto bene, però non capivo come mai dovevano sempre essere così strani. Loro e pure i loro amici, tipo i tre fratelli Binelli che si chiamavano Marte, Urano e Gino. E io una volta gliel'ho proprio chiesto, a Gino, perché invece di proseguire col sistema solare e chiamarlo magari Giove o Saturno, l'avevano chiamato solamente Gino. Lui mi ha guardato in un modo che sembrava non ci avesse mai pensato prima, ha alzato le spalle e mi ha risposto: «Boh, lo devi chiedere al mio babbo e alla mia mamma. Però è tardi perché stanno tutti e due sottoterra. Oppure è troppo presto, e glielo puoi chiedere il giorno che sottoterra ci finisci anche te».

E io ho fatto di sì, ma solo per non offenderlo, perché invece secondo me quando morivo c'era così tanta roba da scoprire nell'Aldilà, così tanti posti da vedere e persone di ogni epoca da conoscere, che anche se ci restavo per tutta l'eternità non mi avanzava comunque il tempo per andare dai suoi genitori a chiedere come mai l'avevano chiamato Gino.

E insomma, i loro amici avevano nomi strani ed erano strani pure loro, però mai quanto i miei zii. Che lo erano già prima, poi è morto il mio nonno e allora molto peggio. Perché lui aveva sposato la nonna e si era salvato dalla maledizione, e anche se era il più piccolo li teneva tranquilli e li consigliava sempre, e adesso mancava tantissimo a tutti. A loro, ma di più alla nonna, che a pranzo e a cena apparecchiava ancora per lui nel suo posto preferito, e mancava tanto pure a me, che la sua faccia me la ricordavo solo con l'aiuto delle foto e però gli volevo tantissimo bene. Anzi, l'avrei voluto qui a dare una regolata agli zii, che la mamma e la nonna glielo dicevano tutti i giorni, *Se continuate così la vostra fine è Maggiano!*

E ogni volta che sentivo quel nome mi saliva un brivido dal fondoschiena su verso la gola, pure adesso nel buio davanti al bombolone. Perché Maggiano era un posto sui monti dove rinchiudevano i matti, coi muri scuri e tutto nero nel bosco, che io non l'avevo visto mai e però gli zii mi avevano raccontato che ci succedevano cose così tremende che se le vedevi diventavi matto pure te, e infatti metà dei malati là dentro erano ex infermieri che avevano iniziato a lavorarci e piano piano erano finiti nelle celle pure loro. Certo, perché a stare coi matti si diventava matti, e quindi ero spacciato anch'io, che stavo coi miei zii ogni secondo.

E allora, quando finalmente ho sentito i passi che arrivavano dalla strada di là dalla casa, sono schizzato in piedi felice e stavo per correre verso il mio babbo e abbracciarlo fortissimo.

Però i passi sono diventati troppi, e troppo rumorosi e storti, misti a parole ancor più storte, versi di gola e urli che ammazzavano a calci il silenzio della notte. Perché non era il mio babbo, erano proprio loro, i miei zii che venivano tutti insieme dalle tenebre, tenendo in braccio un ragazzino sconosciuto.

Sono entrati nella luce della fiamma, e non era un ragazzino, era un bottiglione gigante mezzo pieno di grappa. Anzi, visto che stava in braccio agli zii, un bottiglione mezzo vuoto.

«Oh, guarda chi c'è!» ha biascicato lo Zio Aldo, e mi ha strizzato in un abbraccio così forte che gli occhi mi sono usciti un po' dai loro buchi. «Bravo che fai la guardia! E il babbo dove l'hai messo?»

Erano lui e lo Zio Athos, e dietro Aramis che spingeva lo Zio Adelmo sulla carrozzina.

«Il babbo torna subito» ho detto, e insieme ci speravo tanto.

Ma loro non mi hanno nemmeno sentito, Athos stava già piegato alla fine del tubo dove la grappa gocciolava nel secchio, ci ha messo sotto le dita della mano destra e poi se le è leccate tutte e quattro. Quattro, perché il medio l'aveva perso in un tosaerba.

«Buona! Oddìo com'è buona, è una meraviglia!»

Ma il suo giudizio valeva poco: per lo Zio Athos ogni cosa era una meraviglia, tutto e sempre. Cioè, prima no, prima era l'opposto, sempre nervoso e musone, non gli andava bene nulla e non era mai d'accordo con nessuno, nemmeno se gli davi ragione. Poi un giorno era lì che potava le siepi di una villa insieme allo Zio Aramis, ha detto una parola strana che Aramis non ha capito bene, è cascato per terra e buonanotte. L'hanno portato all'ospedale, e i dottori hanno detto che era un ictus, però gli è andata bene. Infatti lo Zio Athos è tornato a casa sulle sue gambe, uguale identico a prima tranne un sopracciglio più alto dell'altro, una smorfia della bocca che era un sorriso eterno in faccia, e soprattutto un carattere tutto nuovo: sempre felice e allegro, ogni cosa era stupenda e interessante ed emozionante, e non poteva stare un minuto senza dirti che ti voleva bene, che era felice di conoscerti, che era contento di quel colpo che l'aveva mandato fuori di testa, perché secondo lui era il segreto per vivere una vita meravigliosa.

E «meravigliosa!» ripeteva adesso, leccandosi la grappa dalle dita. «Senti qua Aramis, senti!», e le stesse dita le ha allungate a lui, che era il suo gemello anche se non si somigliavano per niente. Aramis le ha guardate un attimo, poi ha preferito andare al tubo e assaggiarla direttamente da lì.

«B... b-buona! È sp... è sp-sp-sp, è sssss...», perché quando Aramis parlava ci voleva pazienza: le parole per lui erano come una corsa a ostacoli, iniziava le frasi tutto convinto ma poi inciampava in una lettera difficile, riusciva a scavalcarla ma picchiava contro quella dopo, provava ad andare avanti ma scivolava di qua e di là, e alla fine l'unico modo per dire quel che voleva era prendere fiato e mettersi a cantare:

È specialeee, è divina, eccezionaleee
questa grappa è la grappa dei reee.

Con una mano sul cuore e una voce che non sarà stata come quella del mio babbo Little Tony, ma insomma non era male.

«Bravo Aramis, che canzone meravigliosa!» ha fatto Athos, e ha pure applaudito. Mentre lo Zio Adelmo dalla sedia a rotelle ha detto che cantava come un gallo strozzato. Ha chiesto il bottiglione della grappa e se l'è piantato in gola, si è pulito le labbra col dorso della mano e l'ha allungato agli altri. Anzi, a me. «Senti qua bimbo, senti che meraviglia la grappa Mancini.»

Io però ho stretto le labbra e ho fatto di no, perché anche solo respirarla era come buttarsi un fiammifero acceso in gola. E poi la grappa fatta in casa è pericolosa, la prima che viene è proprio veleno, e un signore amico degli zii una volta aveva troppa sete per aspettare, l'aveva ingollata e c'era morto. Invece io se possibile non volevo morire, volevo crescere e fare un sacco di cose, girare il mondo e vedere l'America e gli indiani e i bisonti, e i cinesi laggiù in fondo che vivevano a testa in giù. Ma come prima cosa volevo vedere subito il mio babbo che tornava qua a salvarmi.

«Ahia Fabio, ahia!» ha fatto lo Zio Adelmo, e ha bevuto un altro sorso. «Come mai non la provi, hai paura? Guarda che la paura è la nostra unica nemica, sai. È peggio dei mostri la paura, è peggio dei serpenti. Perché quelli ti ammazzano subito, la paura invece non ti fa vivere la vita. E poi non serve a nulla. Guarda me per esempio, lo vedi come sto? Lo sai come ci sono finito qua sopra?» Si è toccato le gambe sulla carrozzina, secche e immobili, che sembravano finte come quelle dei pupazzi. Ha ingollato un altro po' del bottiglione, poi: «Un giorno di settembre, ero a Querceta che caricavo della legna, e stavo attento se fra i legni c'era qualche ragno. Oh, non ci posso fare nulla, prendetemi pure per il culo, a me i ragni mi fanno schifo, tutte quelle zampette pelose e quei movimenti di scatto, non sai mai dove vanno i ragni, non lo sai mai! Ma insomma, io stavo lì a spostare i legni piano piano tutto attento, con questa paura dei ragni nella testa, e intanto là sopra una vecchia al quinto piano dava l'acqua alle piante, le è cascato giù un geranio con tutto il vaso, mi ha picchiato preciso sulla testa e ora eccomi qua. Capito? Uno ha paura dei ragni e ci mette un'ora a caricare un po' di legna, così una vecchia scema ha tutto il tempo per buttare giù un vaso scemo e buonanotte. Hai capito come funziona, Fabio, la paura? La paura non ha senso, è una stronzata. La paura è un ragnetto che ti distrae, mentre la vita te lo mette nel culo».

Lo Zio Adelmo ha chiuso così, poi ci ha buttato un altro sorso di grappa. E io ho fatto di sì, perché forse avevo capito, ma soprattutto perché mi dispiaceva per questa storia sfortunata del ragno e del geranio in testa. Come mi dispiaceva per le altre mille storie di come lo zio era finito sulla sedia a rotelle, che ogni giorno ne raccontava una diversa. Le mie preferite erano quelle ambientate sul mare, quando faceva il bagnino, tipo quella volta che stava salvando una tedesca e uno squalo l'aveva morso alla schiena, o quando era arrivata una tromba marina e gli aveva spezzato un ombrellone sul collo. Storie che lui raccontava per spiegarmi che non aveva senso avere paura, però questa lista infinita di disgrazie che gli erano capitate diceva proprio l'opposto, e cioè che il mondo era un inferno pieno di insidie dove in ogni momento può succederti qualcosa di spaventoso e addio, e allora abbiamo ragione ad avere tutta la paura che possiamo.

E infatti no, grazie, la grappa Mancini era sicuramente buonissima ma io non la bevevo. Stringevo la bocca e scuotevo la testa, mentre lo Zio Adelmo ci si era bagnato le dita e me le avvicinava al viso. «Dài, dài!» insisteva, e io fissavo la sua mano gigantesca e ruvida e sentivo che il manicomio di Maggiano era lontano nei boschi e insieme sempre più vicino, come le sue dita storte.

Che erano solo quattro, come quelle di Athos. E lo Zio Aldo uguale, e ora che ci pensavo lo Zio Aramis alla mano sinistra ne aveva solo tre.

E allora appena sono riuscito a scappare dalla mano di Adelmo gliel'ho chiesto, come mai quella strage di dita.

«Perché?» ha fatto Aldo. «Che c'è di strano, quante dita deve avere una persona?»
«Dieci!»
E loro hanno riso forte. «Esagerato! Dieci dita sono troppe! Dieci sono quelle di partenza, poi con tutti i lavori, con tutte le fatiche e gli incidenti, come minimo una o due partono. Ma è normale, sono dieci per quello, perché si sa già che qualcuna la perdi. Quando un uomo muore, per sapere se ha vissuto veramente basta guardargli le mani. San Pietro te le controlla, e se hai ancora tutte le dita attaccate ti dice *Ma cosa hai fatto te con la vita che ti abbiamo dato? Nulla hai fatto, l'hai buttata via così. E allora giù, all'Inferno.* Perché se esiste un peccato grave, è non aver vissuto.»
Io ho fatto di sì, e ho guardato le loro mani e le mie, così tanto più piccole e bianche, e le mie dita tutte a posto e nuove. Mi sono chiesto quali avrei perso negli anni, e come. E mi sembrava assurdo, ma agli zii no. Per loro era come perdere i capelli, che a me già quello mi sembrava impossibile. Ne avevo così tanti e riccioli e fitti che se ci mettevo le dita non le toglievo più. Ma un giorno forse li avrei persi, e pure le dita da infilarci in mezzo. E anche se non era un bel momento io volevo arrivarci lo stesso, volevo vivere, infatti mi sono allontanato e ho ripetuto che la grappa non la bevevo, punto e basta.
«Mah!» ha detto Adelmo. «Da chi hai preso, non si sa. Devi stare di più con noi, bimbo, devi stare di più coi tuoi nonni.»
Perché loro insistevano a chiamarsi nonni, e a dirmi questa cosa che dovevo stare di più con loro. Ma io con loro ci stavo sempre, non riuscivo nemmeno a immaginare un modo per starci più di così.
Magari lo Zio Aldo mi portava a caccia, e quando tornavamo c'era Athos in cima alla strada tutto agitato perché era tardi e dovevamo andare a pesca insieme, e Aramis si raccomandava di non starci troppo che dopo c'erano le pigne da rubare in pineta. E in queste giornate piene e avventurose imparavo sempre un milione di cose, non c'era verso di annoiarsi nemmeno volendo. Però insomma, adesso andavo a scuola e avevo scoperto che esistevano tanti ragaz-

zini della mia età, e loro si vedevano e giocavano insieme. E soprattutto ora sapevo della maledizione che mi dondolava sulla testa.

E quella mi faceva paura più della grappa assassina, perché è vero che i quarant'anni erano ancora lontani, ma già adesso la mia vita era tanto diversa da quella dei miei compagni di classe. Che mi facevano vedere dei giochi che funzionavano a pile e tu eri uno stecchetto con una pallina che ci rimbalzava addosso, o un pallino che mangiava pallini più piccoli o un serpente dentro un labirinto, e mi chiedevano a quale livello di PacMan arrivavo, e quando io gli domandavo cos'era PacMan loro mi guardavano strano e mi chiedevano *Ma te quanti anni hai?* E io stavo zitto oppure dicevo *Come voi*, ma forse la risposta giusta era che ne avevo *Quasi quaranta*.

E allora, invece di capire come potevo stare più tempo coi miei zii maledetti, era il caso di scoprire il modo per starci un po' meno.

«Sì ragazzi» ha detto lo Zio Aldo agli altri, «è vero, il bimbo è rimbambito, ma se viene su così male non è colpa sua, è colpa di quella scuola di scemi!»

«Bleah!» ha fatto lo Zio Adelmo, come se gli fosse finita in bocca una cosa amarissima, «la scuola!»

«Già, non sapete le cazzate che gli insegnano. Fortuna che stamani ci sono andato io, e gli ho spiegato un po' di roba. Non ho finito il discorso sui pomodori, ma vabbè.»

«I pomodori?» ha fatto Adelmo. «E te che ne sai di pomodori.»

«Li so piantare e li so coltivare.»

«Te al massimo li sai rubare nel campo di Arno.»

«Vabbè, che c'entra, lui ne ha tanti e gli avanzano, è uno spreco.»

«Sì, ma i giardinieri sono Athos e Aramis. Te fai il camionista, gli puoi spiegare un po' di meccanica. Magari la prossima volta vai a scuola col camion e glielo fai vedere, così imparano qualcosa.»

E a questa idea dello Zio Adelmo mi è mancata l'aria. Perché no, una prossima volta non ci doveva proprio essere. «Grazie a tutti» ho detto, «ma non sono cose che si insegnano a scuola.»

«Appunto, il problema è proprio quello! E se una notte vi si buca una gomma in una strada deserta, che fate?»

«Ma tanto noi non sappiamo guidare.»

«Che cosa?» ha fatto lo Zio Athos, mettendosi una mano davanti al respiro. «Oh, ma davvero non vi insegnano nulla!» E poi col suo sorriso fisso a tutta forza: «Sapete che c'è? Domattina a scuola ci vengo anch'io!».

«Ma allora v... v... eng...» Lo Zio Aramis si è piantato lì, ma purtroppo l'ho capito che a scuola domani voleva venirci pure lui.

«Sì, però allora ci portate anche me!» ha detto Adelmo.

«E te cosa gli insegni?»

«Io un sacco di cose, scemi! Trent'anni da bagnino, sul mare gli posso spiegare un milione di cose. E sulla Natura in generale. Per esempio sui ragni. Lo sapete che c'è un ragno che si chiama ragno delle banane, che se ti morde muori, ma prima ti viene l'uccello dritto per delle ore? Ti fa male da tanto che è duro, e poi muori così.»

«Non ci credo!» ha fatto Athos, e ha riso forte.

«Giuro! Vedi che non lo sapevi, e non lo sanno nemmeno quei ragazzi, domani vengo a scuola e glielo insegno!»

Gli zii hanno continuato a parlarsi addosso così, per capire come mai il pisello gli veniva duro, e se restava dritto anche da morto, e come facevano a infilarlo nella bara in quelle condizioni.

E io sono rimasto ad ascoltarli senza capire più niente. Ma non era colpa mia, è la vita che gira e gira e si attorciglia e non c'è mai verso di capirla: è fatta in un modo, e un attimo dopo è tutta un'altra cosa. Come stamani, che lo Zio Aldo era venuto a scuola a parlare del pollaio e mi era sembrata una roba tremenda, ma adesso di colpo era diventata una scemenza, un fatto da nulla in confronto a quel che mi aspettava domattina, con tutti gli zii riuniti in classe a litigare e ragionare di pomodori rubati e ruote bucate e piselli duri di persone defunte.

Un assaggio ce l'avevo davanti adesso, con loro che bevevano e si litigavano la bottiglia, e lo Zio Adelmo che non la mollava e a forza di tenerla stretta la sedia a rotelle si è rovesciata ed è finito steso per terra. Gli altri sono scoppiati a ridere mentre lui urlava *Bastardi*, poi però ha cominciato a ridere anche lui tantissimo, nella luce del fuoco che ora mi sembrava più forte, e bruciava il bombolone come nel mio incubo bruciava la strega nel bosco. Le stesse fiamme sputavano una luce impazzita addosso agli oleandri, alle sedie mezze rotte, alle facce rosse e storte degli zii, che ridevano e ridevano, e bastava guardarli in questo momento per capire che la maledizione era vera e prepotente e ci stavano dentro fino in fondo, avvolti come nella luce delle fiamme che li bruciava tutti e schizzava sempre più vicina a me, sempre più vicina.

E allora, appena ho visto il babbo che spuntava da dietro la casa, tranquillo col cacciavite in una mano e la vaschetta del gelato alla crema nell'altra, sono corso da lui e l'ho abbracciato fortissimo, il mio babbo aggiusta-tutto, il mio babbo silenzioso, il mio babbo cantante famoso, il mio babbo bellissimo, il mio babbo normale.

O almeno un po' più normale, ecco, che però è già molto. Perché mi sa che al Villaggio Mancini, e in tutto questo mondo che gira e traballa nell'universo, la normalità è la stranezza più grande che ci sia.

4

Ora sai nuotare

Erano passati due anni, iniziava l'estate del 1982 e c'erano i mondiali di calcio. E magari Giancarlo Antognoni non se lo ricorda più quel gol che gli hanno annullato contro il Brasile, ma a me e alla mia famiglia ci ha cambiato la vita.

Che io nemmeno la stavo guardando, quella famosa partita. I grandi erano tutti nella casetta del bagnino a urlare davanti alla tv, noi bimbi invece giocavamo a rincorrerci sulla spiaggia deserta, e adesso che avevo otto anni e avevo finito la seconda elementare almeno quel gioco l'avevo imparato pure io.

Poi annullano questo gol validissimo di Antognoni, e Renato il bagnino schizza fuori insieme a una nuvola nera di bestemmie, i pugni strinti e la gola così gonfia di rabbia che se non la sfoga subito scoppia. Ci vede lì a giocare allegri, come se non ce ne fregasse nulla dell'ingiustizia appena subita dal capitano della Fiorentina, ci viene addosso con gli occhi da matto e allunga le mani giganti verso di noi. Ma prima si ferma un attimo a studiarci: è incazzatissimo, sì, però questi bimbi sono intoccabili, figli di industriali, giudici, nobili, politici, banchieri. E poi ci sono io, che vengo al bagno perché la nonna ci fa le pulizie. E allora è facile capire cosa succede, non devo nemmeno stare a vedere. Abbasso la testa e chiudo gli occhi, e sento Renato che mi prende per un braccio, mi alza da terra e mi butta nel cielo come le meduse quando le trova a centinaia nelle reti, urlando *Arbitro di merdaaa!*

L'urlo sale con me e mi avvolge, e per un attimo penso che adesso voliamo via insieme. Poi invece ognuno segue la sua natura, lui continua verso il blu dello spazio e io giù verso la sabbia, che quando dicono che è fatta di sassi diventati granelli nei millenni uno non ci crede tanto, ma poi ci cadi sopra e allora capisci che è vero perché fa proprio male come cadere sui sassi, e ti rompi. La clavicola, dice il dottore, e mi mette un gesso al braccio che sembra un'armatura. Renato il bagnino chiede scusa alla nonna (a lei, non a me), e giuro che la nonna gli risponde *Ma figurati Rena', son cose che capitano, e poi il gol era valido.*

E così, mentre l'Italia vinceva quella partita clamorosa anche senza il gol di Antognoni, e in quell'estate indimenticabile diventava campione del mondo, la mia estate è diventata un inferno.

Era come tenere il braccio fisso in un forno, senza poterlo togliere e senza poter fare nulla di nulla. Niente bagni niente giochi sulla spiaggia niente giri all'avventura con gli zii, che infatti mi salutavano e mi lasciavano a casa, ridotto a guardare la tv dalla nonna o bruciare le formiche con la lente d'ingrandimento, che con la mano sinistra era difficile e infatti scappavano tutte e io restavo così, solo, triste, sconfitto pure da una manciata di formiche.

Ma ancora peggio stava il babbo, che la sera tornava dal lavoro e mi trovava in queste condizioni e si preoccupava un sacco. Perché si sa, da grande sarai quello che ti è successo da piccolo, e se da bimbo piangi troppo poi diventi una persona triste, se leggi troppo diventi antipatico, se passi l'estate da solo a bruciare formiche diventi come minimo un maniaco. E allora, per salvare il futuro del suo unico figlio, quell'estate il babbo ha fatto una cosa che per lui era pura fantascienza: è andato in ferie.

Che in un paese di mare non esiste, andare in ferie d'estate. È come se a Natale andassero in ferie quelli che fanno i panettoni, o i medici del pronto soccorso la sera del 21 settembre, quando gli zii e i loro amici organizzavano la festa del vino. Infatti le ferie del babbo volevano dire che all'alba andava a lavoro come sempre, però dopo pranzo scappava. Lui e un altro che si chiamava Antonio lavoravano per un idraulico più vecchio che però quell'estate non si sentiva bene e non c'era mai, quindi scappare era facile. Ma sarebbe stato facile comunque, perché a nessuno sarebbe mai venuto in mente di controllare se il babbo lavorava: quando la mattina lo mandavi in una villa ad aggiustare una doccia che perdeva, l'unica cosa da controllare era che a notte fonda lui non fosse ancora là a sistemare ogni scarico, ogni presa elettrica, ogni mattonella sconnessa del pavimento. Perché il babbo non aveva un mestiere, il babbo aveva una missione, e questa missione era aggiustare tutto quello che non funzionava. E allora ecco perché quell'estate ogni giorno dopo pranzo saltava sull'Ape e scappava per venire da me: perché c'era qualcosa di più intasato di ogni scarico, di più difettoso di ogni presa della corrente e più sconnesso di qualsiasi pavimento, e quella cosa ero io.

Ma aggiustarmi non era mica facile, col braccio ingessato non potevo fare quasi nulla, niente pesca né caccia e nessuna di quelle cose interessanti che si fanno da quando la prima scimmia ha cominciato a camminare dritta e si è inventata le mani. Allora il babbo ci ha pensato un attimo, poi ha puntato l'Ape verso il vialone e via fino in fondo alla pineta della Versiliana, ha tirato fuori un cestino e abbiamo cominciato a cercare i funghi.

Che le mani lì non servono, bastano due gambe e un paio di occhi che funzionano, e anche se non trovi niente ti fai una bella passeggiata. Ma dopo due o tre passi nel folto della foresta abbiamo fatto una scoperta così clamorosa, così enorme che per portarla a casa non bastavano tutti i cestini del mondo, e cioè che io ero un supereroe.

Esatto, un supereroe con un mio superpotere speciale, perché l'Uomo Ragno si appiccicava ai muri, Superman volava nello spazio e la Donna Invisibile appunto era invisibile. Io invece vedevo i funghi.

Ma li vedevo in un modo assurdo, davanti a me brillavano come fuochi d'artificio in mezzo al bosco. Infatti quel primo giorno il babbo mi spiegava dove crescevano e dov'era meglio cercarli, magari ai piedi dei pioppi o tra le foglie cadute o sopra le ciocche di qualche albero morto, e io tranquillo: «Ho capito, come quel fungo lì, o quelli là, o tutti quelli laggiù in fondo».

Il babbo mi ha guardato strano, poi ha guardato dove gli dicevo ma non c'era nulla. Ha strizzato gli occhi ed è andato lo stesso a controllare, e a ogni fungo che staccava dalla terra mi studiava più strano, mentre io studiavo il cestino e pensavo che non sarebbe mai bastato per tutti i funghi intorno a noi, che li vedevo così tanti e grossi e luminosi, e soprattutto li vedevo solo io.

Mi sa che dipende dal fatto che sono daltonico, e i colori li vedo a caso. È una roba ereditaria, viene dalla parte della mamma, però solo i maschi possono essere daltonici e infatti lei non lo è, e invece tutti gli zii sì. C'entrano i cromosomi, è un discorso scientifico che io non ho capito e forse nemmeno le altre persone, solo che lo dice la scienza e allora ci credono tutti. Ma anche la maledizione dei Mancini è così, uguale identica, si eredita in famiglia e tocca solo i maschi, con l'unica differenza che la scienza non l'ha ancora scoperta. E allora era inutile cercare di consolarmi dicendo che il mio cognome non era Mancini, e che il mio nome non cominciava per A: i nomi ce li inventiamo noi e sono scemenze, servono solo per l'appello in classe e per aiutare il postino a portarci la posta, ma l'unica cosa che conta davvero è il sangue, e il mio sangue era lo stesso degli zii. E per colpa di questo sangue non riconosciamo i colori, e quando arriviamo a quarant'anni senza sposarci non riconosciamo nemmeno i pensieri normali da quelli pazzi. La scienza non sbaglia, il sangue non perdona, ero condannato due volte.

Però ognuno di noi aveva le sue pazzie e vedeva i colori sbagliati a modo suo, infatti questo dono dei funghi ce l'avevo solo io. L'ho scoperto quel primo giorno di ferie col babbo, che in un'ora abbiamo riempito il cestino e anche un sacchetto di plastica e la sua camicia militare. Sceglievamo apposta i punti più battuti, dov'erano appena passati mille fungaioli esperti, io camminavo per gli stessi sentieri e mi saltava addosso tutto il bendiddìo che si erano persi. E il babbo rideva, rideva e raccoglieva, però a fine giornata mi ha guardato tutto serio e ha detto: «Zitto con gli zii».

«Zitto su cosa, babbo?»

«Su questa fortuna tua.»

E io, un po' offeso: «Non è una fortuna babbo, è un superpotere».

Perché mi piaceva così tanto, essere un supereroe. Mi ero anche inventato un nome, ero indeciso tra Super Pioppino, l'Uomo Porcino e altri non meno affascinanti, però alla fine avevo scelto FungoMan, che era più internazionale. Ma se invece di perdere tempo con queste scemenze avessi chiesto al babbo come mai non dovevo dirlo agli zii, magari me l'avrebbe spiegato e io gli avrei dato retta e non mi sarei rovinato da solo, trasformandomi da supereroe in una specie di schiavo.

Perché appena l'hanno saputo, gli zii hanno cominciato a venire a funghi con noi, e mi trattavano come un cane da tartufi. Mi tiravano giù dall'Ape, mi davano una pacca sul culo dicendomi *Vai bello, vai!* e a ogni fungo mi facevano una carezza forte sui riccioli, per poi rispedirmi a cercare finché non avevo più fiato. Poi la sera, al bar La Gazzella, si vantavano tantissimo con gli amici, e della gente gli offriva damigiane di vino e pure soldi per avermi in prestito una mezza giornata. All'inizio gli zii dicevano di no, poi hanno cominciato a trattare, e a quel punto il babbo ha deciso che era meglio allontanarci di corsa dai funghi e dalla pineta e dalla terraferma in generale. Così ogni pomeriggio mi portava sul mare, mi piazzava su un pedalò e scappavamo via nella solitudine dell'acqua.

Anche il pedalò era perfetto: per farlo andare non mi servivano le braccia, e in più Renato il bagnino ce lo lasciava prendere gratis, perché – diceva – *in un certo senso è colpa mia se il bimbo si è fatto male*. E io avrei tanto voluto chiedergli in quale senso non era colpa sua, ma il pedalò mi piaceva troppo e allora stavo zitto e pedalavo.

Così forte che il mare diventava schiuma mentre lo aprivamo in due, e i rumori della spiaggia là dietro diventavano un'unica palla di suono che rimbalzava sempre più lontana fino a sparire. E sparivano pure la sabbia, gli ombrelloni e le capanne, restavano solo i monti lassù che nell'aria bollente erano tutti blu. O magari ero io che li vedevo così e invece erano verdi o marroni o di qualsiasi colore sono le montagne, ma l'importante è che da quella distanza nemmeno io riuscivo a vederci sopra lo scintillio dei funghi, e allora potevo stare tranquillo.

E studiare le meduse che ci scivolavano di fianco, qualche acciuga spersa, stecchi e sacchetti di plastica in giro a caso per il mare. Poi l'acqua diventava scura e piatta e noi ci fermavamo, perché voleva dire che lì era profondo e c'erano più pesci, e ci mettevamo a pescare. Cioè, pensava a tutto il babbo, montava due canne, metteva le esche e le lanciava, ma facevamo che se il pesce abboccava alla lenza più vicina a me era come se l'avessi preso io. Allora fissavo il galleggiante, strizzavo gli occhi e cercavo di farlo sparire col pensiero nell'acqua scura e profonda, ma intanto mi stringevo forte al sedile, perché a me il mare dove non si tocca mi faceva parecchia paura.

A volte lo sguardo mi si alzava da solo verso i pescherecci laggiù all'orizzonte, che con le reti a strascico rastrellavano e svuotavano il mare e sicuramente erano pieni di pesci a tonnellate, mentre noi non pescavamo nulla. Ma il babbo rideva e mi rispondeva di non preoccuparmi e di stare tranquillo, perché *Tanto, Fabio, il pesce tuo non te lo prende nessuno.*

Questa cosa me la diceva sempre, e io non ero mica sicuro di capirla bene, però pensavo a quel pesce lì che era solo mio ed ero contento che venisse da me. Anche se mi sembrava che non arrivasse mai.

E comunque nel frattempo ci divertivamo lo stesso, ci divertivamo tantissimo. Davamo da mangiare ai gabbiani, il babbo spaccava le meduse coi remi, facevamo merenda col cocomero tenuto in fresco nell'acqua. Poi ci sdraiavamo a guardare gli uccelli che volavano dentro il cielo, e più su le strisce degli aerei, e ancora più su forse il Paradiso, che si rifletteva sull'acqua calma e su di noi e a un certo punto per sognarlo meglio ci addormentavamo e addio pesca. Ma non c'era problema, perché era estate e il mare era tranquillo e il sole non tramontava mai, avevamo tutto il tempo del mondo.

E però zitto zitto il tempo passava lo stesso. Settembre si avvicinava e il mio osso si riaggiustava, mi hanno tolto il gesso e lì per lì al posto del braccio mi sembrava di avere una piuma, una penna di gabbiano leggera e bianchissima. Ma intanto è successo pure che il capo del babbo ha chiamato lui e il suo amico Antonio. Gli ha spiegato che non stava bene, che smetteva, che insomma adesso i capi diventavano loro. Era il momento che aspettavano da una vita, da quando il babbo aveva cominciato a lavorare per lui a dodici anni. Una montagna di clienti super ricchi che avevano ville piene di bagni e fontane pronti a rompersi ogni minuto, in un periodo che i soldi te li tiravano addosso al posto dei coriandoli. Ecco che arrivava tanto lavoro, tanto guadagno, ecco che cominciava una vita nuova.

E il babbo non ci dormiva la notte.

Lo sentivo ragionare a bassa voce con la mamma, poi le voci diventavano sempre meno basse e alla fine lei ha urlato: «Basta, fai così Giorgio, fai così e non ci pensare più, sennò ci diventi matto! Tanto noi a essere ricchi non ci siamo abituati, magari ci fa pure male. Fai così Giorgio, fai così».

E il babbo ha fatto così veramente. Ha salutato il capo e il suo collega, ha provato il concorso per diventare operaio del comune e ha vinto in tutte le specialità, elettricista, spazzino, giardiniere, tutte quante. Ma ha scelto di fare l'idraulico all'acquedotto, che era la cosa più simile a quel che faceva prima. Lo stipendio invece era molto meno, ma anche le ore di lavoro, che gli lasciavano tutto il pomeriggio libero da passare come voleva lui. E il babbo voleva continuare a passarlo con me.

Così i nostri pomeriggi al mare sono andati avanti, per

tutto settembre e fino al giorno prima che ricominciasse la scuola, quando sull'acqua tirava un vento strano e nervoso e si capiva troppo bene che era l'ultimo soffio dell'estate, e se non lo sfruttavi fino in fondo non ti meritavi di stare al mondo.

Stavolta però niente pedalò, eravamo usciti col pattìno che è un mezzo molto più serio, e il pedalò lo lasciavamo ai turisti che non sapevano remare. Il braccio adesso stava bene e potevo pescare anch'io davvero, il mio galleggiante ballava leggero nel mare scuro e io pensavo a quanto era profondo là sotto, a quante cose giganti e strane potevano viverci senza essere viste, e per sicurezza mi veniva da allontanare i piedi dall'acqua.

E allora sono rimasto di legno come il pattìno, quando il babbo così dal nulla ha detto: «Oh, adesso ci tuffiamo».

Che cosa? Tuffarsi qui, nel profondo dell'abisso? Col poco fiato rimasto ho risposto che forse era meglio di no. Lui mi ha chiesto perché, e io ho detto che l'acqua era fredda.

Il babbo ha sputato una risata, e allora ho aggiunto che forse avevo anche un po' paura. «Pochissima eh, però un po' sì.»

«Paura di che?»

«Di quello che c'è là sotto. Gli squali, le orche, le piovre, le balene, i calamari giganti...», e mentre elencavo tutte quelle bestie marine il babbo mi ha chiesto come mai, con tanta roba che girava là sotto, ai nostri ami non abboccava mai nulla. E io non lo sapevo, ma le sentivo che si avvicinavano, che mi circondavano e mi portavano a fondo insieme a un banco di alghe viscide e appiccicose, e giuro che stavo per aggrapparmi ai remi e tornare di corsa a riva. Solo che, proprio in quel momento, il mio galleggiante si è mosso.

Un tremito, un cerchietto d'acqua intorno, e forse era davvero il momento. Forse dopo tutta un'estate il mio pesce era arrivato da me, e chissà quanto era grosso e che forza spaventosa. Ma andava bene così, perché il mio braccio era guarito e io ero pronto a combattere. Ho smesso di respirare, ho posato la mano sulla canna e ho aspettato che il galleggiante sparisse sott'acqua.

E come sempre, quando aspetti qualcosa, succede qualcos'altro.

La forza spaventosa è arrivata davvero, ma mi ha preso alle spalle, mi ha sollevato e mi ha fatto volare nel cielo. Giravo e giravo e non potevo aggrapparmi a niente, nessun appiglio e nessuna speranza, solo l'aria intorno e il mare sotto, e un cuore impazzito che non poteva più nascondere dentro il mio orribile segreto: avevo otto anni, e ancora non sapevo nuotare.

Cioè, un po' sì, però male e solo nell'acqua bassa, e quello non è mica nuotare. È come andare in bici con le rotelline, è come essere bello agli occhi di tua mamma. Solo dove non si tocca si nuota davvero. E io non sapevo nuotare per niente.

Anzi, avevo deciso che ormai era tardi per imparare, e sarei andato avanti così per sempre. Anche quando da grande diventavo il capitano di una nave, che era il sogno numero uno nella mia classifica. Mi ero pure preparato una bella risposta, quando qualcuno veniva da me nella sala di comando e mi chiedeva *Ma capitano, com'è possibile, lei guida una nave e non sa nuotare?* E io, con un sorriso pieno e sicuro da capitano, *E perché, scusi, quelli che guidano gli aerei sanno volare?*

Ecco, sì, perfetto, semplice e perfetto, nessun problema all'orizzonte. Cioè, uno solo: che per diventare capitano mancava un bel po', e intanto non volevo che il babbo scoprisse il mio segreto. Lui era bravissimo a fare tutto, e non doveva nemmeno immaginarlo che suo figlio non sapeva nuotare, non doveva saperlo mai.

Ma invece il babbo lo sapeva, lo sapeva tantissimo, e io lo capivo solo adesso, mentre volavo nel nulla col braccio scuro e quello bianco che cercavano di aggrapparsi al cielo. Come quando il bagnino mi aveva buttato via al gol annullato di Antognoni, solo che lì alla fine mi aspettava la terra, adesso invece il mare, che è cento volte peggio perché la terra ti picchia, l'acqua ti ingolla.

La tocco e vado giù, nell'abisso nero e senza fondo, pieno di squali e orche assassine e calamari giganti che mi prendono coi tentacoli e mi mordono con quella specie di becco da pappagallo che tengono in mezzo ai ciuffi agguantatori e malefici. È la sensazione più brutta del mondo, sgambettare e cercare coi piedi un appoggio che non c'è, andare a fondo e bere e forse morire. Ma ogni tanto, quando penso che è finita, in qualche modo torno a galla, e respiro, e vedo il babbo sul pattìno che mi guarda e fuma. E dice qualcosa che però non capisco, perché vado di nuovo sotto, di nuovo bevo. Mi viene da vomitare, e morire vomitando è proprio una fine schifosa, penso. Ma se penso è perché ancora respiro, perché per qualche motivo non affogo. Sotto i piedi non ho nulla, eppure non vado a fondo. La testa rimane fuori dall'acqua, il corpo combatte, galleggio, e alla fine eccomi qui a guardare la vita che mi resta aggrappata addosso, tutta bagnata e agitata e più viva che mai.

Il babbo ha finito la sigaretta, ha allungato una mano, ha sorriso e mi ha tirato su a strappo.

«Ora sai nuotare, contento?»

E io non ho risposto, perché in gola avevo solo acqua e niente aria, e poi non lo sapevo mica. Non sapevo niente adesso, non ero nemmeno sicuro di essere vivo, come facevo a sapere se ero contento?

Però più tardi, quando tornavamo a casa nello stretto dell'Ape e nell'infinito del tramonto che allagava tutto di arancione, mi pareva proprio di sì. E gliel'ho detto, e il babbo ha sorriso perché era contento anche lui, mentre guardava suo figlio ancora mezzo bagnato e coi riccioli tutti schiacciati sulla testa, ma adesso finalmente aggiustato.

E a un paio di curve da casa nostra abbiamo incrociato il suo ex collega Antonio, che aveva preso la ditta da solo e guidava un furgone nuovo e gigante col suo nome scritto ancor più gigante sul fianco. Lui e il babbo sono scesi e si sono abbracciati e si sono dati delle pacche urlando *Beato te. No, beato te. No no, beato te...* così tante volte che alla fine non l'ho mica capito chi era beato veramente.

Poi il babbo è tornato sull'Ape e abbiamo ripreso la nostra strada tutta arancione, che dove ci porta nessuno lo sa, ma è cominciata lì nell'estate del 1982. Quando i gol dell'Italia ci hanno fatto diventare campioni del mondo, ma il gol an-

nullato di Antognoni ha cambiato lavoro al mio babbo, mi ha insegnato a nuotare, e ha fatto nascere nei boschi della Toscana la leggenda di un supereroe chiamato FungoMan.
Perché il pesce tuo non te lo prende nessuno.
Nuota strano, nuota a caso, ma eccolo che arriva da te.

5

Un prosciutto per Gesù Bambino

Le statue dei santi tremavano ognuna alla luce delle sue candele, che avevano il gambo di plastica e le gocce di cera disegnate e al posto della fiammella una lampadina debole che friggeva, ma l'effetto era quasi lo stesso. Sceglievi il santo che ti ascoltava di più, mettevi cento lire nel buchetto e ai suoi piedi si accendeva una candela che lo illuminava fino al viso e agli occhi, puntati al cielo lassù come per dire *Signore, ma lo vedi cosa mi fanno, sono proprio santo!* Perché intanto qualcuno lo picchiava o lo frustava o gli infilava una spada nel petto. E al tremolio delle candele finte i santi sembravano vivi davvero, pure San Giovanni che arrivava fino al collo e gli mancava la testa.

Ma ancora più vivi erano gli uomini che lavoravano lì sotto, nel silenzio della notte. Spostavano sacchi di sabbia e sacchetti di farina, assi di legno, mattoni e fili elettrici e luci e scatoloni macchiati di muffa con sopra scritto a pennarello PECORE E ANIMALI, PASTORELLI, CASE E MULINI. E mentre si passavano quella roba dicevano parole a bassa voce, che dalla panca dove stavo seduto non sembravano discorsi ma un lungo brontolio, tipo quei canti dei monaci lamentosi e tutti uguali che sono proprio la cosa più sbagliata da sentire, quando stai tentando di non addormentarti.

Perché in teoria dovevamo essere in tanti della mia età, e divertirci ad aiutare i grandi che costruivano il presepe. Invece c'ero solo io, e non potevo nemmeno dare una mano, siccome era la prima sera e dovevano fare il lavoro grosso, segare legni e inchiodarli e murare la base per tirare su il paesino di Betlemme. Allora mi toccava stare lì a guardare e basta, rompermi le mascelle a forza di sbadigli, e aspettare.

Ma Natale è così, tutto un'attesa: aspetti il giorno che finisce la scuola e cominciano le vacanze, poi la notte che arriva Babbo Natale e ti porta i regali, poi il mattino dopo che li puoi scartare. E io, anche se ormai avevo nove anni e mezzo e stavo in quarta elementare, a Babbo Natale non solo ci credevo ancora, ma gli volevo un sacco di bene.

Anzi, mi preoccupavo per lui, un signore anziano che doveva lavorare così tanto in giro per il mondo. Infatti per non farlo faticare troppo sceglievo regali non difficili da recuperare e non pesanti da trasportare, anche se alla fine ci restavo sempre deluso. Come quella volta che volevo da morire il galeone dei Playmobil, una nave pirata stupenda con tante vele e i cannoncini che spuntavano da tutte le parti e i corsari armati di sciabola. Ma invece del galeone lui mi ha portato il canotto Playmobil, una scialuppa gialla dove c'era posto appena per due Playmobil messi scomodi: sognavo di essere un pirata all'arrembaggio nei mari del Pacifico, mi ritrovavo naufrago alla deriva nell'oceano della tristezza.

E infatti dopo tante amarezze come questa non ero mica più così sicuro, che Babbo Natale fosse una cosa vera. A scuola avevo sentito storie bruttissime su di lui, però non potevo chiedere ai miei compagni perché ai loro occhi ero già assai strano e non volevo peggiorare la situazione. L'unica che poteva dirmi la verità era la mamma, solo che lei con la verità ci aveva bisticciato da piccola, e faceva di tutto per tenerla lontana anche da me.

L'ultima volta era successo proprio in quei giorni, che mancava più di un mese a Natale e io stavo cercando i guanti di lana in cima all'armadio dei miei. Per arrivarci ero salito sul letto, scavavo fra strati di maglioni vecchi e coperte che odoravano di muffa e naftalina, e in mezzo trovavo magliette e calzini spaiati, spersi come esploratori nel buio di una caverna. Mi dispiaceva soprattutto per le magliette, che erano nate per vivere all'aria aperta tra il sole e il mare, le tiravo fuori una per una e giuravo che appena arrivava il caldo le mettevo tutte. Poi però, sotto il molle della lana e del cotone, ho sentito qualcosa di duro e spigoloso, ho scavato per vedere cos'era e di colpo ho scordato le magliette e i guanti e il resto del mondo. Perché nell'armadio dei miei genitori, incartati e scintillanti e impossibili, c'erano i regali di Natale già impacchettati e nascosti là in fondo.

Ho tolto gli ultimi cenci che avevano addosso, ma con due dita sole e attento a non toccare i pacchi. Come se fosse un sacrilegio, come se a sfiorare la carta avessi potuto uccidere per sempre il Natale. E forse era proprio quello che stava succedendo. Non so quanto sono rimasto lì, col busto infilato nell'armadio, ma a forza di sniffare naftalina stavo per svenire. Poi però è arrivata la mamma, la sua voce alle spalle che mi chiedeva cosa facevo.

«Mamma, ma qua... qua ci sono già i regali di Natale.»

E lei non ha detto nulla, è salita accanto a me sul letto, li abbiamo guardati insieme.

«Ma perché sono qui? Ce li avete messi voi?»

Ancora zitta, continuava a fissare i regali. Luccicavano così tanto che sembrava un incendio dentro l'armadio.

«Mamma, senti... Babbo Natale non esiste, vero?»

L'ho detto, e di colpo mi sembrava una cosa così chiara, luccicante più di quei regali sotto il sole della verità.

Ma dopo un attimo a coprire quel sole è salita la voce della mamma, lenta e però totale come un'eclisse, come un'ombra morbida e profumata di cose buone e tranquille che avvolgeva tutto: «Ma certo che esiste Fabio, Babbo Natale esiste eccome. Anzi, non dire così che ci rimane male».

«Ma i regali sono già qui, li vedi? Chi ce li ha messi?»

«Be', ma chiaro che sono già qui, chiaro. Ce li ha messi... ce li ha messi lui, no?»

«Eh?»

«Pensaci bene Fabio. Babbo Natale deve portare i regali a tutti i bambini del mondo, e in una sola notte. Te lo immagini che fatica? È pure anziano, poverino, e poi come fa a caricarli tutti insieme su una slitta sola? E le povere renne, come fanno a tirare tutto quel peso? Allora Babbo Natale si organizza per tempo, si porta avanti col lavoro. Un mesetto prima di Natale fa il giro e nasconde i regali nelle case dei bambini, così la notte della vigilia parte bello leggero, scende dal camino, apre gli armadi e prende i regali e li mette sotto l'albero. Capito?»

Io non ho risposto. Volevo tanto fare di sì con la testa, ma mi veniva una cosa storta che viaggiava in diagonale e non diceva nulla.

«Che poi insomma, non ti scordare che Babbo Natale è svedese, è un tipo preciso.»

«Ma non è della Lapponia?»

«Vabbè, siamo lì. Gente del Nord, molto organizzata. Ti pare che uno così si riduce a fare tutto all'ultimo minuto come noi?»

No. Sì. Non lo sapevo. Come si faceva a essere sicuri di qualcosa, in questo mondo pieno zeppo di cose assurde e delusioni a raffica? Da poco avevo pure scoperto che il mio babbo non era davvero Little Tony: si somigliavano come due gemelli, però uno cantava e l'altro aggiustava i bagni, senza darsi noia fra loro. E qualche mese dopo mi avevano anche raccontato come nascono i bambini, che non c'entrava la cicogna e nessun altro animale, ma degli animaletti piccolissimi che erano tipo dei girini e vivevano nel pisello degli uomini, poi da lì andavano dentro una donna e come ai girini veri gli spuntavano le braccia e le gambe, e dopo nove mesi nasceva un bambino. E allora ecco, come si fa a essere sicuri di qualcosa, come si fa a vivere tranquilli in questo mondo pazzesco?

Soprattutto adesso con l'arrivo del Natale, che è il compleanno di Gesù Bambino, ma insieme è la grande sagra dell'assurdo.

Il presepe per esempio, quello è proprio un mistero incomprensibile. Infatti mi sono alzato dalla panca e ho cominciato a studiarlo intorno agli zii e al babbo e agli altri signori che lo stavano costruendo. Guardavo gli scatoloni con dentro le palme, le pastorelle e i contadini, e a ogni passo dicevo *Mah* oppure *Boh*. Ma gli uomini erano tutti indaffarati e non mi consideravano. Allora l'ho ridetto più forte, *Boh! Boh, boh e boh!*, e finalmente il Signor Urano: «Ma boh cosa, bimbo!».

«Nulla. Però è strano.»

«Strano cosa!»

«Il presepe.»

«Come fa un presepe a essere strano.»

«È un posto stranissimo. Ci sono le palme e insieme c'è la neve, c'è il deserto e accanto c'è un bosco con la cascata e il laghetto, e i cammelli vivono insieme alle mucche, alle pecore e ai cigni. Insomma, dove cavolo è nato Gesù Bambino?»

«Già!» ha fatto lo Zio Athos, col suo sorriso sempre acceso, «è vero, è proprio un posto strano, strano e meraviglioso!»

Lo Zio Adelmo invece non sorrideva mai, trasportava sacchi di sabbia in grembo sulla carrozzina come una specie di carriola umana, e passando mi fa: «Gesù Bambino è nato dove gli pare a lui, e la gente va a vederlo e gli porta tanti regali».

«Ecco!» ho detto al volo, «infatti, anche questi regali... boh!»

«Ma boh cosa!», di nuovo Urano.

«Guardate che roba gli portano. Pesci crudi, pezzi di formaggio, salsicce, fiaschi di vino, prosciutti interi... ma sono regali da fare a un neonato?»

«Vabbè, ma sennò cosa gli dovevano regalare?»

«Non lo so, dei vestiti caldi, qualche coperta magari. Gli tocca scaldarsi col fiato del bue e dell'asinello, secondo me una coperta era meglio di un prosciutto.»

«Un p... un p...» ha provato a dire lo Zio Aramis. Poi si è messo la mano sul cuore e ha scelto di cantare: «Un prosciutto per meee, sempre un gran regalo èèèèè».

«Sì» ho fatto io, «avete ragione, però...»

«Però nulla!» ci si è messo lo Zio Aldo. «Il prosciutto e il vino non sono regali per Gesù Bambino, sono per Giuseppe, poveraccio. Se li merita, è lì a patire per una moglie che è ancora vergine e un bimbo che non è nemmeno suo, almeno fallo mangiare e bere quanto gli pare! E poi i presepi sono così da un milione di anni, arrivi te e li vuoi cambiare?»

«Veramente zio non sono nemmeno duemila anni.»

«È uguale, i presepi sono così e allora lo facciamo così anche noi, punto e basta. È già tanto se stiamo qua a perdere tempo, cosa vuoi che ce ne freghi a noi!»

E con questo lo Zio Aldo ha chiuso il discorso. Perché era vero, di queste cose non gliene fregava nulla, anzi di tutte le cose che ci sono nel mondo questa era la più lontana da loro, e infatti vederli qua in chiesa stasera era molto più assurdo che trovare i cammelli nei boschi e le cascate nel deserto.

Perché nella mia famiglia, come in tutto il paese, funzionava così: se eri una donna ti appassionavi alla parrocchia e andavi fissa in chiesa, gli uomini invece non ci mettevano piede mai e diventavano tutti comunistissimi.

E io, che ero troppo piccolo per essere qualcosa di preciso e allora potevo starmene tranquillo, in realtà faticavo il doppio perché mi tiravano sia di qua che di là, e le mie giornate facevano venire il mal di mare.

Passavo magari il pomeriggio nel cortile della chiesa, a staccare i petali dalle rose per scriverci *Viva Maria* sulla strada quando passava la processione. Poi arrivava uno zio a caso tutto incazzato e diceva alle donne che avevano un nipote solo e non potevano rischiare che diventasse un prete. Mi prendeva e mi buttava sul cassone dell'Ape insieme ai rastrelli e alle vanghe, e in cinque minuti eccomi alla festa dell'Unità a sparecchiare allo stand VODKA E SALSICCE, dove la vodka era la grappa che facevano gli zii al Villaggio Mancini e le salsicce erano appunto salsicce, accompagnato dalla musica di tre ragazzi del posto che suonavano con un poncho addosso e il sombrero in testa, sotto il nome di Finti Illimani.

E tutta questa roba si mescolava nei miei giorni e nel mio cervello, dove la chiesa e il comunismo erano una cosa sola. Perché la storia era sempre la stessa, da una parte c'erano i santi e dall'altra gli eroi, e dappertutto un sacco di ideali e di martiri, e un futuro luccicante che ci aspettava lì a un passo. Solo che per le donne quel futuro cominciava dopo che eri morto, gli uomini invece erano impazienti e lo volevano subito. E a me andava bene così: alle feste dell'Unità si lavorava per salvarci adesso, in chiesa per salvarci nell'Aldilà, una specie di staffetta organizzata bene, dove Lenin e la Madonna erano una coppia innamorata e proprio non capivo perché i loro tifosi non si amavano, anzi stavano attenti a non incontrarsi mai.

Mai fino a stasera, appunto, che mancava un mese a Natale e incredibilmente gli uomini del paese erano qua, sotto il tetto della chiesa. Magari uno poteva prenderlo per un miracolo di Natale, come in quei film che la gente è cattiva e si odia ma poi un angelo suona un campanellino e tutti si abbracciano e si fanno gli auguri e cominciano a cadere dei fiocchi di neve che sembrano zucchero filato. E però no, questa situazione nuova e clamorosa veniva da ragioni molto diverse, da un misto di astio, rancore, e una sete assordante di vendetta.

Tutto era cominciato l'anno prima, per colpa della parrocchia del Centro che era la più ricca siccome la frequentavano i potenti locali e i villeggianti che venivano al mare d'estate. Il parroco del Centro aveva proposto alle altre parrocchie del paese una piccola mostra di presepi, ognuna costruiva il suo e così la sera della vigilia i fedeli potevano farsi un giretto dei quattro quartieri e ammirarli.

«Una cosa alla buona, si intende» aveva detto Don Sirio, «niente di sfarzoso, per carità. Un pensiero semplice, un omaggio al Bambin Gesù, e un modo per riunire la cittadinanza. Che ne dite, fratelli miei?»

Le parrocchie di Caranna e Vaiana avevano risposto di sì, e pure la nostra di Vittoria Apuana. Padre Domenico aveva chiesto aiuto a Stelio il sagrestano, alla perpetua e ai due confratelli del convento. Uno però era Padre Emidio che aveva almeno novant'anni, e nessuno sapeva l'età di Padre Mauro, però Emidio lo chiamava Il Vecchio. Quindi la perpetua, più che aiutare, doveva stare dietro a loro due, e il sagrestano una mano la poteva dare, ma giusto una, perché l'altra l'aveva persa da ragazzo quando lavorava nelle cave di marmo.

Però insomma, si erano fatti forza e in un paio di pomeriggi avevano messo su il loro presepe, senza pretese, con semplicità, come le altre parrocchie del paese. Tutte tranne quella del Centro.

Perché in realtà Don Sirio e la sua squadra di costruttori avevano un cantiere aperto già da fine estate, e un progetto sfarzosissimo sostenuto dai soldi dei turisti ricchi. Così la notte della vigilia il giretto dei quattro presepi era stato un'esperienza estrema e spiazzante, come visitare i viali favolosi di Parigi e subito dopo ritrovarsi fra le baracche delle favelas brasiliane, o nella polvere del Biafra dove i bimbi invece di festeggiare il Natale muoiono di fame. La sensazione era proprio questa. Davanti al presepe stupendo del Centro la gente si abbracciava, si offriva cioccolatini, trovava l'anima gemella. Davanti al nostro invece, che alla fine era il più derelitto dei derelitti, con una mano si tappavano la bocca per non prendere le malattie, con l'altra si tenevano la tasca dei pantaloni per non farsi rubare il portafogli.

Umiliazione insomma, umiliazione totale e nera, per questa iniziativa amichevole che si era rivelata una gara slealissima, sotto gli occhi del Vescovo in persona, invitato a sorpresa da Don Sirio come giudice e assegnatore del primo premio.

Da noi, il Monsignore aveva mantenuto un silenzio scuro come l'abisso, lo sguardo basso alla capannetta di plastica con la stella di carta appiccicata sopra, cinque pastorelli più un paio di soldatini per fare numero, un gruppetto di pecorelle con le zampe all'aria mentre il muschio rinsecchito le avvolgeva come una pianta carnivora che le ingollava piano.

Uno spettacolo di miseria così asfissiante che lo stesso Padre Domenico, non sopportando più il silenzio del Vescovo, aveva detto: «L'abbiamo voluto realizzare così, Eminenza, nel rispetto dell'umiltà francescana, e della scelta di Nostro Signore di nascere povero fra i poveri. Abbiamo lasciato Gesù Bambino alla sua realtà, l'abbiamo lasciato libero».

«No Padre, no» aveva risposto il Vescovo in un sibilo. «Non lo avete lasciato libero, Gesù Bambino. Voi lo avete lasciato solo.»

Poi aveva alzato un dito, il suo assistente era corso a posargli sulle spalle il mantello nero, e insieme se n'erano andati tra due ali di fedeli pieni di vergogna, coprendo con quel mantello le candele della chiesa e le luci lungo la strada, in quella che era diventata la notte più buia della storia di Vittoria Apuana.

E allora, per riprendersi da quel Natale spaventoso, quest'anno ci voleva una risposta abbagliante. Un presepe gigantesco, così meraviglioso da travolgere Don Sirio e i suoi amici e coprirli della stessa vergogna che Padre Domenico provava ancora sotto forma di un dolore preciso al petto. Per questo aveva richiamato all'azione tutti i fedeli, sollevandoli da altre attività tipo le pulizie in chiesa, la cura delle marginette, l'assistenza ad anziani e malati, e li aveva concentrati nella costruzione del presepe più bello del mondo.

Solo che i fedeli della parrocchia erano poco pratici: donne, bambini, un paio di anziani ex atei che dopo una vita da bestemmiatori tentavano di salvarsi con un segno della croce all'ultimo minuto. Ed era davvero insopportabile che la squadra edile di Vittoria Apuana fosse così scarsa, in un quartiere che straripava di muratori elettricisti manovali e giardinieri: gente che praticamente costruiva e curava presepi stupendi tutto l'anno, solo che invece di Gesù Bambino ci mettevano a dormire i ricchi villeggianti.

Ma parlare con quegli uomini era impossibile per Padre Domenico, due mondi opposti, due dimensioni diverse, come voler comunicare coi morti nell'Aldilà. Per avere un contatto con quelle entità preziose e irraggiungibili serviva un medium, e allora il Padre si era rivolto alle loro mogli.

Infatti io tutta questa storia l'avevo saputa così, qualche sera prima per la strada al Villaggio Mancini. La mamma e la nonna Giuseppina avevano radunato il babbo e gli zii in mezzo alla via, e gli avevano raccontato dell'umiliazione dell'anno prima, della trappola di Don Sirio e della figuraccia col Vescovo, spiegandogli che quest'anno bisognava rispondere con un presepe bellissimo, un lavoro che solo loro potevano tirare su. Dovevano insomma rimboccarsi le maniche e venire in chiesa a costruirlo.

E la risposta, secca e in coro come se si fossero messi d'accordo, il babbo e gli zii sulla strada e tutti gli altri mariti nelle altre vie del quartiere, era stata *Col cazzo*.

Ma per le donne non era la risposta giusta, infatti gli avevano detto: «No, senza cazzo», e avevano ripreso tranquille: «Scusate, è colpa nostra, ci siamo spiegate male. Non è che ve lo chiediamo, voi questa cosa la dovete fare e basta. Capito?». E avevano continuato a raccontare della figura tremenda, delle parole del Vescovo, del presepe incredibile costruito da quelli del Centro.

«Sì, ma come hanno fatto quelli del Centro a fare un lavoro così grosso?»

«Con tutti i soldi delle offerte dei villeggianti ricchi.»

«Va bene, ma chi l'ha tirato su, i villeggianti?» avevano chiesto gli zii, però in una risata. Perché nelle ville di quei ricconi ci lavoravano, ed era gente che non sapeva fare nulla, li chiamavano pure per cambiare una lampadina.

«No» ha risposto la nonna. «Don Sirio si è fatto aiutare da suo fratello, che è di Lucca e fa il geometra. È venuto con un gruppo di colleghi appassionati di presepi.»

Così ha detto, e per me era un dettaglio da nulla: che me ne importava a me del mestiere di quegli uomini, e da dove venivano? Ma agli altri importava eccome, perché di colpo avevano smesso di chiedere, avevano pure smesso di guardare la mamma e la nonna e si erano studiati fra loro, e alla fine avevano detto *Ah*.

Solo questo, *Ah*, ma bastava il suono di quelle due lettere per capire che tutto era cambiato. Era proprio diversa l'aria, come uno che entra in una stanza e apre la finestra. Anzi, come uno che entra e abbatte direttamente il muro.

«Geometri di Lucca, eh» aveva detto lo Zio Adelmo dalla sedia a rotelle.

«Borghesi appassionati di presepi» lo Zio Aldo strizzando i denti.

E tutti avevano continuato a guardarsi e a fare di sì fra loro. Ma soprattutto si erano tolti le mani di tasca, che nella mia famiglia non era mai un bel segno.

E intanto questa cosa che non li riguardava per niente, questa cosa che anzi era proprio il loro opposto, stava diventando un'azione giusta e doverosa. Contro i preti, contro i lucchesi che erano l'unica gente in Toscana che coi preti ci faceva l'amore, contro i ragionieri e i geometri e tutti quei fannulloni che per hobby si divertivano a costruire presepi e allora si credevano bravi a lavorare con le mani.

Era diventata insomma una lotta di classe. E solo per questo, per motivi di astio e di battaglia comunista, stasera gli zii e il babbo e gli uomini del quartiere si erano riuniti in chiesa, col cuore pieno di uno speciale spirito natalizio:

«Padre» aveva detto lo Zio Aldo a Padre Domenico, prendendo in consegna il primo scatolone di pastorelli. «Questo Natale a quelli del Centro gli facciamo un culo che si pentiranno di essere nati.»

6
La Coccinella

Questa sabbia non ci basta, se vogliamo un bel desertooo,
se vogliamo un bel deserto, altra sabbia serviràà.

Lo Zio Aramis cantava così, e sicuramente aveva già provato a dirlo normale per un po', ma io lo sentivo solo adesso in questo momento canoro, che a forza di rimbalzare fra le mura e le colonne della chiesa era arrivato a svegliarmi.

E mi sono ritrovato steso sulla prima fila delle panche di legno, che non erano pensate per dormire e nemmeno per starci comodi, anzi erano dure e spigolose apposta per tenere i fedeli attenti alla messa. Però venivamo qua tutte le sere per il presepe e alla fine avevo imparato a dormirci lo stesso, siccome non mi facevano aiutare mai e la mia unica compagna era la noia, e in più c'erano questi cori di bambini che uscivano dagli altoparlanti, mi entravano come schegge appuntite nel cervello e lui per non impazzire si spegneva e buonanotte.

Gliel'avevo anche chiesto, ma Padre Domenico non toglieva la musica. Anzi, la metteva apposta per noi, quando ci vedeva arrivare correva in sagrestia e la faceva partire. Sempre così dalla prima sera, dopo che le presentazioni con gli zii l'avevano preoccupato assai:

«Salve Padre. Allora, al materiale da costruzione pensiamo noi. Lei ci deve dare solo i personaggi e le pecorelle.»

«Benissimo» aveva detto Padre Domenico. «E anche salame e pecorino.»
«Bene. E vino.»
«E vino, sì, ma con moderazione.»
«E sigarette» aveva detto lo Zio Adelmo dalla sua sedia.
«No, non si fuma in casa del Signore.»
Allora i maschi avevano discusso fra loro a voce bassa, un rumore di calabroni che girano e girano in un barattolo, un po' arrabbiati un po' confusi. Poi: «Va bene, però allora il vino senza moderazione».
«D'accordo. Però niente sigarette. E niente bestemmie, chiaro.»
«Cosa? Eh no Padre, questo non lo può pretendere. È un lavoro grosso e pesante, qualche bestemmia scapperà.»
«E voi non fatela scappare.»
«Impossibile. Già saremo nervosi che non possiamo fumare, qualche bestemmia viene fuori di sicuro.»
«E io bestemmie in chiesa non ne voglio sentire» aveva chiuso Padre Domenico.
E appunto per questo, per non sentire bestemmie in chiesa, dalla prima sera il Padre metteva queste canzoncine natalizie, che lodando Gesù Bambino e la Madonna e San Giuseppe cercavano di distrarre quei personaggi benedetti da tutte le offese che ogni notte si prendevano in casa loro.
Ma mentre le offese occupavano le bocche, mani e braccia lavoravano sodo a tirare su questo presepe clamoroso, che ogni volta che lo guardavo era più grande e più ricco. Prima di addormentarmi quella sera c'era nell'angolo solo un piano rialzato di legno e mattoni, adesso invece mi risvegliavo davanti a una collina piena di pini minuscoli fatti con veri rametti di pino piantati uno a uno, e il babbo stava lassù in cima a una scala a montare un motorino che faceva salire l'acqua sopra quella collina per poi creare una meraviglia che poteva essere un ruscello o una cascata o una pioggia miracolosa.
Però forse questa non era la realtà, forse pensavo di essermi svegliato ma stavo ancora sognando, perché mi sono guardato intorno e oltre agli uomini là in fondo, oltre ai san-

ti che li studiavano dalle loro nicchie, dall'altra parte della chiesa verso il portone c'era una coccinella gigante, grande come una persona, che mi salutava.

Mi sono tirato su di scatto, ho aperto la bocca e stavo per urlarlo forte, *Attenti, c'è una coccinella gigante!* Come in quei film bellissimi che c'era un'esplosione atomica e gli insetti diventavano enormi e cominciava un'invasione che poteva essere di scorpioni o vespe o ragni o anche funghi, e gli uomini si pentivano di aver costruito le centrali nucleari ma ormai era tardi e avevano solo il tempo di morire.

E vabbè che dalle nostre parti di centrali nucleari non ce n'erano, però nel paese accanto c'era un posto che si chiamava Farmoplant e non si è mai capito cosa ci producevano dentro, ma l'anno prima c'era stato un incidente e nel cielo era salito un fumo bianco che ne aveva parlato pure il telegiornale. La mamma si era messa le mani nei capelli e mi aveva detto che era una cosa grave e dovevamo prepararci al peggio, e secondo me adesso ci rinchiudevamo nel garage dove lo Zio Aldo teneva il camion e ci vivevamo per chissà quanti anni mangiando scatolette e bevendo la nostra pipì. Invece la mamma ha detto che per qualche mese dovevamo rinunciare a mangiare l'insalata. Allora io ho ricominciato a respirare, e di colpo questa Farmoplant mi stava quasi simpatica, come qualsiasi cosa potesse tenermi lontano dall'insalata, dal radicchio e da tutte quelle erbacce buone solo per essere falciate via dal mondo.

Però mi sbagliavo, mi sbagliavo tantissimo, perché in realtà quella nuvola bianca aveva avuto un effetto tremendo che scoprivo solo adesso, qua in chiesa, davanti alla coccinella gigante che stava per mangiarci tutti.

Ma intanto, invece di spalancare la bocca e saltarmi addosso, alzava solo una zampa e la sventolava nell'aria, come per salutarmi. Allora mi sono fatto coraggio, e prima di urlare ho fatto qualche passo verso di lei, nella luce della chiesa che era una sfumatura timida di buio. E non era una coccinella. Cioè, sì, ma era un costume di carnevale, con dentro una ragazzina che avrà avuto la mia età.

Sulla testa un cerchietto con due antenne di plastica che dondolavano a molla, il corpo nero davanti e rosso dietro con dei pallini neri, però da lì uscivano due gambe e due braccia normali di persona. E anche dalla bocca è uscita una voce normale, che però mi ha detto una cosa strana:

«Ciao, Fabio.»

Ho guardato la Coccinella, l'ho guardata ancora. «Come lo sai come mi chiamo?»

«Me l'hanno detto i tuoi amici» ha risposto, e questo mi ha fatto ancora più strano. Perché se avevo degli amici in giro, io non li conoscevo. Anzi, stavo per chiederle chi erano, e se magari poteva presentarmeli. Poi però con una zampa ha indicato dietro di me, là in fondo al presepe, e allora stavo per spiegarle che no, non erano amici miei, erano parenti e amici di parenti. Ma alla fine sono stato zitto, perché insomma, meglio avere amici vecchi e un po' assurdi, penso, che non averne per niente.

Eppure qualcosa dovevo dire, lei era lì che mi guardava con la testa piegata da una parte e le antenne lassù che dondolavano, e un sorriso sottile sulla bocca come un taglio che però non fa male. E allora le ho chiesto come mai era vestita da coccinella.

«Così, mi piace. Che c'è di male?»

«Niente. Però è strano.»

«Dici?»

«Sì. Cioè, a carnevale no, ma a Natale sì.»

«Boh, per me no. Io mi vesto sempre così, tutto l'anno, tranne a carnevale. Il carnevale è l'unica cosa nel mondo che odio.»

E io uguale, tantissimo uguale. Ma ogni anno la mamma mi ci portava lo stesso, perché diceva che ero piccolo e ci dovevo andare, sennò poi da grande le rinfacciavo che me l'aveva fatto perdere. E mi chiedeva come mi volevo mascherare, ma io non volevo mascherarmi, allora sceglieva lei e mi vestiva da Pierrot, che fra tutte le maschere tristi è il massimo della tristezza. Una specie di Pulcinella ma molto più depresso, con un vestito bianco tipo pigiama e un berrettone da notte in testa e la faccia pitturata di bianco pure lei, però con una lacrima nera sotto l'occhio che la mamma ci stava mezz'ora a disegnarmela sulla guancia, grande e precisa e insieme così inutile, perché io piangevo davvero per tutto il tempo.

Insomma, il carnevale faceva schifo anche a me, e l'ho detto alla Coccinella. Ma poi non mi veniva altro, perché mi ero appena svegliato e svegliarsi è già di suo una cosa strana, svegliarsi in una chiesa anche di più. E poi parlare con una femmina che non fosse la mamma o la nonna era una cosa nuova. Le femmine erano diverse da noi, già da subito, e più andavamo avanti e più si allontanavano, nelle cose che facevano e dicevano e in come si vestivano e in tutto quanto. E io sapevo accendere un fuoco con uno stecco e una stringa, sapevo catturare le rane con un filo di lana, sapevo tutti gli uccelli e i pesci e le lucertole e le mantidi religiose, e sapevo tutto pure delle coccinelle. Ma lei non era una coccinella, era vestita da coccinella ma dentro c'era una femmina, che mi fissava con veri occhi da femmina, e allora non avevo idea di cosa dire, di cosa domandare, nulla di nulla.

«E comunque» ha detto lei alla fine, «piacere, io mi chiamo Martina.»

Ecco! Quella sì che sarebbe stata una bella domanda: come ti chiami? Peccato che ormai era bruciata, e allora giusto per dire qualcosa con un punto interrogativo in fondo ho chiesto: «Davvero?».

«Sì, davvero. Perché, ti fa strano anche questo?»

«No no, anzi, è un nome bello. Però pensavo... boh, pensavo che ti chiamavi Coccinella.»

«Sì, certo, sono nata e la mia mamma ha detto *Come la posso chiamare questa bimba? Ma sì, dài, chiamiamola Coccinella.*»

Ci ho pensato un attimo, ed era strano, sì, ma ogni giorno i grandi fanno cose anche più strane. Gliel'ho detto, e Martina ha riso. E ho riso anch'io, mi sono calmato un attimo e allora mi è venuta in mente questa cosa che mi aveva insegnato lo Zio Aramis, una volta che cercavamo degli insetti per farli mangiare ai fringuelli e ai ciuffolotti che teneva nelle gabbie a casa sua. Io avevo trovato una coccinella, e lui mi aveva spiegato che non andava bene perché le coccinelle sono velenose.

L'ho detto a Martina, e lei: «Cosa?».

«Sì sì, è per quello che sono colorate così tanto sul dorso, per dire agli uccelli *Stai attento, mi vedi bene qua nell'erba, ma se mi mangi sei spacciato.*»

E intanto mi è venuto da pensare che quel colore forte sul dorso io non lo vedevo mica bene, se fossi stato un uccello l'avrei mangiata e sarei morto subito. E lo Zio Aramis uguale, e uguale gli altri zii. Nessuno di noi capiva nulla di colori, e nemmeno di donne. Erano grandi maestri di pesca e di caccia e mi avevano insegnato loro a catturare qualsiasi creatura camminasse sulla terra o sotto l'acqua o in mezzo al cielo, però una donna no, in tanti che erano non gli era riuscito di trovarne una. E l'unico consiglio sull'argomento me lo davano quando bevevano: *le donne sono veleno Fabio, ricordatelo bene, veleno!* E siccome bevevano sempre me lo dicevano sempre. *Stacci attento, davvero, ti fanno finire male.*

E insomma, le donne mi facevano un po' paura. Ma mi faceva paura anche l'idea di finire come gli zii, con tanto vino dentro e senza donne accanto e con tutta la loro maledizione addosso. E infatti il guaio è proprio questo: tutto fa un po' paura, se ci pensi un attimo in più. E forse, se si fosse così intelligenti da pensare bene a tutto, sapremmo subito i difetti e le conseguenze brutte di ogni cosa e non faremmo più niente di niente, e il mondo finirebbe così. Mica con la bomba atomica o gli incidenti alla Farmoplant. No, il mondo finirà proprio quel giorno lì, spento per sempre dalla troppa intelligenza.

Fortuna che io, di intelligenza, ne avevo davvero poca.

«Ma a che pensi?» mi ha chiesto la Coccinella, perché avevo una faccia da scemo che anche senza specchi me la sentivo sulla pelle.

«Io? Io a nulla, mai.»

«Invece sì, hai un sacco di pensieri, te li vedo negli occhi. Cosa sono?»

In effetti aveva ragione lei. Vedevo: scorpioni giganti, ragni, veleni, maledizioni, bombe atomiche, fine del mondo. Allora ho risposto: «Nulla».

«Vabbè. Comunque questa cosa del veleno non la sapevo. Io so solo che le coccinelle portano fortuna.»

«Sì, è vero» ho detto al volo, «però solo quelle con sette pallini dietro, le altre no.»

Giuro, ho detto proprio così, e mi sembrava pure di aver detto una cosa interessante. Perché ero scemo, anzi ero matto come i miei zii. E infatti anche questa storia dei sette pallini me l'aveva raccontata lo Zio Aramis, e veniva dai Babilonesi. Per loro i pianeti dell'universo erano sette, e allora le coccinelle con sette pallini portavano fortuna. E chissà come l'aveva saputo Aramis, o se me l'aveva detto da ubriaco, l'unica cosa chiara era che in quel momento sarebbe stato meglio non dirlo a Martina. Come dal suo sguardo era chiaro che, anche se portava quel costume tutti i giorni, lei non lo sapeva mica quanti pallini aveva sul dorso.

Si è morsa il labbro di sotto, si è voltata di scatto e mi ha dato le spalle, e io mi sono messo a contare a voce alta con l'ansia che mi levava il fiato.

«Uno, due, tre, quattro... cinque... sei... sette! Sono sette!» ho detto. Anzi, l'ho urlato proprio, ma tanto gli uomini là in fondo stavano prendendo a martellate qualcosa e non hanno sentito.

Martina si è girata con un salto, ha alzato le zampe al cielo e ha urlato «Evviva!». E poi, più piano: «Ma quindi porto fortuna?». Io ho fatto di sì con la testa, e lei: «Allora lo vedi Fabio che non sono velenosa?».

E io ho smesso di fare di sì, e non ho fatto nulla. Perché in effetti le coccinelle erano tutte velenose, quelle fortunate e quelle no. Però almeno questa scemenza sono riuscito a tenerla per me, e ho solo sorriso, e lei pure, e il suo sorriso mi piaceva. In un modo strano, nuovo, tutto da capire, però mi piaceva parecchio. E molto meno mi piaceva vedere che adesso la Coccinella mi salutava, e se ne andava verso il portone.

«Vai via?» ho chiesto, e volevo rispondermi da solo no. Ma le risposte alle domande importanti hanno questo grande difetto, che non puoi dartele da te come ti piacciono, puoi solo stare ad ascoltare e prepararti a starci male.

Infatti Martina ha detto di sì, era tardi e doveva passare in canonica a prendere la sua mamma e andare a casa.

Ha sventolato tutte e due le mani ed è partita, ma poi si è bloccata, mezza dentro mezza fuori, col buio della chiesa che incontrava il buio più freddo della notte. «Ah, senti, te lo dico subito sennò tanto te lo dice qualcun altro. Non ho il babbo.»

«Ah, mi dispiace» ho risposto.

«Perché ti dispiace?»

«Non lo so. Cioè, se è morto mi dispiace, penso.»

«Non è morto, non c'è e basta. Non lo conosco nemmeno. Te lo conosci?»

«Non lo so, ma non credo, conosco poche persone. Come si chiama?»

«Ma non il mio babbo, dico il tuo! Te ce l'hai, un babbo?»

«Eh, hai voglia, ne ho una decina.»

«Eh?»

«Sì, un po' babbi, un po' nonni, un po' zii.»

«Ah, capito. Io invece non ne ho nemmeno uno, è un problema?»

E io sono rimasto zitto.

«Perché non rispondi? È un problema, vero? Se è un problema lo puoi dire eh!»

«No.»

«Ah no? E allora perché non rispondevi?»

«Scusa, è che stavo pensando a come poteva essere un problema, però non mi è venuto in mente nulla.»

L'ho detto, ed ero serio. Invece Martina ha riso. All'inizio era seria anche lei, però la bocca le tremava sempre di più e alla fine è scoppiata a ridere. E ha detto: «Sai una cosa Fabio? Sei simpatico. È strano che non hai amici».

E io volevo rispondere che invece sì, ce li avevo, avevo tantissimi amici e anche loro mi dicevano che ero simpatico. Solo che non era vero, e Martina spariva già di là dal portone, e dire le bugie in chiesa è brutto, urlarle è anche peggio.

Allora sono rimasto zitto a guardarla correre via, e gli

ultimi a brillare là fuori nel fritto misto delle luci di Natale sono stati i pallini neri sul suo dorso da coccinella. Sette splendidi pallini.

Ho continuato a fissarli finché non sono scomparsi, poi mi sono voltato e mi erano rimasti negli occhi, addosso a tutto quello che trovavo nella chiesa, come il ricordo della sua voce stava sopra a quelle registrate dei bimbi che adesso cantavano *Bianco Natale*. Che è una bella canzone e infatti la ascoltavo volentieri, e tutto intorno a me era diventato così, una musica morbida e delicata e dolce pure.

Ma è durata un attimo, poi questa dolcezza l'ha uccisa a calci un urlo grasso e pieno di catarro e tabacco, che mi è arrivato addosso dall'angolo degli uomini laggiù:

«La devi trombareee!»

E subito dopo, a valanga, un'ondata di altre voci che si attorcigliavano fra loro e si picchiavano per scavalcarsi.

«Fagli sentire il manico!»

«Dagli il bastone!»

«Mettiglielo in mano!»

E giù tanti altri consigli, diversi e insieme tutti uguali, così urlati che oltre a riempire la chiesa fino al tetto potevano salire più su fino all'orecchio di Dio. Ma la mia paura era che quegli urli trovassero il portone e uscissero fino a raggiungere Martina, che magari grazie alle antenne che portava sulla testa aveva pure un super udito.

Allora sono tornato da loro di corsa e gli ho detto di fare piano, gli occhi piantati al marmo del pavimento, che era fatto a scacchi ma a un certo punto diventava un grosso rettangolo bianco con una croce e un nome, perché lì sotto c'era sepolto un vecchio frate che comandava la chiesa tanto tempo fa. E a quel frate avrei voluto chiedere se c'era spazio, se potevo seppellirmi lì accanto a lui.

«Oh!» ha urlato lo Zio Aldo, «come si chiama la tua fidanzata?»

«Non è la mia fidanzata, non la conosco nemmeno!»

«Ah, che meraviglia, l'amore» ha sospirato lo Zio Athos, con lo sguardo per aria e stringendosi al petto una chiave inglese. «Così dolce, così travolgente.»

«Ma quale amore, zio, non la conosco!»

«No? E allora sai che devi fare la prossima volta?» ci si è messo Adelmo. «Le prendi la mano, te la metti fra le gambe e le dici *Ciao, piacere di conoscerti!*»

E una risata pesantissima di tutti quanti, mista a pacche forti sulle spalle. Tutti tranne il babbo che pensava solo a lavorare, là in cima alla scala dove mi sa che non si era nemmeno accorto di nulla.

Gli altri invece ridevano e mi indicavano, e ancora urlavano frasi che dovevo dire a Martina la prossima volta che la vedevo. Ma alla fine il consiglio era sempre il solito, dovevo metterle il pisello in mano e da lì tutto sarebbe successo da sé. Ci avrebbe pensato la Natura da sola, come il cuore batte e i polmoni si gonfiano e si sgonfiano per conto loro senza chiederti il permesso.

E io già di mio non ci capivo nulla, ma quei consigli mi confondevano ancora di più: mi avevano sempre avvertito di stare lontano dalle femmine, che erano pericolose e velenose, e ora invece volevano che mi avvicinassi tanto da mettergli il pisello in mano. Era assurdo, era impossibile, e infatti l'unica cosa chiara era che su questo argomento non potevo imparare nulla dai miei zii.

E nemmeno dal babbo, che le sue uniche carezze le dedicava a tubature e rubinetti che piangevano. E infatti il solo grande esperto in famiglia era il nonno Arolando.

Che era pieno di fascino, e la nonna non voleva che parlasse con le altre donne perché loro lo guardavano in un modo che era come farci l'amore. E allora, invece di stare dietro agli zii, io dovevo seguire le orme del mio grande nonno. Che era morto, sì, però questo non era un vero problema, perché le persone magari muoiono, ma le loro storie se sono belle vivono per sempre. E le storie del nonno Arolando erano stupende, e insieme erano grandi lezioni di vita. Soprattutto una che era successa quando io non c'ero ancora e nemmeno la mamma, e anzi senza quella storia io e lei non saremmo esistiti mai.

Ma anche se non c'ero io la sapevo bene, l'avevo raccontata così tante volte che forse la sapevo meglio del nonno in persona, e solo a pensarci mi sentivo dentro una marea bollente che saliva dal petto fino in gola, mi riempiva la bocca e voleva uscire a scaldare il mondo gelido qua fuori.

E allora ecco, c'è poco da fare, bisogna che la racconti un'altra volta.

7
La televisione sono io

Come tutte le storie, e come tutte le cose della vita, la storia del mio nonno Arolando inizia per caso da un'altra che non c'entra nulla. E cioè da quella volta che si è rotta la tv della nonna.

L'unico televisore bello al Villaggio Mancini ce l'aveva lei, grande e addirittura a colori, ed era giusto che ce l'avesse la nonna perché stavamo sempre a cena a casa sua, quindi ce lo godevamo tutti.

Trovarlo non era stato mica facile, per noi che usavamo solo roba fabbricata di là dalla Cortina di Ferro. Tv, radio, frigoriferi, tutto quello che bisognava attaccare a una presa della corrente aveva marche strane che per me erano solo scarabocchi, invece poi ho scoperto che erano le lettere dell'alfabeto pazzo che usano in quei posti. Perché le cose prodotte dai sovietici erano cento volte meglio, pure i televisori, squadrati e pesantissimi come dovevano essere le cose serie, e facevano il loro lavoro senza scemenze inutili tipo il telecomando, nato per la gente dell'Occidente rimbecillita dai lussi del capitalismo, troppo molle per sollevarsi contro i padroni e pure per alzarsi dalla sedia e cambiare canale con le proprie forze. O appunto tipo le immagini a colori, che confondevano gli occhi e davvero non servivano a nulla, soprattutto in un villaggio pieno di daltonici.

Però la tv della nonna era così, con tutti gli accessori, realizzata forse per qualche comandante dell'Armata Rossa ma arrivata per sbaglio fino a noi, che ci radunavamo a guardarla tutte le sere e nelle occasioni speciali. Come a maggio, quando c'era il Giro d'Italia e ogni giorno riempivamo il salotto un po' sul divano un po' sul tappeto, lo Zio Adelmo in prima fila sulla carrozzina.

E l'effetto dannoso delle immagini a colori veniva subito fuori, con lunghi litigi su chi era la Maglia Rosa nel gruppo, perché ognuno di noi la vedeva addosso a un corridore diverso.

«Eccola!»

«Ma che cazzo dici, eccola là che scatta!»

«Macché, non lo vedete che è in crisi là in fondo?»

Alla fine chiedevamo alla mamma e alla nonna, che venivano in salotto e battevano il dito su un corridore, e ogni zio diceva: «Oh, visto che avevo ragione io?».

Sempre così, tappa dopo tappa, fra gli urli del tifo e quelli dei bisticci. Fino a un sabato caldissimo che i corridori scalavano la strada tutta curve dello Stelvio, un serpente velenoso che si attorcigliava fino in cima a quel monte appuntito. C'erano attacchi e contrattacchi e noi non ci capivamo nulla, ma nemmeno la mamma e la nonna sapevano più chi indicare. Perché la tv aveva cominciato a friggere, e i colori cambiavano ogni secondo come quelli del polpo quando vuole spaventarti in fondo al mare. Allora sono corso alla finestra e ho chiamato forte il babbo, che non sapevo dov'era ma sicuramente col suo senso speciale per le cose da aggiustare stava già correndo a salvarci.

Ma più veloce di lui, più veloce del resto del mondo messo insieme, era il grandissimo campione Francesco Moser. Che tutti al Villaggio Mancini tifavamo per lui, perché era grosso e aveva gambe come tronchi di pino, e mentre il suo nemico – il nostro nemico – Giuseppe Saronni era furbissimo e aspettava sempre l'ultimo minuto per saltare fuori dal gruppo e piazzare il colpo vincente, Moser non era furbo per niente, e la sua unica tattica era stringere i denti e spingere tutto il tempo fino a sfondarsi. Come in quel momento, che aveva tentato un altro attacco e noi l'abbiamo capito solo dalla voce del telecronista, perché ormai sullo schermo non si vedeva nulla e tutto traballava come se in cima allo Stelvio ci fosse un terremoto che rimescolava in un groviglio alberi e corpi e biciclette. Allora lo Zio Aldo è saltato addosso al televisore con gli occhi di fuori, e gli ha dato un cazzotto sopra per fargli capire che o ricominciava a funzionare o lo riempiva di mazzate. Però quello era sovietico e duro quanto lui, e il terremoto sullo schermo è diventato un frullatore impazzito, mentre la voce del telecronista urlava quanto era incredibile questo scatto di Moser, quanto era enorme questo campione, quanto era spettacolare questa azione lungo le strade di una tappa che così clamorosa non si era vista mai, non si era vista mai!

Ma noi a casa non la vedevamo nemmeno adesso, allora lo Zio Aldo ha dato un altro paio di colpi al televisore, stavolta sui fianchi, poi di nuovo sopra ma più forte, e quello ha fatto un rumore che sembrava il *crac* dei fumetti quando qualcosa si spacca. L'ho sentito proprio dentro, come se mi si fosse spezzato un osso da qualche parte.

E invece si era spezzata la tv.

Con un soffio sfiatato e finale, tipo un palloncino che si sgonfia, è diventata zitta e nera, e addio Giro d'Italia.

Un dramma per il Villaggio intero, per noi che ci perdevamo la corsa, per la mamma e la nonna e i loro teleromanzi, ma soprattutto per il babbo. Che era arrivato tutto eccitato per questa riparazione grossa e importantissima, ci aveva mandati via e aveva passato il resto del giorno a smontare la tv pezzo per pezzo. E avanti così fino a sera, fino a notte. Ma all'alba, quando lo chiamava il suo vero lavoro all'acquedotto, il babbo era uscito dalla casa della nonna con lo sguardo fisso a terra e le mani ficcate in fondo alle tasche della tuta di jeans, come se le tenesse in punizione, e dalla bocca gli erano scappate tre parole secche: *Non c'è verso.*

Perché il danno l'aveva trovato, si era bruciato un pezzo e lo teneva sotto il braccio come un naufrago si aggrappa a un pezzo di legno per non perdersi nel mare infinito, ma il ricambio non lo potevamo prendere al negozio della Signora Valeria che vendeva radio e lampadine. Non c'era proprio verso di trovarlo in Italia, bisognava farselo mandare dai compagni oltre la Cortina di Ferro. E non era facile per niente, perché quella gente era brava a riempirti di quel che voleva, anzi te lo mandava in acciaio e pesantissimo, ma quel che volevi tu, ecco, non gli importava mica tanto.

E nel frattempo il Giro d'Italia lo andavamo a vedere al bar La Gazzella, dove anche gli amici degli zii tifavano per Moser e riempivano Saronni di insulti. Ma il problema vero era per la nonna: lei restava sola a casa senza i suoi sceneggiati, a girare le stanze e guardare le mille foto del nonno, che ognuna aveva dietro una storia se non dieci o mille, e quando andavo a trovarla me le raccontava tutte.

Erano stupende e strane, perché il nonno non c'entrava nulla coi suoi fratelli. Era tanto elegante e gentile e pieno di fascino, e di lavoro faceva il barbiere ma a casa per passione dipingeva, daltonico come noi eppure i colori li indovinava tutti mentre pennellava la spiaggia e il mare e i pattìni pronti a partire per il blu.

La nonna mi aveva raccontato di quella volta che in paese c'erano i sovrani del Belgio, e proprio qui era nata la loro figlia Paola, che un giorno sarebbe diventata regina. Il nonno aveva visto una foto della bimba sul giornale, aveva dipinto un ritratto bellissimo e gliel'aveva portato al Grand Hotel, ma loro non lo avevano ricevuto e anzi gli avevano fatto rispondere da una specie di maggiordomo che non erano interessati a comprarlo. E il nonno c'era rimasto male, perché lui mica glielo voleva vendere, era un regalo. Era tornato a casa col quadro incartato sottobraccio, la bocca così storta dal dispiacere che anche i baffi sottili sopra stavano tutti tristi, l'aveva detto alla nonna e lei c'era rimasta male più di lui.

«Non ci posso credere Arolando, i nobili sono proprio brutte persone.»

E il nonno si era tolto la giacca migliore che aveva, il cappello buono, poi le aveva risposto: «No Giuseppina, non è colpa loro, è che non sono tanto intelligenti, a forza di sposarsi fra cugini».

Così aveva detto il nonno Arolando, il mio grande nonno che sapeva sempre cosa dire e cosa fare. E io ad ascoltare le sue storie mi innamoravo, il respiro mi si gonfiava di emozione e insieme di dispiacere che era morto quando avevo solo cinque anni e me lo ricordavo poco, e quel poco forse erano solo sogni su qualche racconto che avevo sentito. Avrei voluto averlo qui, e passarci tanto tempo insieme, e uguale avrebbe voluto la nonna, che girava per le stanze senza tv e si struggeva, un po' perché pensava a lui, un po' perché perdeva tante puntate del suo teleromanzo preferito che si chiamava "Anche i ricchi piangono".

Era rimasta al punto che la povera Signora Mariana sviene nelle braccia di un uomo, e il marito la vede e pensa che siano amanti, allora la nonna ogni tanto veniva a guardarlo da noi in bianco e nero. Ma a un certo punto si alzava e diceva che doveva fare delle cose a casa, e si vedeva proprio che non poteva restare più. Forse perché le mancavano troppo le immagini a colori, oppure le mancava il nonno, e vabbè che lui non c'era più nemmeno se tornava a casa loro, però insomma, in un certo senso sì, o no, non lo so.

Ma so che tutto è cambiato una sera che stavamo a cena da lei ed era speciale, perché era l'anniversario di matrimonio di lei e del nonno, e finito il dolce e stappato lo spumante abbiamo brindato verso il posto vuoto apparecchiato per lui. Poi, per abitudine, ci siamo voltati al mobile della tv, ma anche quello era vuoto. E allora la nonna, così dal nulla, è venuta da me e mi ha tirato su e mi ha messo a sedere proprio lì sul mobile, è andata al divano e si è messa comoda senza aver finito di sparecchiare, e ha detto: «Dài Fabio, su, raccontaci qualcosa».

«Eh?»

«Raccontaci una storia, dài, stasera la televisione sei te.»

E io non capivo cosa voleva, e come mai aveva scelto me. Forse gli zii erano troppo pesanti da prendere in braccio, e avrebbero sicuramente sfondato il mobile. Però l'idea era piaciuta subito a tutti, pure al babbo e alla mamma, e lo Zio Athos ha alzato le braccia e ha urlato: «Sì! Bellissimo! Che idea Giuseppina, quanto mi fa felice questa cosa, quanto mi garba!».

E vabbè che lui era contento sempre, ma anche gli altri dicevano di sì, e hanno girato le sedie verso di me, pronti per lo spettacolo.

«Ma cosa vi racconto? Io non so nessuna storia.»

«Ma come no, te le raccontiamo sempre. Raccontaci una cosa nostra, una cosa bella.»

«Ma quale cosa, io...»

«Su, muoviti!» ha detto lo Zio Adelmo dalla carrozzina. «Raccontaci una bella storia d'amore, porca puttana!» e ha dato un cazzotto al bracciolo della carrozzina, come quello dello Zio Aldo che aveva ucciso la tv.

Allora ho smesso di guardarli e mi sono guardato dentro, cercando la storia giusta. E un po' perché pensavo al nonno, un po' per la richiesta di una storia d'amore, ho trovato questa qua che mi piaceva così tanto, siccome era bellissima e insieme mi dava speranza di diventare come lui ed evitare la maledizione dei miei zii, che di amore non sapevano nulla ed erano buoni solo a prendere a cazzotti tutto quanto.

«Va bene» ho detto, «allora provo a raccontare quella volta che il nonno si è fidanzato con la nonna.»

E gli occhi della nonna Giuseppina sono schizzati giù al tappeto, mentre sulla bocca le scoppiava un sorriso. Ha fatto un colpo di tosse per scacciarlo, ma è rimasto lì mentre rispondeva: «Ma no, quella no, scemetto!». Però si vedeva così tanto che le piaceva. E piaceva anche agli zii, e alla mamma di più, e pure il babbo ha fatto di sì dall'angolo del salotto dove si era messo a sistemare una cornice.

Allora ho respirato, mi sono retto con le mani al mobile e ho chiuso gli occhi, le gambe dondolavano libere nell'aria e la mia testa nel tempo indietro, dove mi aspettava il nonno Arolando, giovane e sorridente e vestito bene.

Entrava nel negozio dove lavorava la nonna, che vendeva piatti e bicchieri e cartoline e francobolli, sigarette e saponi e insomma tutto quanto. Lei aveva sedici anni ed era bella e timidissima, e quando le chiedevano qualcosa lo trovava subito sugli scaffali, però senza mai guardare i clienti negli occhi. Soprattutto questo qua, che faceva il barbiere nella via accanto, ed era sempre pettinato e con un baffo stretto e preciso sul labbro che si piegava insieme alla bocca mentre le chiedeva qualche oggetto in un italiano come quello degli attori al cinema, senza nemmeno un pezzettino di dialetto dentro.

Insomma, alla nonna quell'uomo piaceva tantissimo, e le piaceva che ogni giorno venisse da lei a comprare qualcosa che non gli serviva.

Prima aveva fatto la cameriera in una famiglia e c'era stata bene, fino a una mattina che strusciava il pavimento del bagno, il padrone le aveva messo una mano sul culo e l'aveva spinta al lavandino, lei gli aveva dato un calcio fra le gambe e addio lavoro. Allora aveva cominciato qua in negozio, e in quella villa grandissima non c'era più tornata, non aveva mai nemmeno raccontato questa cosa a nessuno. Solo al nonno, quando però ormai erano fidanzati, e lui l'aveva abbracciata e le aveva detto di non pensarci più, perché la miglior vendetta è sorridere e dimenticare. Poi però, quella stessa notte, l'automobile di quel signore era misteriosamente sparita dal parco della villa, passando dal cancello che altrettanto misteriosamente era crollato a terra un attimo prima, e l'avevano ritrovata la mattina dopo cappottata nella piazza del paese. Ma questa cosa non c'entrava col nonno e la nonna, o almeno non c'entrava secondo i carabinieri, e allora non importa. Importa solo che all'inizio il nonno andava in negozio ogni giorno a comprare cose a caso, lei teneva gli occhi al banco e gliele dava, si salutavano e addio a domani.

Un pomeriggio già caldo di aprile, invece, il nonno arriva, si avvicina al banco e le domanda: "Signorina, mi perdoni, potrei chiederle una cortesia personale?".

E lei, con la poca aria che le resta nel petto, risponde che può.

"Vede, mi occorre della carta da lettera, e una busta."

"Ma sì, certo" e si piega a prenderle da sotto il banco. Cinque o sei tipi diversi, coi fiori, gli uccellini, con delle righe fini tutte precise e anche con niente.

"Grazie, molto gentile. Però, se non sono troppo sfacciato, le dovrei chiedere un consiglio di sensibilità femminile. Qual è la migliore, secondo lei?"

"Be', dipende."
"Dipende?"
"Sì. Se è una lettera di lavoro, o amicizia, o purtroppo delle condoglianze" riesce a dire la nonna, col cuore che batte addosso a ogni parola storcendole tutte un po'.
"Ah, no no, per fortuna è un'occasione molto piacevole", il nonno sorride, e anche la nonna sorride. Ma il suo sorriso muore di colpo, quando lui continua: "Sa, voglio scrivere una lettera d'amore alla mia fidanzata".
Dice così, parole come bombe. Ognuna distrugge un pezzo di mondo, e adesso la nonna non ha più niente sotto i piedi, e il cuore non sa più dove battere, lì sospeso per un secondo prima di cadere anche lui nel nulla, e spiaccicarsi sul fondo durissimo della realtà.
"E quindi, signorina, mi occorre un parere femminile. A lei quale carta piace di più?"
La nonna rimane immobile e zitta, ingolla a secco, con uno sforzo da spezzarsi in due muove le dita e prende le carte da lettera, le studia, e alla fine sceglie quella con gli uccellini. Che è ruvida e vecchia e già molle per l'umidità, e gli uccellini sono stampati male e gonfi come uccelli malati che perdono le piume, e non solo è la più brutta di quelle in negozio, ma anche nel resto dell'universo sarebbe difficile trovare una carta così schifosa: perfetta per la zoccola che riceverà questa lettera d'amore.
Il nonno la compra insieme alla busta e al francobollo, e la ringrazia pure per la gentilezza. "Molto bene signorina, adesso mi perdoni ma vado a scrivere la lettera."
E lei non risponde, solo una scossa storta delle spalle, corta e senza senso, in attesa che il nonno se ne vada e la lasci sola in mezzo a mille prodotti inutili e tantissima tristezza. Però lui non se ne va mica, resta lì dritto davanti a lei con quel vestito elegante e il baffo curvato all'insù, insieme a un sorriso che non finisce e anzi continua ad aumentare. E la nonna vorrebbe tenere gli occhi al banco, li alza appena per chiedere "Occorre altro?", poi li pianta di nuovo nel legno duro che li separa.
"Be', ma certo che mi occorre altro" risponde il nonno.

"Mi occorre il suo indirizzo signorina, sennò come gliela spedisco questa lettera?"

Così le dice. E allora gli occhi della nonna non chiedono più il permesso di muoversi e schizzano addosso a lui, e il cuore si butta dallo scivolo dell'anima così forte che a ogni battito la roba del negozio traballa e comincia a cadere dagli scaffali. E pure il cervello, che è la parte più scema di noi e arriva sempre per ultimo a capire le cose, finalmente realizza questa verità incredibile e stupenda, mentre la nonna sta per saltare il banco e in braccio al nonno. Però le hanno insegnato che certe cose non si fanno, anche se tutto quanto ti grida di farle e ti ci spinge proprio tirandoti per la pelle. Allora solo posa le mani sul legno, per reggersi mentre le gambe tremano, e resta così finché può, aggrappata alla felicità.

Ma si vede che a un certo punto si è mossa, o si è mosso lui per tutti e due, perché infatti lei è diventata la nonna e lui il nonno, e noi siamo qui vivi a raccontarlo.

E la prima volta appunto l'ho raccontato quella sera lì, nel salotto della nonna, sul mobile della televisione coi piedi che scalciavano l'aria per l'emozione.

Ma all'inizio non è stato mica facile:

«Allora, comincia che il nonno entra nel negozio e chiede della carta da lettere.»

«Oh, piano, piano» ha fatto la nonna. «Non così di corsa, sai quante volte è venuto a comprare altre cose, prima della carta?»

«Ah, sì, scusa. Il nonno era già un po' che andava nel negozio, era elegante e la nonna invece era timida, però quel giorno lui ha chiesto la carta e...»

«No, no», la mamma ha storto la bocca, «così è troppo asciutta, non mi fa effetto, non mi commuovo per nulla.»

«Bimbo, oh» ha fatto lo Zio Aldo, «la passione, il romanticismo, dove cazzo è il romanticismo?»

Allora ho chiuso gli occhi, li ho stretti proprio, e ho cominciato a descrivere i baffi del nonno, le scarpe lucide, il gilet a scacchi bellissimo che portava, anche se in realtà non ce l'aveva, o se ce l'aveva era un caso perché me l'ero inventato lì per lì, come la margherita che teneva nel taschino siccome era il fiore preferito della nonna.

E a quel punto lei ha fatto di sì, e la mamma uguale. Gli zii invece seguivano meno, allora sono passato a raccontare della notte che l'auto del signore ricco si era misteriosamente cappottata in piazza, siccome dentro a quel mistero ci stavano anche loro. E aggiungevo particolari di quando erano entrati nel parco della villa e gli erano saltati addosso dieci cani da guardia tedeschi, e lo Zio Aldo aveva abbattuto il primo con un cazzotto, e gli altri zii avevano preso dei rami e avevano cominciato a combattere, e però uno dei cani era saltato addosso allo Zio Athos e l'aveva morso, e infatti lo zio aveva ancora una cicatrice lunga e tutta storta sul braccio... e loro mi ascoltavano e facevano di sì fortissimo, sempre più forte, e giuro che stavano in ansia per sapere come andava a finire, se si erano salvati oppure no. E finiva che a stendere l'ultima belva era proprio lo Zio Adelmo, che all'epoca non stava sulla sedia a rotelle e anzi l'aveva stecchita con una serie di calci volanti. Lo Zio Adelmo diceva «sì, proprio così, proprio così!» e a ogni calcio che raccontavo si batteva il pugno sulla gamba, poi si è aggrappato ai braccioli della carrozzina così stretto che giuro stava per alzarsi in piedi e correre ad abbracciarmi.

E anche se non l'ha fatto, è successa lo stesso una cosa incredibile: il babbo ha smesso per un attimo di lavorare intorno alla cornice e ha urlato «grande Adelmo, sei un grande!». E lui ha fatto di sì, e tutti l'hanno ripetuto, e lo Zio Athos si è messo la mano sul cuore e ha detto: «Oddìo che emozione, che meraviglia, oddìo che storia stupenda è questa, Madonna che famiglia stupenda che siamo!».

E anch'io mi emozionavo mentre continuavo a raccontare, perché pensavo alla classe del nonno, alla galanteria, a quanto ci sapeva fare, a come sarebbe stato bravo al posto mio l'altra sera in chiesa quando avevo conosciuto la Coccinella, alle parole perfette che le avrebbe detto lui e io non sapevo nemmeno immaginare, io che invece le avevo parlato di insetti velenosi e pallini neri e sfortuna.

Ma non era colpa mia, è che il nonno se n'era andato quando ero troppo piccolo per imparare, e adesso che invece potevo era morto. E non è mica giusta, questa cosa che le persone muoiono. Ma perché? Che senso ha? Secondo me non ce n'è bisogno, dovrebbero farla finita di morire, e restare qua per sempre insieme a noi.

Ma intanto mi restavano le storie grandiose di quando il nonno era vivo, il suo esempio, il suo stile. E questa idea della lettera d'amore, che era davvero magnifica. Solo che a forza di raccontarla non sapevo più quali parti erano vere e quali avevo aggiunto io per appassionare il pubblico nel salotto. Che ogni volta si esaltava, e mi esaltavo io, e da quella sera hanno cominciato tutti a raccontarmi le loro imprese e quelle di mille parenti morti, per un repertorio che non finiva più.

E così, dal mobile della tv, potevo raccontare per sempre le avventure stupende della mia stupenda famiglia. Che magari in mezzo al mondo era incasinata e troppo rumorosa e piena di matti, ma se non ci fosse stato il mondo intorno, se non ci fosse stata la gente a guardarci da fuori e scuotere la testa, secondo me era proprio favolosa e piena di meraviglie.

Come la volta che al bisnonno Arturo era arrivata la pensione, e lui aveva scritto per dire che grazie ma non la voleva, lui coltivava la terra e aveva da mangiare, quei soldi servivano di più allo stato. O la volta che lo Zio Adelmo era andato in Argentina con una ditta che costruiva le ferrovie, e i viali a Buenos Aires erano così larghi che tu cominciavi ad attraversarli e a metà strada c'erano dei ristoranti e degli alberghi, così cenavi e dormivi un po' e la mattina dopo, più fresco, finivi di attraversarli. Oppure la sera che la mamma aveva appena preso la patente e si era fermata a fare benzina, al distributore di Beppe detto Tenaglia che l'aveva vista nascere. E Beppe le aveva messo la benzina e le aveva fatto vedere come si faceva, le aveva insegnato per bene e le aveva detto che era importante saperlo fare da sola, e lei aveva ringraziato ed era andata a casa, ma poi aveva scoperto che Beppe Tenaglia era morto quel giorno stesso, dopo pranzo, un colpo al cuore e buonanotte, e uno spettro le aveva appena fatto il pieno.

Storie stupende che mi si rovesciavano addosso a cascata, si attorcigliavano fra loro e si mescolavano diventando altre storie ancora, ogni sera più ricche e più giganti, riempivano il salotto e i nostri cuori e coprivano tutto il resto. Pure il televisore là per terra, in attesa di quel pezzo di ricambio sovietico che chissà quando sarebbe arrivato.

Ma tanto non lo aspettava più nessuno.

8
La notte dei presepi

Passi i giorni a ragionare, fai progetti e misuri ogni passo con attenzione, ma tanto poi la vita ti arriva addosso a valanga e ti sbatte dove le pare, in fondo al tuo destino incasinato. È così e lo sappiamo bene, eppure facciamo finta di no, e ogni mattina ci alziamo e ricominciamo il nostro lavoro serio e preciso, come i direttori d'orchestra che salgono sul palco eleganti col leggio e lo spartito e la bacchetta in mano, e quell'espressione fiera e convinta che li rende le persone più antipatiche dell'universo.

E insistiamo a dirigere il nostro concerto mentre la vita ci butta addosso tempeste e bufere, tuoni che sfondano i timpani e un vento che ci prende a schiaffi, spazza via i fogli dal leggio e poi pure il leggio, ci straccia la giacca e i pantaloni e ci lascia in mutande. E intanto noi tutti concentrati continuiamo a muovere la nostra bacchetta nell'uragano finché un altro colpo di vento non ce la strappa di mano, e quello dopo finalmente è l'ultimo perché si porta via anche noi e addio.

È così che va, e così è andata pure quella notte, che era la vigilia di Natale con la gara tanto attesa dei presepi.

I grandi ci avevano lavorato tutte le sere per più di un mese, ogni cosa era calcolata al millimetro, la nostra canzone stava scritta chiara e precisa sullo spartito. E se fuori dalla chiesa non ci fosse stato il rinfresco degli ex alpini, forse l'avremmo suonata alla grande e sarebbe finita bene. O almeno meglio di così. Perché invece peggio non poteva finire.

Visto che appunto gli ex alpini c'erano, lì sulle scale davanti al portone, e offrivano un rinfresco di buon Natale ai fedeli prima della messa di mezzanotte. Solo che in una notte gelida di fine dicembre l'ultima cosa che serve è un rinfresco, e infatti l'avevano chiamato RISCALDO, l'avevano proprio scritto su un pezzo di cartone davanti ai due pentoloni che bollivano, alti e grossi come cristiani e pieni di punch e vin brulé. E nella classifica delle mille cose che non c'entrano niente con te ma possono cambiare in un attimo la canzone della tua vita, lassù ai primi posti c'è di sicuro un paio di pentoloni pieni di alcol, in mano a ex alpini che durante la preparazione ne hanno già ingollato qualche litro, da servire a fedeli tutti reduci da cenoni allagati di vino e spumante e grappe a caso.

Tutti tranne noi: al Villaggio Mancini quest'anno niente cena della vigilia, bisognava dare le ultime rifiniture al presepe e allora addio celebrazioni. Altrimenti mangiavamo dalla nonna, col posto del nonno apparecchiato accanto a lei, il piatto e le posate e il bicchiere pieno di vino, che gli zii a turno versavano e a turno scolavano per riempirlo di nuovo. Avevamo pure scelto la storia che dovevo raccontare dal mobile della tv, fra il secondo e il panettone, e a me dispiaceva aver saltato la cena della vigilia perché avevo tanta fame, ma soprattutto perché la storia di quella sera era una delle mie preferite, e cioè quella volta che i fratelli Mancini avevano salvato il paese dai nazisti.

Siccome alla fine della guerra, quando i nazisti ormai avevano capito che perdevano e si ritiravano su su verso la Germania, a un certo punto si erano fermati proprio qua, nervosi e confusi e arrabbiatissimi. Usavano gli uomini del posto per dei lavori faticosi e inutili, e ogni mattina prima di uscire di casa guardavi bene il tuo letto e la tua porta e il pezzo tuo di campo lì fuori, perché non era mica sicuro che la sera eri ancora vivo per rivederli.

Il lavoro più grosso che gli facevano fare era scavare una

buca. Una buca profondissima vicino al fiume, così assurda e senza senso che l'unica spiegazione era quella che ti veniva in mente scavando, e cioè che poi ti ammazzavano e ti ci buttavano dentro. Infatti lo Zio Athos, anche se non gli era ancora venuto il colpo che l'aveva fatto diventare felice per sempre, scavava e sudava e rideva, rideva fortissimo, e Aldo gli chiedeva cosa c'era da ridere, e lui rispondeva *Eh, la fossa ce la fanno scavare da soli, questi sfaticati, ma poi quando siamo morti voglio vedere chi ci ricopre!* E giù altre risate, finché la guardia nazista non gli urlava di stare zitti e li puntava tutti con la pistola.

Tutti ma non il nonno Arolando, che nemmeno scavava. Lui una pala non la sfiorava mai. Era il barbiere più bravo della regione, e verso le cinque la guardia nazista si metteva seduta su una poltrona lì davanti alla fossa, la pistola in grembo, il nonno gli appoggiava un asciugamano caldo sulla faccia e gli radeva la barba con dei movimenti che erano una danza. La sua mano era così delicata, così leggera che il tedesco chiudeva gli occhi e si addormentava. Come già prima della guerra nella bottega del Signor Lieto i clienti si sedevano, il nonno gli metteva la schiuma sul viso e loro guardavano i calendarietti con le donne nude, poi chiudevano gli occhi dicendo *Speriamo di sognarle tutte, Arolando, e buonanotte.* Cosa sognava il nazista invece non si sa, però ogni giorno si addormentava, e intanto gli uomini potevano scavare piano o proprio fermarsi. Allora il nonno quella danza del rasoio la faceva durare un'ora, regalando a fratelli e amici una lunga ricreazione.

Fino a un pomeriggio che i tedeschi erano più agitati del solito, lasciavano il presidio e si spostavano a nord, e i lavoratori dovevano farsi trovare lì la mattina dopo all'alba, così li portavano con sé a fare lavori migliori e ben pagati. Ma alla fine di quel giorno il nazista aveva stretto la mano al nonno, e gli aveva detto che una rasatura così meravigliosa non gliel'avrebbe fatta mai più nessuno in vita sua. Il nonno aveva risposto che poteva fargliela ancora, se lo portavano con loro, ma il nazista gli aveva detto *No Arolando, tu domani no viene*. Il nonno c'era rimasto male, aveva pure insistito: qua era tutto rotto e non ci si poteva inventare nulla, se c'era del lavoro da un'altra parte lui era pronto a partire e... e il nazista aveva scosso la testa, gli aveva dato la mano ancora una volta, e il nonno l'aveva stretta senza sorridere.

E pure gli zii c'erano rimasti male, perché se Arolando non andava non era la stessa cosa, e forse pure loro rinunciavano a questa grande occasione che gli offrivano i tedeschi. Anzi, in quella lunga notte più ci pensavano e più gli sembrava strana, molto strana, troppo. Allora si erano sparpagliati per i campi ed erano andati a bussare alle porte, per dire a tutti che magari all'alba invece di partire era il caso di nascondersi. Qualcuno rispondeva che ci aveva già pensato da solo, qualcun altro lo avevano convinto, altri ancora invece col cazzo che sputavano in faccia a un'offerta tanto fortunata, e la mattina dopo si erano presentati in anticipo al posto stabilito. Così i tedeschi li avevano caricati sui camion e poi su dei treni scuri e con le sbarre ai finestrini, su fino ai campi di concentramento in Germania, dove in effetti di lavoro ce n'era tantissimo.

E i pochi che alla fine erano riusciti a tornare a casa, ogni volta che incrociavano il nonno o gli zii per la strada gli dicevano *Beati voi che siete stati furbi*. E loro, modesti, *No, non siamo noi che siamo stati furbi, sei te che sei stato scemo*. E quei signori dicevano che era proprio vero, scuotevano la testa e ci ridevano.

E avremmo riso anche noi, e anche pianto, se raccontavo questa storia alla cena della vigilia, tutti a tavola insieme col posto del nonno apparecchiato. Invece no, niente racconto dei nazisti e niente cena, solo gli ultimi ritocchi al presepe nella chiesa di Vittoria Apuana.

Piccoli particolari che però facevano la differenza, e non si potevano preparare in anticipo. Come i pesci rossi veri nel laghetto sotto la cascata, perché l'acqua era troppo fredda e la cascata dall'alto ci cadeva con dei vortici frizzanti, e se ci mettevi i pesci troppo presto la giuria li trovava a pancia all'aria a ballare nella corrente. E poi c'erano le luci di ogni singola casetta da provare, e le casette erano mille, e la musica che doveva partire precisa dal cielo insieme alla stella cadente, e tante altre robe che insomma avevano portato Villaggio Mancini in chiesa già dal pomeriggio, dietro al lenzuolo bianco che nascondeva il lavoro dagli occhi del mondo.

Perché gli anni prima il presepe era molto più modesto, ma almeno lo potevi guardare già dal giorno dell'Immacolata. Quest'anno invece, per il terrore che noi ragazzini lo sciupassimo o che gli altri quartieri venissero a spiarlo o sabotarlo, ogni presepe era tenuto coperto e segreto. L'unico che si poteva ammirare da subito era quello di Vaiana, il quartiere più campagnolo del paese, ma lì c'era poco da ammirare: avevano pensato il presepe come se Gesù fosse nato lì, coi campi intorno, fra contadini e piante di ulivo e l'aia con le galline. Una cosa alla mano insomma, senza pretese, che avevano chiamato *presepe rustico*. Ma lo Zio Aldo era andato a vederlo, e ce l'aveva descritto semplicemente come *una merda*.

Intanto però quella merda si poteva apprezzare da quasi un mese, mentre da noi mezza chiesa era nascosta da lenzuoli e bloccata con una transenna e due veri cartelli stradali, uno con scritto LAVORI IN CORSO e l'altro con un teschio e le parole PERICOLO DI MORTE. E solo il *No* secco di Padre Domenico aveva evitato che gli zii ci stendessero intorno una matassa di filo spinato.

«Il filo spinato no! Gesù è nato in una grotta, non in un lager!»

«Ma così siamo più sicuri» aveva detto lo Zio Adelmo, che portava la matassa in grembo sulla carrozzina e gli spuntoni gli sfioravano il mento. «E poi il filo spinato ci sta bene, somiglia alla corona di spine di quando l'hanno messo in croce.»

«Appunto! Quella è la morte di Nostro Signore, il Natale celebra la sua nascita!»

«Eh, Padre caro, la vita è così, oggi si nasce, domani si muore. Lo vede dove mi ritrovo seduto? Pensi che sto qua proprio per una cosa successa il giorno di Natale. C'era un grande abete che...»

«Mi dispiace per lei, però niente filo spinato» aveva troncato Padre Domenico, cancellando in partenza questa nuova storia di come lo zio era finito in carrozzella, e si erano rimessi a lavorare.

Anche se gli unici a lavorare davvero erano il babbo e Urano, che invece di chiacchierare avvitavano e montavano e costruivano. Pure in quegli ultimi momenti prima del passaggio della giuria, e infatti gli zii stavano a guardare e si annoiavano tantissimo, e non potevano più ingollare il punch degli ex alpini perché la fila ai pentoloni era diventata troppo lunga. Allora Athos e Aramis mi hanno preso di peso, mi hanno caricato sull'Ape e via, a fare il giro degli altri presepi.

Si cominciava con quello del Centro, siccome alla fine il Vescovo diceva la messa proprio lì insieme a Don Sirio, e allora per pareggiare questo vantaggio Padre Domenico aveva preteso che almeno la visita ai presepi finisse da noi.

Siamo arrivati appena in tempo per vedere Don Sirio sull'altare dorato della sua chiesa, che con uno strappo toglieva la grande tenda e il sagrestano accendeva le luci sulla loro opera, in un'onda di *Ooooooh* spinta dal fiato di tutti i fedeli e anche della giuria. E invece io e gli zii siamo rimasti zitti.

Mica per cattiveria eh, cioè, almeno io no. Quel presepe era bello, con le montagne dietro che sembravano vere e davanti una cittadina di palazzi precisi fatti di mattoncini, tante piccole finestre ognuna con le sue piccole persiane e pure qualche balconcino, e lì sotto una stradina col marciapiede e gli archi e sotto gli archi le vetrinette di minuscoli negozi. E in fondo alla cittadina, dove non c'erano più negozi e praticamente era periferia, la capanna col Bambino Gesù.

Bello insomma, bello e fatto bene, solo che noi da un mese avevamo negli occhi il nostro capolavoro, e questo presepe in confronto era una cosa pulita e precisa, un progetto da bravi ragionieri appunto, ma niente di più. E allora io volevo dire ai signori della giuria che era meglio risparmiare gli *Oooh* e anche gli *Aaah*, perché per il nostro presepe gli sarebbero servite tutte le lettere dell'alfabeto.

Infatti siamo tornati sull'Ape col cuore che picchiava impaziente e già pieno di trionfo, e abbiamo saltato il "presepe rustico" di Vaiana perché il tempo era poco e troppa la voglia di tornare alla nostra parrocchia, metterci comodi e goderci lo stupore e l'ammirazione e la vittoria totale e travolgente. Fissavo l'orologio che lo Zio Athos aveva montato sul cruscotto e mi sembrava che i secondi non passassero mai, un po' perché all'orizzonte la vita brillava di meraviglia e mi riempiva di scintille il cuore, un po' perché l'orologio era rotto e davvero la lancetta tremolava verso le sei senza andare né avanti né indietro.

Poi però, prima del nostro presepe, siamo passati a buttare un occhio su quello di Caranna, e allora tutto è diventato nero.

Anzi, il nero sarebbe stato meglio. Il nero c'era all'inizio, quando la giuria è entrata in chiesa e noi dietro di loro, poi il parroco ha acceso l'unica lampadina che pendeva nuda sul presepe, e mentre lo faceva ha detto *Vi chiedo scusa*. E io e gli zii lo sapevamo che sarebbe stato brutto, ma essere brutto ci sta, è uno dei pochi diritti che abbiamo nel mondo, questo però era un'altra cosa. Guardarlo ti metteva dentro una tristezza densa e asfissiante e anche pericolosa per la fede, perché doveva celebrare la nascita di Dio fra gli uomini, invece lì davanti si infilava nel cervello la convinzione che no, Dio non esisteva, altrimenti non avrebbe mai permesso una disgrazia del genere.

E lo stesso pensiero forse bloccava i membri della giuria, formata dal Vescovo e dal sindaco, dalla moglie del sindaco, due assessori e una signora coi capelli biondissimi che insieme a Don Sirio organizzava serate di beneficenza per ricchi in favore dei poveri. Ci hanno messo un attimo a capire che quello era il presepe, perché lì per lì sembrava solo un banco di scuola mezzo rotto con sopra rovesciati a caso due o tre cassetti di roba, e quei cassetti venivano da un mobile vecchio e muffoso in fondo a una casa infestata dai fantasmi e abbandonata da un secolo.

Sotto quella frana di rifiuti, qualche pastorello annaspava tentando di liberarsi dalle palle di muschio secco e puzzolente che sembravano quei ciuffi di pelo che trovi sotto i mobili e i letti, e nessuno sa di cosa sono fatti e come nascono là sotto, però si vede che qualcuno li aveva raccolti uno per uno e messi sul banco, a mangiare i pastorelli e un indiano col copricapo di penne e un ciclista con le braccia alzate, qualche pecora zoppa e due dinosauri, mentre in mezzo a tutto questo orrore Gesù Bambino coraggiosamente nasceva. E se riusciva a superare la prima notte, ecco, quello era il suo primo miracolo.

«Be'» ha detto il parroco di Caranna piano piano, «non è un'opera faraonica, lo sappiamo.»

E la moglie del sindaco, senza respiro: «No, faraonica decisamente no».

«Lo sappiamo. Però qua in Caranna abbiamo una realtà che ci rende fieri, ed è il nostro centro di accoglienza. Le famiglie possono lasciare i figli da noi, passano qua il pomeriggio e li impegniamo in varie attività. Sono ragazzi con problemi, Eminenza. Sindrome di down, autismo, ma noi preferiamo chiamarli *ragazzi speciali*. E appena hanno saputo della gara dei presepi sono impazziti di emozione, volevano partecipare anche loro, ci tenevano tanto, allora abbiamo deciso di farli felici. Perdonerete quindi l'irruenza della rappresentazione, e certe inesattezze storiche. Avevamo pensato di intervenire, di aggiustare qualche estrosità, volevamo togliere il ciclista e Toro Seduto, volevamo lasciare in volo sulla capanna solo l'angelo e togliere lo pterodattilo. Ma poi ci siamo detti che no, non era giusto. Questo è il loro presepe, e già nella vita non possono fare mai quel che vogliono, almeno qua dovevano essere liberi fino in fondo.»

Il parroco ha chiuso il discorso tutto storto perché si stava commuovendo da solo, i signori della giuria hanno fatto di sì con la testa e hanno scritto un paio di parole su dei fogli, e altre due o tre sono riusciti a trovarle per commentare lo spettacolo: *Molto... molto speciale. Sì, davvero molto speciale, importante e speciale.*

Poi solo silenzio, rotto da un rumore gonfio e strano dietro di me, mi sono voltato ed erano i miei zii che si coprivano la faccia e piangevano piano. Gli ho battuto la mano sulle spalle, li ho stretti, ma proprio non sapevo come consolarli. E allora menomale che il sindaco ha detto: «Molto bene, grazie Don Graziano, adesso però dobbiamo proseguire, è tardi e ci aspettano a Vittoria Apuana».

A quelle parole Athos e Aramis sono scattati su, con gli occhi spalancati e subito asciutti, mi hanno sollevato da terra e siamo scappati di corsa. Perché Vittoria Apuana eravamo noi, e rischiavamo di perderci il grande trionfo!

Via sull'Ape per le stradine umide e buie, coi semafori rossi che non potevano rallentare un motocarro pieno di daltonici, così veloce che per schiacciare i gatti non serviva nemmeno che attraversassero la strada, li potevamo risucchiare dai giardini con lo spostamento d'aria.

Infatti siamo arrivati alla chiesa e i fedeli stavano ancora nel piazzale, aspettavano di poter entrare e intanto si ubriacavano dagli ex alpini per non morire di freddo. Gli zii hanno preso due punch al volo, saltando la fila e ingollandoli come medicine, poi si sono fatti strada dicendo *Va tutto bene gente, siamo della squadra di costruzione, preparatevi, fra poco vedete una cosa così stupenda che non ve la scordate mai più!*

Siamo entrati in chiesa, che era deserta e con tutte le panche in fila pronte a riempirsi, e già immaginavo le persone che si sedevano ma poi dovevano saltare su di nuovo per la meraviglia. E chissà dove si metteva la Coccinella, e se anche quella notte veniva vestita da Coccinella. Ma soprattutto chissà se veniva, perché dalla sera che eravamo diventati migliori amici non l'avevo vista mai più. Però insomma, era Natale, era la messa di mezzanotte, doveva venire. Doveva. Doveva.

Facevo di sì da solo mentre andavo verso l'altare, e l'entusiasmo tornava a friggermi sulla pelle. Così tanto che lì per lì non mi sono accorto dello Zio Aldo e Urano che ci correvano incontro, i pugni sparsi a caso nell'aria: *Dove cazzo eravate!* ha urlato lo zio, poi mi hanno preso e portato dietro l'altare, e hanno cominciato a spogliarmi.

Via il giubbotto, via maglione e maglietta, e quando hanno cominciato a sfilarmi i calzoni mi è venuta paura che a forza di costruire il presepe magari erano diventati davvero dei credenti, però invece di Gesù Cristo adoravano un dio tremendo come quelli dei Maya, che nelle notti di festa chiedevano in sacrificio il fanciullo più bello della comunità.

E forse io non ero il più bello, ma non avevano trovato niente di meglio, e infatti mentre mi mettevano addosso una specie di cappa tutta bianca e mi legavano con una corda tipo salame, il Signor Urano ripeteva che sua figlia era una cretina, che gli aveva promesso suo nipote ma poi si era messa paura, e dove lo trovavano un altro bimbo piccolo e bello all'ultimo minuto?

E quindi toccava a me, che non ero piccolo, non ero bello, ma purtroppo ero lì.

Con quella cappa bianca che era troppo corta da tutte le parti, stretta come le corde legate al busto e questa roba che mi agganciavano dietro le spalle, tipo uno zaino e però erano due ali giganti di polistirolo coperte di piume bianche. E sulla testa, in cima al cespuglio dei miei capelli ricci, un altro cespuglio di capelli ricci ma finti e biondi, con un'aureola dorata che proteggeva dall'alto questo costume impossibile.

Io intanto chiedevo che succedeva, cosa mi facevano, a quale dio stavano per sacrificarmi. Ma erano troppo presi a parlare fra loro e bestemmiare, allora mi hanno dato una candela, l'hanno accesa, e mi hanno solo detto che a fine volo dovevo dare fuoco alla stella.

«Quale volo!» ho chiesto, ma dal portone è corso qua Padre Domenico con le braccia al cielo, urlava *Arrivano! Arrivano!* e dietro di lui il Vescovo col resto della giuria, Don Sirio con la sua squadra di ragionieri di Lucca, tutti i fedeli mezzi ubriachi e mezzi stecchiti dal gelo, che in un attimo hanno riempito le panche e le sedie e i posti in piedi, i buchi scuri dentro i confessionali, le nicchie addosso ai santi.

Poi le luci si sono spente e non ho visto più niente, ma ho sentito una forza misteriosa e fortissima che dal nulla mi ha tirato a sé verso il cielo. E non era il Signore che diceva *Sai cosa c'è, mi dispiace troppo, stasera questo povero bimbo lo salvo io*. No, era l'opposto di così: era la corda che mi avevano legato intorno, tirata su dagli zii che mi issavano fino al soffitto, a dondolare nel vuoto sopra Betlemme.

Di colpo si è spento anche il rumore della folla, e nel nuovo silenzio è salito il coro delle donne da dietro l'altare. *Astro del Ciel, pargol divìn...* e fra le voci c'erano quelle della mamma e della nonna, che senza saperlo accompagnavano il loro unico bimbo al sacrificio.

Ma almeno fosse successo subito, un colpo secco e addio mondo. Invece eccomi quassù con un riflettore puntato addosso, una parrucca in testa e una cappetta corta che mi faceva da minigonna, davanti alla chiesa stracolma. C'erano la mia maestra di scuola, i miei compagni tutti, il sindaco e i parroci riuniti, la Teresa dell'alimentari e il dottor Abiuso e insomma il paese intero. E la Coccinella, soprattutto lei, anche se adesso non speravo più così tanto che fosse venuta.

E proprio mentre pensavo che non potesse andare peggio di così, uno scossone e precipito nel vuoto. Poi la corda si tende di nuovo, il riflettore scende e mi trova, e sono ancora vivo. Con una stella cometa sotto di me, di plastica argentata, e allora ricordo di avere una candela in mano per accenderla. Mi allungo ma non ci arrivo, provo a scostare la corda che mi stringe fra le gambe e così dondolo e ondeggio, ondeggio e dondolo, mi allungo ancora e ce la faccio, la miccia si accende, però mi sbilancio e resto in aria capovolto, con la parrucca che cade insieme all'aureola, la cappa si solleva e giuro che resto così, in mutande davanti al paese tutto.

Solo che non importa più a nessuno.

Nemmeno a me. Perché il riflettore che ho addosso si spegne, e la stella si illumina di mille scintille argentate mentre comincia a volare seguendo un filo da pesca che però non si vede e sembra che voli veramente. E solo adesso mi accorgo del mio babbo là nell'angolo in cima a una scala, alla mia stessa altezza. Mi saluta, gira qualcosa con una chiave inglese e da lì, lungo una specie di scivolo altissimo, parte l'acqua di una vera cascata, che cade a scroscio sulla cima dei monti dove di colpo si illuminano casette piccolissime in mezzo agli alberi. L'acqua diventa un torrente che scorre a valle, e le luci si accendono al suo passaggio illuminando la sua corsa fra campi e case più grandi, fatte di veri mattoni in miniatura e tegole per il tetto. Dentro ognuna ci sono i suoi abitanti, ma da quassù vedo solo quelli sulla soglia che si legano scarpe minuscole o si mettono minicappotti per uscire, altri che rientrano perché magari fa freddo o si sono dimenticati le chiavi o chissà, ognuno con la sua storia minuscola addosso, minuscola ma fondamentale, mentre il torrente continua a scendere e diventa un fiume che taglia la sabbia del deserto in uno slalom fra le palme, poi sparisce nel fitto di un bosco col canto di mille uccelli in amore, poi il bosco finisce e la corsa dell'acqua pure, trovando la calma in uno splendido lago dove galleggiano barchette e nuotano pesci rossi veri e vivissimi, e da lì partono piccoli carri che portano i pesci in dono al Redentore.

La luce li segue illuminando l'ultimo pezzo di cammino, e proprio quando stanno arrivando arriva anche il lento volo della stella cometa lassù, che si posa sul tetto della capanna, e il coro da dietro l'altare canta più forte mentre la Madonna e San Giuseppe e Gesù Bambino brillano come il sole.

E questa meraviglia è così smisurata, così accecante che prende tutti gli occhi e le teste e i cuori e niente di brutto esiste più nel mondo, né la fame in Africa né il pulsante che se lo schiacci parte la guerra nucleare, né i parenti noiosi da passarci il giorno dopo tutto insieme. Esiste solo questo posto incredibile, che è il paesino dov'è nato Gesù, ma insieme somiglia tanto al Paradiso.

E non riuscendo più a parlare e nemmeno a respirare, la chiesa sfoga l'emozione in un applauso così furioso che diventa una specie di vento, spettina le signore in prima fila, spegne le candele sull'altare e arriva fin quassù dove sono appeso io, facendomi dondolare ancora di più nel vuoto senza appigli.

Ma adesso cadere non mi fa più paura, perché sarebbe un tuffo stupendo su quel Paradiso in miniatura. E lo stesso tuffo lo desiderano tutti i bimbi, che devono essere placcati al volo da mamme e parenti e sconosciuti, ma pure tanti adulti hanno questa voglia matta, perché spingono per vedere meglio e Padre Domenico prende il microfono e dice *Piano, fate piano, per l'amor di Dio!* ma nessuno lo ascolta e tutti si spintonano per avanzare, tutti tranne Don Sirio e i suoi costruttori ragionieri, fermi, fermissimi, stecchiti.

Perché davanti alla meraviglia di Vittoria Apuana non è che sono sconfitti, no, è qualcosa di diverso e di più. Come un incontro di boxe dove il vincitore non manda solo KO l'avversario, ma lo ammazza proprio. Poi gli prende le misure per la bara, trova i becchini coi prezzi più convenienti e li chiama, e alla fine va a casa dei parenti della vittima a dire quanto gli dispiace, e che persona stupenda era, e non è giusto che sia morta, proprio non è giusto.

Ecco, è così che il nostro presepe aveva battuto quello del Centro. E nel casino degli applausi e degli urli e dei cori i membri della giuria tentavano di scambiarsi pareri, ma il verdetto non serviva a nulla: il trionfo era imbarazzante, lo stesso Padre Domenico aveva già le braccia alzate, gli zii e i loro amici si abbracciavano e saltavano.

Ma il verdetto ufficiale comunque ci vuole, Padre Domenico lo sa e riesce a calmarsi un po', va dai giurati e passa il microfono al Vescovo. Che lo avvicina alla bocca e intanto guarda gli altri, dice *Buonasera* e di colpo il casino si spegne, e la chiesa si riempie di silenzio per ascoltare il risultato che farà partire una festa ancor più clamorosa.

Solo che il Vescovo, a parte *Buonasera*, non dice nulla. Guarda ancora gli altri della giuria, che gli fanno di sì con la testa, ma lui scuote la sua e passa il microfono al sindaco. Che lo tiene lontano con due dita sole come fosse un serpente velenoso, e lo butta subito alla moglie. Lei lo guarda, guarda la chiesa piena là dietro, sembra che stia per dire qualcosa ma invece nulla, passa di nuovo il microfono al marito sindaco. Che si volta agli assessori ma quelli si allontanano di un passo, allora punta la signora bionda della beneficenza, va da lei e glielo passa e le dice qualcosa all'orecchio che dev'essere proprio convincente. Perché lei prende il microfono, lo accosta alla bocca come una pistola alla tempia, e dopo un ultimo respiro: «Buonasera. E buon Natale. Buon Natale di serenità a tutti!».

«Buon Natale» rispondono voci sparse, ma rapide e secche, come per dire *Sì, buon Natale, però muoviti e dicci che abbiamo vinto.*

«Dunque, premetto che tutti i presepi della nostra cittadina sono meravigliosi, frutto di passione e collaborazione fra i fedeli, e questa è la vittoria più preziosa e importante, un successo per la comunità intera. Se passiamo però all'assegnazione del premio per il presepe più bello... ecco, insomma, quest'anno il presepe vincitore è quello realizzato dalla parrocchia di... Caranna!»

Dice così, giuro: il presepe più bello è quel banchetto di scuola con la roba buttata sopra e lo pterodattilo in volo sul Bambino Gesù, costruito dai ragazzi "speciali" e specialmente disgraziato. Ma non è possibile, dev'essere uno scherzo del microfono e del rimbombo, sono io che appeso quassù ho capito male. Però mi sa che come me hanno capito male tutti, perché dopo un attimo sperso e zittissimo la chiesa esplode di urli e fischi e parole brutte. E tante volte si dice che le parole possono ferire più della forza fisica, sì, ma è una grande scemenza, perché la paura vera mi viene adesso, che i fedeli smettono di parlare, escono dalle panche e vengono tutti coi pugni al cielo verso l'altare.

Padre Domenico grida «Fermi, calma fratelli, calma!» e forse se stesse più in alto, magari sull'ultimo scalino dell'altare, se avesse il microfono in mano per farsi sentire nell'urleria, potrebbe ancora salvare la situazione. Ma il microfono non ce l'ha lui, l'ha preso Don Sirio della chiesa del Centro, che in mezzo a questo inferno si mette pure a fare l'omelia:

«Fermatevi, sciocchi! Non capite il messaggio di questo premio? Il vero valore del Natale è la semplicità, è la carità cristiana. La giuria ha voluto premiare non tanto l'abbondanza e la ricchezza, ma l'entusiasmo commovente dei ragazzi speciali della Caranna. E noi del Centro, anche se abbiamo lavorato così tanto al nostro presepe, accettiamo il verdetto» dice con un tono saggio e profondo, quel tono che a sentirlo quando sei incazzato ti fa proprio andare fuori di cervello.

Infatti è quel che succede ai miei zii qua sotto. Adelmo urla: «Facile per voi! Il vostro presepe era una merda!» e non scatta addosso al prete solo perché davanti ha tanti bimbi che bloccano la strada alla carrozzina, e anche se ci prova non riesce a schiacciarli.

«Senta lei» gli risponde uno dei ragionieri, che ha lo stes-

so naso a punta di Don Sirio e forse è proprio suo fratello.
«Badi a come parla. Il vostro presepe è appariscente ma anche volgare, una roba da sagra. Il nostro è più filologico, lei non è certo in grado di apprezzarlo, ma abbiamo riprodotto il centro storico medievale della città di Lucca, e i nostri personaggi sono antichi e realizzati in terracotta.»

«Vaffanculo te e la terracotta!» fa lo Zio Adelmo.

«La terracotta fa schifo!» ci si mette Aldo. «Fa schifo e si spacca subito!»

«Ah sì? Allora mi spieghi come mai i nostri personaggi sono ancora interi da un secolo.»

«Perché a Lucca siete tutti tirchi e state attenti a non sciupare nulla. La plastica è cento volte meglio e non si spacca mai!»

«Ma non sia ridicolo» dice il ragioniere, e oltre a dirlo fa un passo, poi due, poi tre, fino al presepe. E Don Sirio allunga una mano per fermarlo, ma la mano di suo fratello è più veloce e agguanta uno dei nostri contadinelli, uno con un sacco di farina sulle spalle e un sorriso in faccia che in questo momento non c'incastra proprio niente. «Ecco, guardate come si sciupa facilmente la vostra plastica» dice, e la bocca gli si storce in uno sforzo mentre comincia a grattare il contadino contro lo spigolo di una panca.

E da lì, è chiaro che tutto va come deve andare.

Lo Zio Adelmo punta il ragioniere col dito, alza il pugno chiuso al cielo e urla: «Giù le mani dai contadini, capitalista di merda!».

E a scuola ti insegnano che il suono viaggia velocissimo nell'aria, e più veloce di lui c'è solo la luce, ma in realtà questo è vero solo se alla gara non partecipa lo Zio Aldo. Che è partito quando Adelmo ha cominciato la frase, e prima che sia finita lui sta già addosso al ragioniere.

Il contadino di plastica vola via, si perde nel groviglio di mani e braccia e nel vortice di corpi che si scatena, fatto di ragionieri e zii e poi anche di fedeli assortiti, pieni di punch e vin brulé e voglia di vendetta. E così parte un cerchio manesco di violenza che da quassù vedo bene, troppo bene, mentre si allarga né piano né forte, senza fretta perché già sa che arriverà fino in fondo, alle mura della chiesa e al portone laggiù, e non accelera perché tanto non c'è niente che lo può rallentare.

E invece, di colpo, tutto finisce. Niente più botte, niente urli, solo silenzio.

E mi viene da pensare che magari nella testa degli zii e degli altri ha prevalso per una volta il buon senso. Ma non è possibile, dev'essere andata diversamente. Dev'essere successo qualcosa di meno assurdo, tipo che sono arrivati gli alieni a bloccarli, oppure Dio da lassù ha allungato il suo dito onnipotente e con un tocco ha riportato la pace.

Però è una pace strana e agitata, mentre i fedeli si allargano e lasciano libero un punto del pavimento che sta quasi sotto di me. Allora vedo cos'è successo, e capisco, e insieme capisco quanto nella vita sarebbe meglio non capire mai nulla di nulla.

Perché là in terra c'è il mio babbo.

Schizzo con gli occhi in cima alla scala dove stava un attimo fa, ma non c'è più: sta davvero laggiù, immobile sul pavimento. Allungo un braccio per toccarlo, ma è così lontano. Molto più lontano della stella cadente che ho acceso prima, più lontano pure delle stelle vere di là dalle finestre, che se invece potessi arrivarci le prenderei a cazzotti una per una, perché ancora continuano a brillare come se non fosse successo nulla, come se non gliene fregasse niente di questo mondo piccolo e scemo che girava a caso in un angolo dell'universo e adesso sta laggiù, piantato per terra insieme al mio babbo.

Fermo, rotto, spento.

SECONDA PARTE

Se hai i fantasmi, hai tutto.
ROKY ERICKSON

9
La scuola della vita

Nell'arcipelago delle Galápagos, sull'isola di Wenman, esiste una colonia di Fringillidi denominata Geospiza Difficilis, che per risolvere il problema alimentare nei periodi in cui le sementi scarseggiano si è adattata a comportamenti da vampiro.

Ho smesso di leggere, ho alzato gli occhi al mio babbo: «Hai sentito babbo? Un fringuello vampiro, un fringuello vampiro!».

Ma nel dirlo mi sono piegato verso di lui, ed è successa una cosa stranissima: la mia sedia ha scricchiolato. Che magari non è una notizia da aprirci il telegiornale, ma era clamorosa se capitava davanti al mio babbo e lui non si muoveva subito per metterci un po' d'olio e sistemarla.

Il problema però era proprio questo, che il babbo non si muoveva, né per la sedia né per nulla. Ormai era passata la Pasqua, e da quella notte maledetta di Natale lui stava sdraiato in questa stanza di ospedale. Quattro mesi senza alzarsi dal letto, senza nemmeno aprire un occhio, con dei tubi nel naso e nella bocca e attaccato a delle macchine che facevano rumori strani tipo videogiochi mentre lui non faceva nessun rumore, come uno che dorme senza russare. E senza svegliarsi mai.

E allora non importa se le sedie scricchiolavano e le finestre si chiudevano male, se scoppiavano tutti i tubi dell'ospedale e facevano nascere fiumi che scorrevano fra montagne di roba rotta: il babbo non poteva farci nulla, perché la cosa più rotta di tutte era lui. Così tanto che nel mondo non esisteva una persona in grado di aggiustarlo. Anzi, una esisteva, ma il guaio è che quella persona era proprio lui.

Però secondo me non era un problema così grande: ci voleva solo un po' di pazienza, e presto il babbo si sarebbe risvegliato. Si tirava su con uno sbadiglio e mi abbracciava forte con una mano, con l'altra aggiustava la sedia e poi via, tutto di nuovo come prima. Una specie di resurrezione, che non era così difficile perché una volta era già risorto, quando l'avevo visto là steso sul pavimento della chiesa e l'unica cosa che si muoveva era la macchia di sangue sempre più larga intorno alla sua testa, e per me come per gli zii e la mamma e tutti quanti il babbo era morto.

E forse era morto davvero, ma solo per poco, poi Gesù Bambino ha capito che non poteva finire così. Quell'uomo aveva appena creato in suo onore il presepe più meraviglioso dell'universo, come faceva Gesù a lasciarlo morire in quel modo, a casa sua, la notte del suo compleanno? E però non poteva nemmeno salvarlo subito, farlo cadere a terra e rimbalzare su come una pallina di gomma. Un miracolo esagerato davanti a tutti i fedeli, che invece di credere per fede avrebbero creduto per il miracolo dell'Uomo-Pallina, e sarebbe stato troppo facile entrare nel Regno dei Cieli. Allora Gesù aveva scelto questa via di mezzo: lo lasciava dormire un po' – che poi al babbo, dopo una vita a sfondarsi di lavoro, qualche mese di riposo gli faceva pure bene –, e presto lo risvegliava.

Certo, sarebbe andata proprio così, l'avevo raccontato alla mamma e lei mi aveva risposto *Be', ovvio, chiaro che va così*. Poi però aveva cominciato a piangere, ma forse perché si era commossa a sentire quanto era intelligente suo figlio.

Solo che insomma, adesso dopo quattro mesi mi sembrava l'ora di farlo tornare in piedi, e più passava il tempo e più mi veniva il sospetto che Gesù, con tutto quello che aveva da fare, non dico che si era proprio dimenticato del mio babbo, però magari risvegliarlo era diventata una di quelle cose che ogni tanto ci pensi e dici *Oddìo, domani lo devo pro-*

prio fare, domani lo faccio, e mentre lo dici ci credi davvero, solo che probabilmente in Paradiso è come qua sulla Terra, e *domani* è un modo come tanti per dire *mai*.

Allora io cercavo di dargli una mano, a Gesù. Ogni pomeriggio la mamma mi portava qua, andava a fare le pulizie in giro e intanto io mangiavo un gelato alla crema davanti al babbo, per fargli sapere che tutto andava bene e non ci mancava nulla, a parte lui che invece ci mancava tantissimo. Ma soprattutto portavo uno di questi libri stupendi e lo leggevo a voce alta, per me e per lui, perché secondo me raccontavano cose così interessanti che potevano richiamarlo qua, in questo mondo pieno di tante meraviglie che lo aspettavano.

Un giorno l'avevo pure chiesto al dottore, *Ma se gli leggo delle cose belle al mio babbo gli fa bene, vero?* E lui mi aveva guardato un attimo, poi *Be', male non gli fa*. Che come risposta era parecchio inutile, allora gli ho domandato se era possibile che un giorno magari gli leggevo qualcosa di così appassionante che il babbo si svegliava dall'emozione. E il dottore ha sorriso, ha sorriso ancora un po', poi ha risposto *No*.

Così, giuro, solo *No*. E per quel giorno non mi è più riuscito di leggere una riga, e quando è arrivata la nonna a riprendermi le ho raccontato cosa aveva detto il dottore, e lei ha risposto che magari si sbagliava, ma comunque dovevo apprezzare la sincerità.

Però a me non mi ha convinto mai, la sincerità. Non ci vuole nulla a essere sinceri, basta aprire la bocca e buttare fuori tutto lo schifo che hai dentro. Apprezzavo molto di più le persone che invece, prima di darmela, questa famosa sincerità me la aggiustavano un pochino. Perché insomma, avevo dieci anni ed ero il figlio del grande Giorgio, che era arrivato sul pianeta Terra con la missione di aggiustare tutto, e invece adesso stava lì fermo su un letto meno vivo dei fiori che gli mettevamo sul comodino. E allora, quando ti chiedo se c'è speranza che un giorno possa tornare a camminare, o aprire gli occhi per guardarmi, o anche solo la bocca per dirmi che mi vuole bene, se tu sorridi e mi rispondi tranquillo *No*, ecco, non è che sei uno sincero, sei solo un grandissimo stronzo.

Ma per fortuna a casa mi aspettava la mamma, che con la sincerità aveva litigato da piccola e non si parlavano più, e ci ha pensato lei a spiegarmi per bene come stavano le cose:

«Davvero il dottore ti ha detto così?»

«Sì mamma, giuro!»

«Va bene, ma te non ascoltarlo. Poverino, non sta mica bene.»

«Chi, il dottore?»

Lei ha fatto di sì, poi mi ha passato il piatto con gli spaghetti e insieme un grande segreto: «In realtà quello lì non è un dottore vero».

«Ma come no.»

«No, è ricoverato al piano di sopra, dove ci sono i matti. Solo che pensa di essere un dottore, e lo lasciano fare. Gira un po' fra i reparti, dice cose a caso, poi la sera torna nella sua stanza, capito?»

Ci ho pensato un attimo, un attimo e mezzo. «Sì, ma le infermiere gli danno retta.»

«Certo! Ai matti gli danno retta tutti, per non farli arrabbiare. Gli dicono di sì e poi lo riportano di sopra, gli levano il camice e gli infilano la camicia di forza, capito?»

E a quel punto finalmente ho sorriso, tanto e forte. Perché questa sì che era una verità fatta bene. E certo, un angolino antipatico del mio cervello continuava a domandarsi chi era allora che curava davvero il babbo, ma si trattava di cose mediche e scientifiche e io avevo dieci anni, cosa ne potevo sapere? Un giorno le avrei capite, ma intanto avevo una speranza bella calda da tenermi dentro. La sentivo che si accendeva proprio, ogni giorno dopo la scuola. Venivo nella sua stanza, mi mettevo vicino a lui e prendevo un respiro d'aria che sapeva un po' di alcol e un po' del suo odore, e ricominciavo a leggere a voce alta queste cose che per non trovarle super appassionanti dovevi proprio essere morto, oppure matto come quel signore là col camice che ogni tanto passava di lì e diceva cose bruttissime, ma tanto io non lo ascoltavo più.

La Geospiza Difficilis si nutre infatti del sangue di due uccelli marini, la Sula mascherata e la Sula dalle zampe rosse, che succhia dopo aver beccato loro la pelle sui gomiti.

«Sentito babbo? Succhiano il sangue, precisi uguali a Dracula! Non dal collo, dai gomiti, però è quasi uguale, no? No?», ma il babbo non rispondeva, e allora ho fatto di sì anche per lui. Poi gli ho detto di aspettare un secondo, ho preso la matita e ho sottolineato questa informazione, e la linea è diventata una freccia che scendeva giù fino in fondo alla pagina, dove ho scritto:

1. *Ma gli uccelli hanno i gomiti?*
2. *L'isola di Wenman è anche chiamata isola di Wolf, cioè isola del Lupo. Come mai? I fringuelli vampiro sono anche fringuelli mannari? Da verificare nel prossimo viaggio alle Galápagos.*

Ma stavo ancora finendo la S di Galápagos e già mi vergognavo così tanto che poteva benissimo diventare la S di Scemo: "il prossimo viaggio alle Galápagos", certo, come se fosse un posto dove andavo tutte le settimane, tipo lo Zio Aldo col camion a Montecatini. Invece alle Galápagos non c'ero stato mai, anzi non sapevo nemmeno bene dove si trovavano, perché il mondo era pieno di paesi stupendi e incredibili e però a scuola la maestra passava le ore a spiegarci i prodotti tipici delle Marche o gli affluenti di destra e sinistra del Po. E intanto il posto più lontano dov'ero stato veramente era Empoli, a un'ora di camion dal Villaggio Mancini, e chissà invece quante ore di camion ci volevano per arrivare alle Galápagos. Ma non era un problema, perché tanto lo zio alle Galápagos non ci andava, e forse non ci sarei andato mai nemmeno io.

Infatti il problema vero era proprio questo, che in giro c'erano mille cose da vedere, da vivere e imparare, ma io stavo piantato qua, fra una stanza di ospedale e il Villaggio Mancini. E quando non leggevo al babbo, quando non pedalavo fortissimo sulla bici per sentire il cuore che mi usciva dalle orecchie e il vento che mi rubava le lacrime, quando la mamma non mi stringeva nel suo abbraccio che mi toglieva il respiro e anche i pensieri, ecco, io mi sentivo tanto sperso e tanto, tantissimo solo.

Solo, sì, anche se a casa avevo un villaggio intero di zii, che già prima si erano promossi a nonni e adesso si comportavano pure da babbi. La solitudine è così, non devi mica essere solo per sentirla, ti prende anche in mezzo alla folla, perché quando ti senti solo davvero non è che ti mancano tante persone, te ne manca una, ma tanto.

E a me mancava il mio babbo, e lo sapevo che un giorno sarebbe tornato, ma i mesi passavano e quel giorno non arrivava mai.

E allora menomale che nel frattempo era arrivata nei miei giorni una novità clamorosa e appassionante, che mi era finita addosso per caso e anzi per sbaglio, come tutte le cose che ti cambiano davvero la vita.

Erano le vacanze di Pasqua, ma seguire la mamma al mercato mi stava quasi facendo venire nostalgia della scuola. A ogni passo affondavo sempre più nel mare della noia, fra banchi di mutande e calzini e asciugamani in offerta che mi avvolgevano come alghe per affogarmi in un abbraccio mortale, e la situazione era così disperata che per emozionarmi è bastato un vecchio più in là, seduto su una panchina, che buttava pezzetti di pane a un piccione zoppo.

L'ho visto e sono corso da lui, però a metà strada una macchia luccicante mi ha chiamato dall'angolo dell'occhio. Era un banco diverso, più piccolo e pieno di colori. Dietro, quasi stesa su una sdraio da mare, una signora che sembrava uscita di casa come si era svegliata, con pantaloni tipo un pigiama a righe, i piedi in due pantofole appoggiati sul banco, la maglietta tutta grinze e i capelli bianchi e gonfi come una palla di zucchero filato venuta male.

Teneva gli occhi a un fumetto, e mi è rimasta subito simpatica perché stava leggendo *Geppo*, che era un diavolo e viveva all'Inferno e però era nato buono, allora Satana si arrabbiava con lui perché sapeva combinare solo buone azioni. Pensavo che Geppo piacesse solo a me, e invece nel mondo eravamo in due, io e questa signora tutta spettinata, quindi mi dispiaceva che il suo banco fosse l'unico senza clienti.

Poi però lei ha smesso di leggere e mi ha guardato, io per la vergogna ho abbassato gli occhi alle cose che vendeva, e di colpo è diventato chiaro come mai il suo banco non interessava a nessuno: la signora vendeva solo libri.

E i libri erano roba per la scuola, che cavolo ci facevano coi libri le persone al mercato, che erano troppo vecchie per studiare? Magari potevano comprarli per figli o nipoti, ma la scuola era iniziata da un pezzo e fra due mesi grazie a Dio finiva, come sperava la signora di venderli a Pasqua? Forse glielo dovevo dire, perché magari lei era anziana e gli anziani tante volte fanno le cose così, per abitudine. Dovevo ricordarle che era quasi estate e i libri non servivano più, mentre le mutande servivano tutto l'anno, e anche i calzini, e le tovaglie, e...

«Ciao, Ricciolo!» ha detto lei a me. La voce un po' storta per via che stava mezza stesa e parlava a bocca piena, con un sacchetto di lupini sulle gambe che mangiava sputandosi i gusci in mano. «Allora, cos'è che cerchi?»

E io avrei voluto scomparire. In vita mia non avevo mai comprato niente da solo, già fermarmi a un banco e fissare la roba così mi pareva quasi rubare. Allora mi sono scostato di un passo, ho alzato le mani e ho risposto che non cercavo nulla, grazie.

«Non dire così, che non è vero.»

«Come non è vero? Lo giuro.»

«Ma no, tutti cerchiamo qualcosa Ricciolo, sempre. Solo che non sappiamo cosa.» Si è buttata in bocca un altro lupino, ha sputato il guscio. «Te lo sai cosa stai cercando?»

L'ho guardata, ci ho pensato, ho fatto di no.

«Ecco, vedi? E allora che aspetti, cerca!»

Mi ha indicato tutti quei libri buttati lì uno addosso all'altro. Erano tanti, e tanto diversi da quelli della scuola, che la mamma a inizio anno me li foderava con la carta da regalo e infatti sembravano proprio regali quadrati e luccicanti, che però nessuno era felice di ricevere. Questi invece erano vecchi e sciupati, con segni e macchie scure e titoli lunghi e misteriosi, chissà che scuola dovevi fare per avere bisogno di questi libri qua.

«Oh, Ricciolo, ma sfogliali no? Sfogliarli è gratis.»

«Grazie signora, ma non sono libri per me.»

«E che ne sai.»

«Mi sa che per la mia scuola non vanno bene. Che libri sono?»

«Sono manuali.»

«Sì, ma di che materia.»

«Eh?»

«Sono manuali di italiano, di storia, di scienze?», e poi, con la voce che scivolava giù fino alle paludi melmose della disperazione, «forse sono manuali di matematica?»

«Ma no, niente di così palloso per fortuna!»

«Ma allora scusi, in che scuola si usano.»

«In nessuna scuola, Ricciolo. Sono manuali pratici, ti insegnano a fare le cose che ti servono davvero. Cose che servono nella scuola della vita.»

La signora ha detto così, ed è proprio vero che le parole sono magiche, infatti queste qua hanno preso un mercoledì mattina noioso e senza senso e l'hanno trasformato in un momento così emozionante che non l'avrei scordato mai più.

Perché fino a un attimo prima non sapevo niente, e adesso di colpo avevo chiaro in testa cosa volevo: volevo quei *manuali pratici*, e conoscere tutto quello che promettevano i loro titoli coloratissimi, *Manuale di sopravvivenza nei boschi*, *I segreti delle piante rampicanti*, e addirittura un *Corso professionale di idraulica*, che forse il mio babbo l'aveva letto quando aveva la mia età e da lì era diventato l'idraulico più grande dell'universo. Volevo prenderli e studiarli bene, e imparare da loro le mille cose che il babbo adesso non poteva insegnarmi, e avanti così fino a diplomarmi alla *scuola della vita*.

Che era una roba vera e ufficiale, e i maestri erano persone serie che avevano addirittura scritto dei libri, mica come i miei zii che invece a seguirli finivo dritto nella maledizione e nella follia.

«Allora Ricciolo, aprili no?», la signora si è allungata, ha agguantato una manciata di manuali a caso e li ha buttati verso di me, come quel vecchio di prima buttava pezzi di pane al piccione zoppo. Copertine piene di foto e disegni strani, animali e piante e mille attrezzi che non avevo visto mai, e titoli lunghi e assurdi che ognuno per sé era misterioso e senza senso, ma messi insieme diventavano l'infinito, clamoroso menu che ti offriva il ristorante della vita. E io mi ero appena seduto a tavola, e morivo di fame.

Li volevo, ne volevo tanti, anzi li volevo tutti quanti. Perché magari la vita era una roba troppo gigantesca per guardarla tutta intera, e andava presa così, un pezzetto dopo l'altro. Manuale dopo manuale, tanti passi ognuno a caso, che diventavano una fantastica direzione.

Già, ma scegliere il primo era impossibile. Ogni libro che prendevo in mano mi pareva il più stupendo, fino a quando non prendevo quello dopo ed ecco un nuovo favorito. E allora era una fortuna che la signora avesse i lupini per cena e il pigiama già addosso, perché qua al banco potevamo farci notte e andare avanti fino alle trombe che annunciano la fine del mondo.

Solo che la fine del mondo è arrivata quasi subito, e invece delle trombe aveva la voce della mamma. Si è avvicinata e mi ha stretto un braccio per portarmi via: «Andiamo Fabio, è tardissimo! Devo andare a lavoro, vieni!».

«Eh, buona fortuna» ha detto la Signora dei Lupini. E ha sorriso. O almeno penso, perché non è che la guardavo. Come non guardavo la mamma. Non potevo staccare gli occhi dai miei nuovi maestri favolosi.

«Ma cosa guardi, *libri*?» mi ha chiesto la mamma, con un tono incredulo che non capivo e anzi mi offendeva. Come non capivo quel ragazzino con la testa piena di riccioli che pure lui si sarebbe stupito un sacco a vedermi con un libro in mano senza essere obbligato dalla maestra, e mi avrebbe anche dato dello scemo. Quel ragazzino fino a cinque minuti prima ero io, ma adesso era uno sconosciuto e non avevamo più niente in comune, più niente da dirci.

«Fabio, dài, la Signora Longinotti se ritardo mi ammazza.»

«Sì, sì, arrivo.»

«Ma vuoi un libro? Quanto costano?»

La signora ha alzato le braccia, li ha indicati tutti con una sventolata della mano: «Cento lire l'uno, meno di un quaderno vuoto!».

La mamma li ha guardati un attimo, poi «vabbè, dài, prendine uno e scappiamo».

E io ho fatto di sì, felicissimo, anche se lo sapevo già che me lo comprava. Che non mi diceva *Eh no, sono soldi buttati, magari non lo leggi nemmeno...* no, quelli sono i discorsi tristi che fanno i genitori ricchi. I ricchi stanno attentissimi ai soldi, la nonna Giuseppina diceva *È proprio così che sono diventati ricchi.* E diceva pure che il bello di essere poveri è che lo sei già, e non devi vivere a denti stretti con la paura di diventarci: sei già povero, cento lire in meno non ti cambiano nulla.

Anzi, cambiavano eccome: appena cento lire per fare il primo passo dentro la mia vita. Ma lì davanti ce n'erano mille, mille direzioni diverse e misteriose, come facevo a sceglierne uno, come facevo?

«Dài Fabio, su! Tanto la signora è qua anche la settimana prossima, vero?»

E allora i miei occhi si sono staccati un attimo dai libri, per guardare la signora che faceva di sì: «Il mio piano sarebbe trasferirmi alle Hawaii, ma mi sa che mercoledì prossimo sono ancora qui».

Io ho sorriso, la mamma mi ha preso il viso fra le mani e me l'ha voltato verso di lei per dirmi che dovevamo andare, e così finalmente sono riuscito a scegliere: a caso, con gli occhi alla mamma e senza guardare i libri. Ho mandato giù il braccio e il primo che ho sentito sotto le dita l'ho tirato su, la signora di là dal banco l'ha messo in una busta e ha detto: «Bravo Ricciolo, cento lire, grazie e arrivederci!».

Io ho detto grazie alla mamma, e alla signora ho detto ci vediamo la prossima settimana, «e mi raccomando non ci vada alle Hawaii, venga qui!».

Poi siamo schizzati via, io subito dietro la mamma che apriva in due la folla, così non dovevo stare attento a come muovermi fra corpi e borse e marciapiedi, e potevo pensare all'unico passo davvero importante, il primo passo verso la mia nuova vita.

Stava ancora dentro la busta, l'ho tirato fuori piano e ho strusciato gli occhi sulla copertina, dicendo il titolo a voce alta perché mi carezzasse le labbra come il nome di un innamorato: *Lombricocoltura. L'allevamento moderno e redditizio dei lombrichi.*

E lì per lì il mio sorriso si è gelato, e il piede si è girato in un passo storto che mi ha fatto uscire dalla scia della mamma. Ma è stato un attimo solo, poi sono tornato a camminare dritto e convinto. Perché quel titolo mi sembrava un po' assurdo, sì, ma cosa ne sapevo io? Proprio per questo mi servivano i manuali, perché io non sapevo nulla e loro dovevano essere i miei maestri, e se cominciavo a dire che questo libro non andava bene ero come quegli insopportabili che qualcuno gli insegna qualcosa e loro non ascoltano perché pensano di sapere già tutto da soli.

Allora evviva l'allevamento dei lombrichi, evviva la Signora dei Lupini e tutti i maestri che teneva da parte per me, ogni mercoledì uno nuovo che mi aspettava per insegnarmi qualcosa, qualsiasi cosa, come te le insegna la scuola della vita: a caso e senza nessun programma.

E insomma, da quel mattino benedetto del mese scorso andavo avanti così. Cioè, non lo so se andavo avanti, ma da qualche parte andavo. Ogni settimana un manuale, da leggere nei momenti vuoti tipo a scuola quando la maestra spiegava matematica, che tanto pure ad ascoltarla non ci capivo nulla, ma soprattutto il pomeriggio qua all'ospedale, a voce alta così sentiva pure il babbo.

Adesso stavamo leggendo *Cardellini, lucherini, verdoni e fringuelli*, e imparavamo tutto delle Galápagos e dei fringuelli vampiro. Che non sapevo bene a cosa mi potevano servire, ma per forza, era troppo presto, un giorno lungo il cammino l'avrei scoperto. E magari a forza di studiare scoprivo pure il modo per risvegliare il babbo, alla faccia di quel dottore matto che veniva giù dal manicomio apposta per dirmi che questa cosa non poteva succedere.

Già me lo vedevo, il mio babbo che apriva gli occhi e mi abbracciava e mi diceva *Grazie figlio mio.* E io gli rispondevo *Non ringraziare me babbino, ringrazia i fringuelli, ringrazia i lombrichi!* e nessuno intorno avrebbe capito ma lui sì, perché quando gli leggevo queste meraviglie il babbo stava fermo con gli occhi chiusi ma lo so che mi seguiva, mentre le pagine scorrevano e ci portavano con loro. E prima o poi, a forza di andare, saremmo arrivati da qualche parte.

Passo dopo passo, avanti a caso, avanti per sempre.

10
I lombrichi di San Fabio

I lombrichi hanno sei reni e cinque cuori e tutti e due gli organi sessuali insieme, e se li spezzi si dimenano e magari piangono un po', ma dopo un attimo sono già diventati due vermi diversi che camminano ognuno per la sua strada e non si salutano nemmeno.

Eppure le persone li vedono e dicono *Che schifo*, e intanto vanno al ristorante e spendono un sacco di soldi per mangiare cibi raffinati, li mettono nella pancia e alla fine il massimo che riescono a tirarne fuori è una cacca marrone e puzzolente, buona solo da buttare nel cesso. I lombrichi invece mangiano i nostri avanzi, le bucce e le croste di formaggio e tutta la spazzatura che trovano, e quella robaccia la trasformano in una sostanza che si chiama *humus* e rende fertile la terra, ed è così preziosa che senza la loro cacca il mondo domani esisterebbe ancora, ma dopodomani no.

E insomma, più leggevo il primo manuale che avevo preso al mercato, e più era chiaro che i lombrichi sono meglio di noi.

E come prova definitiva della loro superiorità c'era il fatto che, invece di comandarci e trattarci da schiavi, loro sono così buoni che ci aiutano. Noi siamo stupidi e andiamo avanti a buttare tonnellate di schifezze che diventano mucchi sempre più alti su su verso il cielo, fino al giorno che le montagne di spazzatura arriveranno a coprire il sole e allora di colpo sarà buio e alzeremo gli occhi e ci accorgeremo del casino che abbiamo combinato. Ma se quel giorno non è ancora arrivato è perché appunto nel frattempo ci pensano i lombrichi, che la nostra spazzatura se la mangiano e la trasformano in *humus*, regalandoci un altro po' di sopravvivenza.

Ecco quanto sono generosi i lombrichi col genere umano, ma lo sono ancora di più con le persone che decidono di allevarli. Come il Signor Hugh Carter, che nel 1947 ha cominciato a tenerli in una cassa da morto piena di terra, e dopo venticinque anni era ricchissimo e produceva quindici milioni di lombrichi l'anno. E io piano piano stavo facendo uguale a lui. Perché questo libro spiegava tutto così bene, era scritto chiaro e non c'era verso di sbagliare, e come i lombrichi trasformano la spazzatura in *humus*, io stavo trasformando quelle pagine in lezioni di vita.

Purtroppo una cassa da morto non l'avevo trovata, avevo chiesto agli zii se ne avevano una ma loro si erano solo toccati fra le gambe e avevano fatto le corna. La nonna invece mi aveva dato un pezzetto di giardino dietro casa sua, che secondo me era anche meglio di una bara. Con i sassi ci ho disegnato un rettangolo e accanto ho piantato un cartello che era un rametto con in cima un pezzo di cartone, e sopra scritto ALLEVAMENTO DI FABIO. Dentro il rettangolo rovesciavo gli avanzi di casa mia e della nonna, che erano tanti perché lei faceva da mangiare per tutto il Villaggio Mancini e quindi era una miniera d'oro. Ogni giorno dopo la scuola andavo là e controllavo, all'inizio scostavo le bucce di patata e pomodoro e il pane secco e non vedevo nulla, e cominciavo a pensare che più di un allevamento stavo mandando avanti una piccola discarica abusiva. Poi una sera, rivoltando un po' di terra, ho tirato su una specie di filo scuro che pendeva dalla pala, era molle e fine ma giuro su Dio che era vivo, e accanto ce n'era un altro: i miei primi lombrichi, che senza far rumore stavano lavorando per il bene dell'umanità e soprattutto il mio.

Volevo anche dargli un nome, solo che erano animali con tutti e due gli organi sessuali e non sapevo se dargli un nome da maschio o da femmina. Allora li ho chiamati Uno e Due, e presto sarebbero diventati di più perché il bello di avere entrambi gli organi sessuali è che non devi andare in giro a cercare qualcuno, basta che ti metti lì in un angolino e fai tutto da solo. O almeno speravo, e con quella speranza nel cuore ho rimesso delicatamente la zolla di terra al suo posto, lasciando Uno e Due all'intimità del loro prezioso lavoro.

Così in un paio di settimane sono nati Tre, Quattro, Cinque e su fino a Venti, poi ho smesso di contarli e di dargli un nome, e invece di passare il tempo a controllare se nascevano ho piazzato altri sassi intorno al mio allevamento e mi sono messo a fare la guardia, perché il manuale spiegava che i nemici dell'allevamento erano merli e ricci, ma questo solo perché l'autore non conosceva i miei zii.

Che non c'entravano nulla con questa cosa bella e nuova che finalmente stavo imparando tutta da me, però erano pescatori scatenati, e se vuoi che una giornata di pesca sia davvero magica quel che ti serve è proprio qualche lombrico succoso da mettere all'amo. E allora ecco che mi ritrovavo gli zii addosso.

Anche se in fondo non c'era niente di male. Anzi, il manuale spiegava che andava bene così: puoi vendere un po' di *humus* ai coltivatori, sì, ma le grandi ricchezze dell'allevamento dei lombrichi vengono dai pescatori che hanno bisogno di esche, pure il Signor Carter aveva iniziato in questa maniera. Quindi non dovevo scacciare gli zii, ma solo prendere il cartello che diceva ALLEVAMENTO DI FABIO e aggiungere sotto 5 VERMI 50 LIRE. Loro all'inizio hanno brontolato, dicevano che quei vermi mangiavano i loro avanzi e quindi secondo la giustizia dovevano averli gratis, e io gli ho risposto che allora quando andavano a pesca potevano mettere all'amo una buccia di patata o una sottiletta andata a male, e vedere cosa abboccava secondo giustizia. Ci hanno pensato, hanno brontolato, ma hanno cominciato a comprarli.

Anche perché stava iniziando la stagione delle anguille, così tante nelle notti senza luna che facevano diventare ancor più nera l'acqua alla foce del fiume. Si pescavano con una tecnica antichissima che si chiamava *mazzacchera*: si infilzano tanti vermi uno dietro l'altro, come una specie di collana che però nessuno metterebbe mai al collo, poi questa collana la leghi in fondo a una lenza e la metti nell'acqua con una canna di bambù, e quando senti l'anguilla che abbocca tiri su. E gli zii ne catturavano sempre più degli altri, perché la collana dei miei vermi era la più grossa e golosa, così i loro amici hanno cominciato a venire da me, e pure un paio di nemici, tutti a chiedere i vermi speciali del mio allevamento da infilzare.

Ma anche per infilzarli avevano bisogno del mio aiuto: avevo imparato che una delle prime cose che perdi quando diventi grande, insieme ai capelli e alla voglia di saltare scalzo nelle pozzanghere, è proprio la vista, e infilzare i vermi era già difficile per gente più giovane e più sobria di loro, figuriamoci per gli zii e i loro amici che l'unica occasione per bere dell'acqua era se si addormentavano a bocca aperta in qualche campo e cominciava a piovere.

Allora, per poche lire in più, a preparare le collane ci pensavo io. Mi sedevo lì accanto al mio allevamento con ago e filo e lavoravo. E non era tanto diverso dalle collanine che ci facevano fare al catechismo per la pesca di beneficenza, solo che al posto delle perline usavo i vermi, e i soldi guadagnati non finivano ai bimbi affamati dell'Africa ma per comprare altri manuali, così ogni mercoledì potevo prenderne più di uno dalla Signora dei Lupini.

Che un giorno mentre le dicevo *Arrivederci signora* mi ha chiesto di non chiamarla signora ma Stella, e io le ho risposto: «Va bene Signora Stella. E mi raccomando, ci vediamo settimana prossima, non vada alle Hawaii, non ci vada mai».

E lei: «Stai tranquillo Ricciolo, finché non muoio mi trovi qua».

«Eh no Signora Stella, no eh, la prego mi faccia il favore di non morire mai!»

Lei ha riso e mi ha detto di stare tranquillo, ma tranquillo non ero, e infatti quel giorno invece di un manuale ne ho presi due. A caso come sempre, e uno era sulla vita di San Francesco, ma l'altro giuro su Dio che si intitolava *Anguille e anguillicoltura*: proprio perfetto in questo momento, per insegnarmi che non solo i lombrichi sono animali miracolosi, ma pure le anguille che se li mangiano.

Anzi, le anguille sono meravigliose e misteriosissime, sappiamo più della vita su Marte che sulla vita delle anguille.

Abitano accanto a noi, nei fossi fra una casa e l'altra e nei fiumi che passano in mezzo ai paesi, eppure capirle è impossibile come prenderle in mano, che stringi forte forte ma ti scivolano via fra le dita e spariscono nel nulla come i sogni quando provi a ricordarli la mattina.

A scuola per esempio mi dicevano che le anguille vanno tutte a riprodursi in un posto sperduto in fondo all'oceano che si chiama Mar dei Sargassi, però non è mica vero. O almeno non vanno solo lì, si ritrovano in dei posti precisi e in un momento preciso che però li sanno loro e basta. Ma come ci arrivano laggiù le anguille che vivono nel fosso vicino casa nostra? A un certo punto sentono questo richiamo, come una telefonata nel cervello che gli dice *Oh, allora, ci si vede tutti là, muovetevi!* e tanta è la voglia di esserci, che le anguille si dimenticano di essere pesci ed escono dall'acqua. Nelle notti buie, quando piove, salgono sulla riva del fosso e cominciano a strisciare fra i campi fino al fiume più vicino, da lì arrivano al fiume principale e giù giù fino al mare, poi verso i fondali scuri dell'oceano dove si ritrovano e si strusciano una addosso all'altra, tantissime e avvinghiate come gigantesche colonne nere di anguille, che si riproducono e poi muoiono. E nascono dei piccoli che sono minuscoli, hanno la forma degli spilli ma sono ancora più fini e pure ciechi, lì tutti soli in mezzo all'acqua. E io nell'oceano non c'ero mai stato, ma là in mezzo potevo durare sì e no cinque secondi e poi addio. Invece quei cosini piccolissimi e ciechi prendono correnti misteriose e piano piano arrivano alla terraferma, e anzi, ogni piccola anguilla ritorna precisa fino al fosso da dove è partita la sua mamma. E come fa, nessuno lo sa spiegare, e anche se qualcuno ci provasse io non ci crederei, perché ci sono cose che sono stupende così da sole e tutte intere, e una spiegazione è già sbagliata prima di cominciare.

E insomma, ecco quanto sono incredibili le anguille, e io

l'avevo imparato grazie a quel manuale lì. Però ai miei zii e ai loro amici non gliene fregava mica nulla. A loro di quei miracoli viventi importava solo pescarne un monte, portarli a casa e farli fritti o in umido o marinati. E se ci pensavo mi dispiaceva tanto, che le prendevano per merito dei miei vermi succosi e delle collane richiestissime che preparavo io.

Ma a un certo punto, più del dispiacere per le anguille, il problema sono diventati tutti i soldi che ci guadagnavo. Perché a forza di vermi e collane avevo messo via quasi diecimila lire, la sera prima di dormire pensavo a quella cifra enorme nascosta nel comodino, e mi montava dentro l'angoscia di essere diventato ricco.

Angoscia, sì, perché lo so che tanti sarebbero stati felici, ma a me essere povero mi piaceva proprio un sacco.

Intanto c'ero nato, e quindi ero abituato a vivere così, stavo benissimo e non mi mancava niente. Anzi, giuro che per un bel pezzo io non l'avevo nemmeno capito, che ero povero. Fino a un giorno di luglio che stavo nel campo dello Zio Arno, in fondo al Villaggio Mancini, e la verità mi aspettava di là da una siepe di alloro.

Lo zio viveva col suo cane Bufera e una cornacchia parlante che diceva solo *Andate via*, e se vedeva gli altri zii gli sparava, ma a me mi lasciava entrare e anzi mi invitava a bere il tamarindo in casa sua, che era una roulotte senza ruote con un pezzo di eternit fuori a fare da veranda. E certe volte là sopra sentivo dei rumori leggeri come di passi piccolissimi e veloci, chiedevo cos'erano e lo Zio Arno mi rispondeva che erano scoiattoli. E allora una mattina di luglio stavo lì nel campo dello zio a cercare questi famosi scoiattoli, ma di là dalla siepe ho visto un luccichio strano, dove cominciava un altro campo che però non era del Villaggio Mancini e da poco l'aveva comprato qualche villeggiante forestiero. Sono andato a guardare fra i rami fitti dell'alloro, e ho visto un prato verdissimo di erba tagliata precisa, ma lì sotto il sole brillava una cosa enorme e piatta e blu. Ho ficcato la testa fra le foglie della siepe, e anche se il rischio era infilarsi un ramo negli occhi mi è venuto lo stesso da spalancarli, quando ho capito che stavo guardando una vera piscina.

Le avevo viste alla tv e sentite in qualche storia, ma dal vivo era la prima volta. E lì accanto a quella meraviglia scintillante c'era un ragazzino che avrà avuto la mia età, e io mi chiedevo come mai era così scemo che aveva la piscina lì a un passo e però non ci si tuffava. Ma dopo un attimo ho capito che lo scemo ero io, perché lui stava seduto su un'altra cosa strana e scura e viva, e quando nel mio cuore ho trovato posto per una nuova valanga di stupore mi sono reso conto che quel ragazzino stava cavalcando un pony. Giuro, quel ragazzino villeggiante aveva un pony per galoppare tutto il giorno in giardino, e magari alla fine invece della doccia si tuffava insieme a lui nella sua piscina personale.

E così, in quel mattino di luglio, con la testa infilata negli allori ho fatto questa scoperta sconvolgente: che il mondo era diviso in due da una siepe, di là c'erano i pony che trottavano liberi intorno alle piscine, di qua roulotte mezze rotte con scoiattoli invisibili sul tetto, che in realtà erano topi giganti. E io ero nato da questa parte della siepe, la parte dei poveri.

Però, come dicevo prima, questa cosa non mi dispiaceva per niente. Anzi, spiavo quella scena di lusso e sorridevo felice, perché a essere povero mi sentivo fortunato, fortunato e speciale.

In fondo tutti i miei eroi, tutti i protagonisti delle storie più appassionanti erano poveri. Poveri e coraggiosi, poveri e belli, poveri e buoni. E se invece c'era un ricco era sempre prepotente e malvagio e brutto anche fisicamente. Nei fumetti, nei cartoni animati, ma anche nelle storie vere che sentivo dalle suore al catechismo, che ogni sabato ci raccontavano la vita del santo di quel giorno, e dentro c'erano sempre sofferenze, torture, colpi di frusta e teste mozzate, ma soldi mai. Anzi, i soldi bisognava tenerli lontani, come San Serapione che viveva in povertà totale e però a un certo punto non gli è bastato più, si è guardato e ha capito che anche la veste stracciata che portava era un lusso eccessivo, allora l'ha regalata a un signore che chiedeva l'elemosina e da quel momento è andato in giro nudo.

E vabbè, è vero, San Serapione non lo conosce nessuno,

ma allora vogliamo parlare di Gesù? Gesù Bambino è nato in una capanna messa male come la roulotte dello Zio Arno, anzi peggio perché non era nemmeno sua, eppure dopo quasi duemila anni ancora se lo ricordano tutti e gli vogliamo un sacco di bene. E non penso che sarebbe andata così, se Gesù fosse nato in una villa con la piscina, e al posto del bue e dell'asinello avesse avuto un pony.

Questa cosa l'avevo sempre pensata, ma adesso ancora di più, siccome dopo il manuale sui lombrichi e quello sulle anguille avevo letto l'altro, quello sulla vita di San Francesco, e allora ero proprio impazzito. Perché San Francesco la pensava uguale a me, e però aveva avuto la sfortuna tremenda di nascere ricchissimo. Quindi aveva dato via tutto, soldi e case e abiti eleganti, e andava in giro con una tunica che al catechismo ce l'avevano fatta vedere in fotografia, e giuro che quello non era un abito con tante toppe, erano solo toppe una attaccata all'altra.

Leggevo e mi sentivo così felice al pensiero che un vestito nuovo io non ce l'avevo avuto mai, mi arrivavano quelli smessi dai figli delle amiche della mamma o di qualche signora villeggiante che lei gli faceva le pulizie in casa. Solo che dovevano essere bimbi ricchi e molto ordinati, perché non c'era mai una toppa e a volte sembravano proprio nuovi, troppo nuovi per me, li mettevo e mi sentivo avvolto nel peccato. Poi un giorno davanti alla Misericordia ho visto questo cassonetto chiuso e gigante e tutto giallo, che la gente ci metteva i vestiti usati per i poveri, e ogni volta che ci passavo davanti mi immaginavo le meraviglie là dentro, camicie rattoppate, giacchetti strappati, pantaloni consumati: il mio guardaroba ideale.

E una domenica mattina non ho resistito più, in giro non c'era nessuno, ho appoggiato la bici a quel coso di plastica, sono salito in cima al sellino e mi sono affacciato dentro. C'era odore di naftalina e di persone anziane che dormono in una stanza molto piccola, ho smesso di respirare e ho allungato un braccio per vedere quali tesori raccattavo, però smanaccavo di qua e di là senza sentire niente. Finché non ho sentito fortissimo il mio nome, urlato alle spalle dalla voce velenosa di Madre Melania. Mi sono voltato di scatto e lei stava là sotto con un dito in aria che era tutto storto ma in qualche modo puntava me, e mi ha detto: «Settimo comandamento: non rubare! Chi ruba va all'Inferno, pensa un po' cosa succederà a te, che rubi alle persone povere! Finirai nel fondo più profondo dell'Inferno, dove i diavoli armati di coltelli ti faranno a fette, poi le fette si riuniranno e tornerai tutto intero, così i diavoli possono ricominciare coi coltelli».

Allora ho tirato fuori dal cassonetto il mio braccio peccatore, destinato a finire un giorno a fettine, e sono saltato giù. E volevo spiegare alla Madre che non era per cattiveria che desideravo quei vestiti stracciati, anzi era proprio l'opposto, era per seguire l'esempio di Gesù e San Francesco. Solo che mi vergognavo e sono rimasto zitto, e ho fatto la figura del ladro e pure del matto.

Ma andava bene così, anche San Francesco l'avevano preso per un matto, e invece era un santo. Gli uomini l'hanno capito tanto tempo dopo, ma la Natura subito, infatti quando andava nel bosco i lupi si mettevano tranquilli ai suoi piedi come cagnolini, centinaia di uccelli si posavano intorno a lui e stavano fermi ad ascoltarlo. E magari questa cosa degli uccelli era meglio che a me non succedesse, perché gli zii ne avrebbero approfittato per fare una strage, però insomma, la mattina del pony e della piscina avevo invidiato quel bimbo ricco ma solo per un attimo, poi avevo capito che no, la sua era una disgrazia, e quello fortunato ero io.

Che chiudevo gli occhi e immaginavo lo stanzone del convento dove facevamo catechismo, però in un sabato lontano nel futuro, fra tantissimi anni quando magari le suore avranno vestiti argentati e saranno buone, e i ragazzi potranno viaggiare con le astronavi e visitare lo spazio, ma sicuramente il sabato pomeriggio si ritroveranno ancora al catechismo, perché nel mondo potrà cambiare tutto ma gli adulti non smetteranno mai di prendere il tempo libero dei figli e riempirlo di cose che non gli piacciono. E comunque, in questo sabato del futuro vedo la Madre del futuro tutta argentata che dice:

Ragazzi, oggi è il giorno di San Fabio, e dovete sapere che San Fabio era nato poverissimo, e giocava in una roulotte piena di topi, che rosicchiavano il tetto e tutto quanto ma lui li lasciava fare, perché anche loro poverini dovevano mangiare.

Aveva un cuore grandissimo, San Fabio, un cuore così grande che quasi pareggiava coi lombrichi che di cuori ne hanno cinque. Era umile e buono, e andava in giro coi suoi capelli pieni di riccioli e i suoi zii che erano tanti e prepotenti, e per farvi capire com'era il suo abbigliamento vi basti sapere che sognava di poter indossare i vestiti per i poveri, ma non gli lasciavano prendere nemmeno quelli.

Fin da piccolo si guadagnava da vivere lavorando, allevava lombrichi con la spazzatura che raccoglieva in giro, lottando così contro l'inquinamento della Terra che a quel tempo era ancora possibile salvare. Grazie a lui le persone del suo paese riuscivano a procurarsi il pane quotidiano, che a quei tempi non era pane, era un pesce che si chiamava anguilla e adesso è estinto ma non è certo colpa di San Fabio, o almeno non è tutta colpa sua... e comunque, per sabato prossimo il compito è fare un disegno di San Fabio impegnato nel suo miracolo più grande, e cioè quello del giorno che mentre leggeva al suo babbo lo aveva fatto svegliare dal coma, e si erano abbracciati forte forte, e...

E sì, proprio così, ecco come doveva andare, ci pensavo e tremavo dall'emozione immaginando il giorno che sarebbe successo veramente. Solo che poi era capitata questa sventura, l'allevamento dei lombrichi mi stava portando una grande ricchezza e di questo passo rischiavo di ritrovarmi miliardario: addio santità, addio suore del futuro che parlavano di me, addio miracolo del babbo che si risveglia.

E allora, dopo un paio di notti senza sonno, mi sono alzato e sono andato di corsa dietro casa della nonna, ho preso il cartello dell'allevamento e ho cancellato il prezzo dei vermi, perché da quel giorno non volevo più un soldo. Cioè, sì, dovevano fare una colletta e darmi solo cento lire alla settimana, da spendere in un manuale nuovo ogni mercoledì. Perché quello non era un lusso, anzi era più importante del pane quotidiano.

E così, smettendo di essere ricco, sono tornato a essere felice. Anche più di prima, perché adesso oltre che povero ero pure generoso, e regalavo le mie esche stupende agli amici pescatori.

Il primo ad arrivare è stato lo Zio Aramis, che voleva dieci vermi e veniva coi soldi in mano e un barattolo vuoto col tappo bucherellato.

«Tieni, zietto caro. Eccoli, guarda come sono grossi. Però i soldi no, grazie.»

«C... C... Come no?»

«No, i soldi non mi servono» ho detto con un sorriso pieno di bontà e gli occhi socchiusi per la luce accecante, una luce che emanavo proprio io. «Da oggi non li voglio più.»

«Ah, va b... b... va bene.» Ha preso i vermi, si è rimesso i soldi in tasca ed è partito per il fiume. Ma dopo due passi si è fermato, si è voltato di nuovo e mi ha fatto: «P... p... erò te lo d-d-evo dire, sei proprio s... s... s...».

E io ho sorriso ancora, ho fatto di sì. «Lo so zio, grazie, sono proprio santo.»

«N-no! Sei proprio s-s-stupido!»

11
La canzone di Dino e Mariuccia

Ognuno ha i suoi gusti, ma la stagione più bella è l'estate e su questo non ci sono discorsi. È così più bella che le altre stagioni girano intorno a lei, e anche se hanno i loro nomi e i loro frutti, nel tuo cuore le pensi in un modo solo:

Autunno: oh no, l'estate è finita.

Inverno: l'estate è troppo lontana.

Primavera: dài che ci siamo quasi, dài dài dài!

E poi, finalmente, l'estate torna. Tutte le volte e pure quell'anno, che ne avevo dieci e stavo per cominciare la quinta elementare. Solo che il mio babbo non era tornato insieme a lei, e allora pure l'estate era arrivata a metà, come un sole che non scalda, un fiore che non profuma, un petardo che non scoppia.

Ogni giorno però andavo al mare e nuotavo, nuotavo un sacco, perché me l'aveva insegnato il babbo e mi piaceva tantissimo, e mi sarebbe piaciuto farglielo vedere, quanto avevo imparato bene. Invece lui non poteva vederlo, e nemmeno la mamma e la nonna, che siccome il babbo non lavorava più loro dovevano lavorare tutto il tempo, e stavano sempre in giro a pulire così tante ville che a casa nostra le pulizie toccavano a me.

Perché è vero che essere poveri è bello, e io mi sentivo santo a regalare i miei lombrichi al prossimo, ma a noi non ci regalava nulla nessuno, pure la Signora Teresa voleva i soldi per darci una cosa importante come il mangiare, che senza quello muori. E io volevo diventare santo, sì, ma se possibile volevo anche restare vivo, e allora è per questo che stamani, alla fine dell'estate, stavo qua alla sede degli ex combattenti.

Che avevano dei palazzi in centro, pieni di appartamenti e fondi per negozi da affittare, e coi guadagni facevano costruire monumenti ai caduti delle guerre e aiutavano chi in guerra c'era andato ma senza cadere. Solo che quelli piano piano morivano tutti, e allora aiutavano i loro nipoti studenti, con una borsa di studio all'inizio dell'anno scolastico che non era una grande cifra ma insomma, a noi faceva parecchio comodo.

Di solito mi accompagnava la mamma, che però quest'anno appunto lavorava, allora mi aveva lasciato davanti al palazzo e più tardi passava a riprendermi qualche zio. Ma per fortuna più tardi, e fuori sul marciapiede, quindi nell'ufficio ero entrato da solo e senza problemi.

O quasi. Perché avevo compilato questo foglio e mi era sembrata una cosa facile, ma di là dalla scrivania un signore vecchissimo con la barba e un sacco di medaglie sulla giacca lo controllava e brontolava, e alla fine ha detto che no, così non andava bene.

«Prima devi scrivere il tuo cognome, e dopo il nome.»

In effetti il modulo chiedeva così, "cognome e nome", solo che io il cognome prima del nome non lo scrivevo e non l'avrei scritto mai: era l'unica cosa che mi aveva insegnato il nonno Arolando da vivo, o almeno l'unica che ricordavo, *Non scrivere mai il tuo cognome prima del nome.* E all'epoca ero troppo piccolo per chiedergli come mai, ma non importava, me l'aveva detto lui e io gli avevo fatto di sì con la testa. Come adesso facevo di no al signore di là dalla scrivania, che mi restituiva il modulo per correggerlo.

«Bimbo, non è che puoi scegliere, prima il cognome e poi il nome.»

«Mi dispiace signore, ma non posso.»

«Eh? E perché?» mi fissava da sotto due sopracciglia così giganti che sembrava mi spiasse dal folto di un bosco, e da laggiù voleva una risposta. Solo che il nonno non mi aveva spiegato il perché, come potevo spiegarlo io a lui?

«Perché non ha senso» ho tentato. «Ha mai sentito dire Colombo Cristoforo? O Polo Marco? Ha mai sentito dire Travolta John?»

«No bimbo, ma infatti quella gente da noi ex combattenti non prende una lira. Se invece te vuoi i soldi, devi obbedire. Non c'è scelta, è così e basta.»

Ma io ho incrociato le braccia sul petto, e ho fatto di no un'altra volta.

Allora lui ha sbuffato e mi ha strappato il modulo di mano, ha aperto un cassetto dove ce n'erano tanti altri, e invece di posarlo in cima l'ha sepolto proprio ultimo in fondo. «Bene, vedremo se avanza qualcosa, o se quest'anno per te non c'è nulla.»

L'ha detto tutto serio, ma a me non importava. Nemmeno un milione di miliardi poteva farmi tradire gli insegnamenti del nonno. Preferivo non avere i soldi per i libri e saltare un anno di scuola, tanto a me bastavano cento lire la settimana per comprare i miei manuali e imparare tutto quel che mi serviva nella vita.

Anzi, prima di andarmene glielo volevo proprio dire, a quel signore brutto e pieno di medaglie, che secondo me non era un vero ex combattente, perché i combattenti avevano rischiato la vita per la libertà dell'Italia, lui invece non mi lasciava nemmeno libero di scrivere il mio nome come mi pareva.

Glielo dicevo davvero, giuro, avevo già la bocca aperta e i polmoni carichi per sparare tutto in un soffio solo. Però lui è stato più veloce, ha parlato per primo e mi ha lasciato senza fiato. Perché ha richiuso il cassetto, è tornato su e ha biascicato poche parole tutte storte, rimbalzate fra i muri e le targhe e le foto vecchie di uomini in divisa e poi saltate addosso a me, come un colpo di frusta in mezzo al petto e da lì fino al cuore e al posto misterioso dove teniamo custodita l'anima:

«Vabbè» ha detto, «me lo dovevo aspettare, dal nipote di quei pazzi.»

Così, e la mia bocca è rimasta aperta, ma solo perché mi ero scordato di averla. Come non avevo più le gambe per reggermi. Avevo solo una condanna tremenda nel sangue, una maledizione che mi aspettava a quarant'anni ma mi stava intorno già adesso, e magari io non me ne accorgevo ma la gente la vedeva bene, pure da dietro quelle sopracciglia giganti.

E allora non potevo più dire niente di cattivo all'ex combattente. Anzi, mi veniva da chiedergli scusa, da farmi ridare il modulo per correggerlo, e scrivere bene il mio cognome prima del nome, così lui si accorgeva che non era quello maledetto dei Mancini. No, io portavo il cognome del mio babbo, e infatti era proprio per quello che avevo diritto alla borsa di studio.

Non certo per gli zii, che sul registro dei combattenti non risultavano nemmeno. Ai tempi della guerra qualcuno era troppo giovane, qualcuno troppo vecchio, e quelli dell'età giusta non erano giusti per altri motivi, tutti nemici giurati del fascismo e sempre pronti a fare casino. Per questo c'erano squadre di cittadini che il sabato pomeriggio si mettevano la camicia nera e giravano il paese a cercarli col bastone in mano, su un camion tutto nero con tanti teschi disegnati sopra (disegnati malissimo, ricordava il nonno). E in realtà lo sapevano bene dove stavano i Mancini, stavano appunto al Villaggio Mancini, solo che lì era meglio non andare a trovarli. Gli unici che ci andavano erano i carabinieri, ogni volta che Mussolini passava dalla Toscana o dal sud della Liguria per qualche discorso. In quelle occasioni i maschi della famiglia e pure la bisnonna Archilda venivano presi e messi in galera un paio di giorni, così per sicurezza. Infatti quando sul giornale c'era la notizia di qualche apparizione del duce in programma a Firenze o in quei posti là, il bisnonno Arturo alzava gli occhi al cielo e diceva *Archilda, prepara le mutande e le maglie pulite, stasera si dorme fuori.*

Insomma, il cognome Mancini in quegli anni lo sentivi da tutte le parti, tranne che fra i combattenti dell'esercito. Però lo Zio Aldo non ci stava, e certi giorni che si svegliava con troppa voglia di litigare correva lì alla sede a urlare che era uno scandalo se non davano i soldi all'unico nipote degli unici veri antifascisti del paese, che contro Mussolini c'erano stati sempre, non come gli altri che avevano aspettato di vederlo dondolare da una corda.

Ma era un litigio senza senso, perché appunto i soldi mi arrivavano già, grazie al babbo del mio babbo. Che si chiamava Dino, e non solo stava sul registro dei combattenti, ma col nome scritto maiuscolo. Perché il nonno Dino l'avevano catturato i tedeschi, ed era finito in un campo di concentramento.

Ma forse questo signore antipatico e pieno di medaglie non lo sapeva mica, chi era il mio nonno e cosa aveva fatto, e allora adesso glielo raccontavo io. E se invece lo sapeva già non importa, glielo raccontavo lo stesso, perché certe storie sono come le tue canzoni preferite, che più le ascolti e più le vuoi riascoltare.

E la canzone del mio nonno Dino faceva così:

La Mariuccia era rimasta sola, aveva vent'anni e due bimbe piccole, e un pezzetto di campo che a forza di strizzarlo riusciva a tirarci fuori il mangiare per andare avanti. Dall'alba al tramonto chinata alla terra, e la terra è bassa, la terra è la cosa più in basso che ci sia. La nonna la apriva e la rivoltava e la impastava, e intanto le raccontava di suo marito, di come si erano conosciuti, di quella volta appena sposati che passavano davanti a un banchetto della cioccolata, e lei non l'aveva assaggiata mai e le era presa una voglia da sentirsi male, e stava quasi per dirglielo ma poi però no, se l'era tenuta dentro, che non voleva sembrare una sfacciata. Allora adesso aveva fatto un voto, che se la Madonna le faceva la grazia e Dino tornava dalla guerra, lei la cioccolata non l'avrebbe assaggiata mai in vita sua. Quel voto lo ripeteva ogni giorno a voce alta, anche se nel campo era sola. Parlava alle piante, gli raccontava tutte quelle storie che dovevano essere proprio stupende, perché i pomodori i fagioli le rape crescevano più veloci per venire su ad ascoltarla meglio, e la nonna non smetteva di raccontare nemmeno quando le veniva da piangere, aveva imparato a farlo senza singhiozzi e lamenti, solo lacrime dagli occhi, come il sudore dalla fronte per tutta la fatica di stare addosso alla terra e affondarci le mani e ogni tanto alzare lo sguardo là in fondo, dove il campo finiva e passava l'unica strada bordata di ulivi, e aspettare, e sperare.

Fino a un pomeriggio di settembre che da laggiù era arrivato di corsa Sergione, grosso come un toro ma con lo sguardo fisso dei vitelli appena nati. Attraversava il campo schiacciando il seminato, ma la nonna non lo aveva sgridato perché Sergione veniva con le braccia al cielo e urlava *Arriva Dino! Arriva Dino!*

Tre anni ormai, ma lei se l'aspettava in ogni momento. E infatti ci ha messo un minuto, si è sciacquata con l'acqua della bacinella, si è messa il vestito pulito che teneva apposta all'aria della finestra ed eccola già in cima alla strada. Non sapeva da che parte lo avrebbe visto arrivare, allora guardava un po' di qua un po' di là per non perdersi il momento minuscolo e gigante che Dino spuntava là in fondo, e la vita ricominciava a essere vita veramente. Però il pomeriggio passava, e non spuntava proprio nulla. Solo Sergione, verso il tramonto, con un sacco pieno d'erba. Lui le aveva domandato cosa ci faceva sulla strada, perché si era scordato tutto, poi era diventato rosso e con gli occhi bassi aveva detto *Scusa Mariuccia, ma te piangi sempre, e io volevo che oggi eri felice.*

Le aveva chiesto scusa altre mille volte, ma il giorno dopo aveva rifatto uguale, e così ogni pomeriggio di quell'autunno, convinto di farla felice com'era stata quel primo giorno, là in cima alla via, a guardare di qua e di là con gli occhi sempre più fissi nel nulla tra il cielo e la strada vuota, vestita col vestito buono.

Adesso però la Mariuccia non alzava nemmeno la testa, Sergione urlava che stava arrivando Dino e lei rispondeva *Bene, digli che lo aspetto qui*, e continuava a lavorare. Sempre così, pioggia o sole, pure a Natale e per l'anno nuovo. Fino a una sera che era maggio ormai e la guerra era appena finita e la nonna stava a legare i pomodori nel sole che non voleva tramontare mai, e viene questo signore anziano vestito con delle cose che sembrano sacchi addosso e un cappellaccio in testa. La nonna piegata a terra non l'ha nemmeno visto arrivare, solo si accorge di un'ombra fine e storta che si stende a scurire il campo davanti a lei, e senza alzare gli occhi dice *C'è un pezzetto di polenta accanto alla porta, se lo vuole. Ma se non lo vuole è meglio perché è la nostra cena.*

Il vecchio non risponde, non si muove, la sua ombra è una riga scura e lunga e ferma, come la lancetta di un orologio rotto. Poi un gesto minimo, l'uomo si toglie il cappello soltanto, e in quell'attimo il tempo finisce. Insieme al sole che li illuminava, alla terra che li reggeva, finisce pure l'aria in mezzo a loro, e infatti Mariuccia non respira più. Perché ha capito. Perché in questi anni di guerra sono già venuti per le donne delle case vicine, sconosciuti e tutti seri. Prima di parlare si toglievano il cappello, come per chiedere scusa della notizia che portavano, poi se ne andavano lasciandosi il pianto alle spalle. E adesso la guerra è finita, eppure Dino non è tornato, allora non serve nemmeno che quest'ombra dica quel che ha da dire, tutto è già così chiaro, chiaro e insieme scuro, nerissimo.

E in questo buio la Mariuccia sente la voce del vecchio, che non è da vecchio però: quel modo di grattare in gola mentre esce, di parlare senza muovere le labbra, quella maniera ruvida e insieme scivolosa di dire in un soffio, come un respiro che ti si scioglie nell'orecchio: *Ciao, Mariù.*

Questa voce entra nelle orecchie della nonna, negli occhi sbarrati mentre li alza di scatto, in ogni singolo poro della pelle che la prende e la ingolla e la fa schizzare su fino al cuore. Che non riparte soltanto, il cuore della Mariuccia forse scoppia come un palloncino volato via in mezzo al cielo. E in quel cielo vola pure lei: era piegata a terra ma adesso salta lassù, addosso a lui, lo abbraccia con lo spago per i pomodori ancora in mano. E Dino la agguanta al volo, così forte che in quel campo diventano una cosa sola, sporca di terra e di polvere ma insieme così luminosa, così calda che le piante la scambiano per il sole e si girano tutte a guardarla.

Come Mariuccia guarda Dino, lo bacia sul collo e sulla bocca e beve il suo odore, il suo respiro, scavalca le rughe e le grinze sconosciute del suo viso e ritrova là in fondo i suoi occhi verdi, così profondi che per guardarci dentro devi saper nuotare.

E con quegli occhi Dino guarda Mariuccia, anche se ogni tanto scattano preoccupati dietro di lei. Che all'inizio si volta per vedere se sta arrivando qualcuno, ma col tempo ci si abituerà, perché Dino non smetterà mai di vedere quei fantasmi che gli arrivano addosso dal nulla. Ma intanto la abbraccia stretta e lei stringe lui, il buio cala e scende la guazza a inzupparli, e quando riescono a staccarsi la prima cosa che fanno, anche se sembra impossibile, è finire di legare i pomodori. Però insieme, le mani nelle mani lungo gli stessi gesti, così appiccicati con la pelle sulla pelle che il lavoro scivola da sé nell'amore. E mentre in casa li aspettano due figlie, lì per terra in mezzo al campo Dino e Mariuccia ne chiamano al mondo un altro.

Nasceranno i pomodori da queste piante intorno, e poi nascerà un bimbo, che si chiamerà Giorgio e diventerà il mio babbo, e allora da quel campo un po' sono nato anch'io, che se il nonno moriva prima mi chiamavo Dino come lui. Invece è morto quando avevo un mese, e allora non mi è rimasto il suo nome e nemmeno un suo ricordo vero.

Però ho questa storia sua e della nonna, e una fotografia. Una foto nella stalla, in bianco e nero come la mucca dietro con la testa piegata a mangiare, la paglia intorno e una scala di legno che porta chissà dove. La nonna sorride e saluta, il nonno Dino mi regge su un braccio e mi guarda.

E sorride pure lui, perché forse in quel momento vedeva solo me, senza tutti i fantasmi che gli riempivano gli occhi. E cos'erano, e come c'erano entrati, il nonno Dino non l'ha raccontato mai. Nemmeno com'era finito prigioniero, cos'era successo lassù e com'era riuscito a tornare, schivando il volo dritto delle pallottole che ti levano dal mondo, le bombe che cadono e spaccano a caso, le mine sottoterra che a ogni passo decidono se respiri un'altra volta o è l'ora di dire buonanotte.

Eppure si vede che il nonno ha fatto un passo giusto, poi un altro, poi un altro ancora, e così a zig zag è tornato fino a casa. Ci ha messo tantissimo, perché è partito ragazzo e tornato vecchio, però ce l'ha fatta. È arrivato dalla nonna in quel campo al tramonto e si sono abbracciati, e lì è cominciata la storia del mio babbo e poi la mia, che altrimenti non stavo mica qui a raccontarla ancora oggi, la storia del mio nonno Dino.

E infatti, quando in chiesa Padre Domenico ci aveva detto che il corpo muore ma la nostra anima vive per sempre, io lì per lì questa anima non me la sapevo immaginare, poi però l'ho capito che l'anima di ogni persona è proprio questa qua: è la sua storia da raccontare, e più è bella e più vola fra le bocche e le orecchie e dura nel tempo. Il tuo corpo finisce in una cassa, ma la tua storia viaggia per il mondo, viaggia per sempre.

E io volevo che la storia del mio nonno Dino arrivasse fino qua, nella sede degli ex combattenti. Che si mettesse in piedi accanto a me e guardasse negli occhi questo signore antipatico e pieno di medaglie sceme sul petto, che quando tossiva facevano il rumore dei campanacci al collo delle pecore. Per farlo vergognare di avermi chiamato pazzo. Perché pazzi erano quelli che decidevano le guerre e ci mandavano a morire le persone. E giuro che glielo stavo proprio per dire, a quel pecorone, glielo dovevo dire perché se me lo tenevo dentro come minimo mi scoppiava la gola.

Ma poi, più forte da là fuori, è scoppiato un casino di clacson e urla. Era il clacson dello Zio Aldo, e le voci erano quelle tutte attorcigliate degli zii.

«Muoviti! Vieni via! Lascia perdere quel coglione!»

E poi, come un coro allo stadio, col clacson che dava il ritmo si sono messi a cantare: «Co-glio-ne! Co-glio-ne! Co-glio-ne!».

L'ex combattente è rimasto a fissarmi, con mezza bocca offesa da tutti quei *Coglione* che si stava prendendo, ma l'altra mezza col sorrisino odioso che ti viene quando pensi di avere ragione.

Però lui non aveva ragione, e magari non ce l'avevo nemmeno io, ma chi se ne frega. È per avere ragione che cominciano le guerre, poi a forza di bombe e cannoni te lo scordi e sono solo medaglie sul petto e morti sottoterra.

E allora sarò strano, sarò pazzo, non lo so e non mi importa. So solo che lascio il modulo com'è, sbagliato e giusto insieme, e corro giù. Una stesa di scale e la strada, e la mia storia vola già da un'altra parte.

12
Vuotacrani

«Oh, era l'ora!» ha detto lo Zio Aldo quando sono uscito dal palazzo degli ex combattenti. «Ma quanto cazzo ci hai messo!»

Ha strizzato forte la chiave e il camion si è acceso, mentre anch'io mi strizzavo addosso allo Zio Aramis e allo Zio Adelmo, sul sedile che era unico e lungo come una panca. Lo Zio Athos invece stava dietro, fuori nel cassone, perché gli piaceva viaggiare con l'aria addosso e il cielo sopra.

«C'era un problema nel modulo» ho risposto, col gomito di Adelmo in bocca.

«E ti pareva, che problema.»

«Niente, bisognava scrivere prima il cognome e poi il nome.»

«Cosa? Ma è una roba da schiavi, non dovevi!»

«E infatti non l'ho scritto, era quello il problema.»

«Bravo bimbo, bravissimo!» hanno detto tutti insieme. Cioè, in realtà solo Aldo e Adelmo, perché lo Zio Athos là fuori muoveva le mani nel vento e rideva da solo, e Aramis si era impigliato nella B di *bravo* senza andare avanti.

«Bravissimo» ha fatto ancora lo Zio Aldo, e dopo una curva ha tolto la mano dal volante per darmi una pacca sulla schiena, forte come un colpo di remo. E gli altri zii uguale, mi ripetevano che scrivere prima il cognome e poi il nome era da schiavi e da gente triste, che avevo fatto bene a non obbedire, quel foglio dovevo stracciarlo e farci la pipì sopra, rovesciare il tavolo con gli altri fogli e dare fuoco a tutto.

«Fuoco a tutto! Fuoco a tutto!» urlava lo Zio Adelmo mentre mi schiacciava i capelli con la mano. E se all'inizio mi aveva fatto piacere che mi dessero ragione, più andavano avanti con gli urli e gli sputi e gli incendi e più mi metteva ansia stare dalla loro parte del mondo.

Ma oltre all'ansia pure tanto schifo, quando ho visto che Adelmo prima di schiacciarmi i capelli si sputava nella mano.

«No! Basta, aiuto!»

«Stai fermo! Fermo, che sei tutto spettinato!» diceva, mentre con la saliva provava a piegarmi i riccioli da una parte. E solo in quel momento mi sono accorto che gli zii invece erano pettinatissimi.

Pettinati e quasi eleganti, senza stivali di gomma e scarponi, calzoni mimetici e giacche da caccia, evento che capitava solo quando dovevano far finta di essere diversi da com'erano veramente, e presentarsi puliti e pettinati era già una gran differenza.

Intanto Adelmo continuava a mettermi le mani bavose sui riccioli, e io urlavo *No no no!* cercando di nascondermi dietro Aramis. Allora lo Zio Aldo ha bestemmiato, ha gridato di stare buoni, e a me ha detto che adesso andavamo in un posto dove dovevo fare il bravo e rispondere sempre e solo di sì.

«Solo sì e nient'altro che sì, hai capito?»

«No!»

«Ecco, benissimo», un'altra bestemmia e un'altra sigaretta, e uguale Aramis e Adelmo, così nel camion non si respirava più. Pure lo Zio Athos ha picchiato al finestrino dietro e se n'è fatta passare una, ma il vento gliel'ha strappata di bocca quasi subito. Lui ha riso fortissimo, ha alzato le braccia e ha urlato: «Fumala te, cielo, fumala te!».

E insomma è così che filavamo, stretti sullo stesso sedile, lo stesso fumo nei polmoni, la stessa saliva sui capelli e purtroppo lo stesso sangue nelle vene. Una cosa sola, strana e maledetta, che correva verso un unico destino.

O almeno, io credevo fosse il destino, invece era Lucca.

Che magari non erano le Galápagos, ma era comunque un posto più lontano del solito e allora mi faceva felice. Non c'erano scogliere piene di fringuelli vampiro e foreste di piante sconosciute, ma andavano bene pure questi palazzoni antichi e scuri, separati da stradine così strette che in certi punti il camion passava facendo le scintille contro i muri.

Poi ci siamo fermati davanti a un portone grande e vecchio, gli altri zii hanno preso in braccio Adelmo e la sua carrozzina e siamo entrati in un lungo corridoio dove non c'era nessuno. A forza di andare su e giù finalmente abbiamo trovato la porta giusta, con sopra scritto PROVINCIA DI LUCCA – SEZIONE CACCIA E PESCA, mezza aperta su una stanza con una finestra piccola in fondo, e sotto la finestra una scrivania con una sedia sola di fronte a noi, grande e comoda e vuota.

Lo Zio Aldo ha tossito, ha tossito ancora, e ha smesso solo quando qualcuno ha detto *Arrivo!*

Una voce di donna, e per qualche motivo era una buona notizia, visto che gli zii si sono guardati e hanno fatto di sì con un sorriso di taglio. Lo Zio Adelmo si è pure leccato le mani per aggiustarsi i capelli un'altra volta.

Io invece sono rimasto un passo indietro, bloccato sulla porta, perché la stanza era buia e aveva un odore strano, ma soprattutto le pareti erano coperte di mensole, e su quelle mensole c'era una folla smisurata di uccelli.

Uccelli veri, grandi e piccoli, scuri e colorati, qualcuno posato su un ramo e qualcuno con le ali aperte come per volare via, ma tutti immobili con gli occhi fissi verso un unico punto, che ero io.

Erano uccelli imbalsamati, e allora lì sulla porta sono rimasto imbalsamato anch'io. Perché proprio quel mercoledì, il manuale che avevo pescato dal banco della Signora Stella si chiamava *Il naturalista preparatore. Imbalsamatore tassidermista*. Un libro molto più vecchio degli altri, con la copertina dura di pelle. L'avevo portato a casa tutto emozionato, perché mi sembrava un testo antico e magico, e non vedevo l'ora di passare gli ultimi giorni dell'estate a imparare i segreti della tassidermia.

Ma era durata poco, il tempo di leggere il primo capitolo e scoprire che per cominciare bisognava aprire un animale morto e svuotarlo di quel che aveva dentro. Nelle prime dieci pagine infatti, il dottor R. Gestro elencava gli attrezzi che servivano per questa impresa, tra coltelli e punteruoli di ferro, forbici e raschiatori, trapani, pinze, tenaglie e pennelli di pelo di martora, pomata all'arsenico e un'altra cosa misteriosa che si chiamava *guttaperca*.

Alla guttaperca mi ero bloccato, perché non sapevo cos'era ma lo stesso mi sembrava di averla in gola che mi affogava. Poi però avevo alzato lo sguardo al mio babbo, lì sdraiato nel letto e immobile come un animale imbalsamato, allora una specie frizzante di rabbia mi aveva fatto dire che no, lo decide solo la vita quando ti devi fermare, e quando lo decide ti ferma davvero. Se invece oggi ti lascia ancora libero di andare, bisogna che stringi i denti e corri più forte che puoi. E così avevo fatto io, avevo aperto di nuovo il manuale ed ero partito a leggere a voce alta e anzi altissima il secondo capitolo di questa avventura. Interamente dedicato allo svuotamento delle scimmie:

Il cranio dev'essere sbarazzato del cervello e a quest'uopo ci serviremo del vuotacrani, che si introduce a varie riprese nel foro occipitale, dirigendolo in tutti i sensi, in modo da spappolare la massa cerebrale...

E allora ecco, basta, mi sono arreso. Perché oltre allo schifo, continuare sarebbe stato un sacrificio inutile: il negozietto della Signora Patrizia, vicino al mare, vendeva di tutto, dai chiodi ai canotti a quei bastoni lunghi con la forbice in cima per rubare i fichi dai giardini degli altri, ma lei cantava in chiesa insieme alla mamma, non potevo andare in negozio e chiederle *Signora Patrizia, scusi, mi darebbe un vuotacrani?*

Così per la prima volta avevo abbandonato un manuale senza finirlo, pensando che a forza di pescare a caso poteva capitare ogni tanto di pescare male. Ma adesso, sulla porta di questa stanza scura, ecco che le sue pagine mi tornavano addosso insieme agli sguardi dei mille uccelli intorno, ai loro occhi scuri di vetro che mi entravano dentro al cervello e fino in fondo alla carne, come gli arnesi tremendi del dottor R. Gestro.

E ancora peggio un attimo dopo, quando da una porticina là dietro è apparso nella stanza un essere vivente. Una signora coi capelli neri tenuti stretti in una coda, che si è seduta di là dalla scrivania e ci ha guardati seria, proprio come una maestra a scuola dietro la cattedra.

Ha preso dei fogli e ha chiamato gli zii uno per uno, tipo all'appello. Diceva prima il cognome e poi il nome, ma loro rispondevano senza protestare, tutti in piedi tranne lo Zio Adelmo che stava sulla sedia a rotelle, e nell'appello non risultava.

«E lei chi è?»

«Io sono il fratello infelice. Non c'entro nulla, ma da solo mi annoiavo.»

E lo Zio Aldo: «Se disturba lo mettiamo in corridoio».

«No no, ci mancherebbe.» Poi la maestra ha cambiato tono, e purtroppo ha guardato me: «Ciao, e tu chi sei?».

«È il nostro nipotino adorato!» ha risposto lo Zio Athos, e mi ha strusciato una mano sui riccioli rovinando quel poco che era riuscito a pettinare lo sputo.

«Nipote di chi.»

«Di tutti, di tutti noi!»

«Ah» ha detto la signora, con una goccia di pietà nella voce. «E come ti chiami?»

«Io? Fabio» ho detto piano piano.

«Ciao Fabio, la vuoi una caramella alla menta?»

Ho scosso la testa, e ho subito sbagliato. Perché gli zii mi avevano detto di rispondere sempre sì, e poi una caramella poteva togliermi dalla bocca il sapore amaro della guttaperca. Ma ormai era tardi, la signora era passata alle cose serie, non era più tempo di caramelle.

«Dunque. Mancini Aldo, Athos e Aramis, tutti fratelli.»

«Sì signora.»

«Fratelli e compagni di caccia.»

«No!» lo Zio Aldo con un dito alzato. «Questo no. Noi siamo contrari alla caccia.»

«Avete tutti il permesso e il porto d'armi da quarant'anni.»

Un attimo di silenzio, poi lo Zio Athos è scoppiato a ridere: «Il mio primo permesso ce l'ho sempre a casa, ero un ragazzino, avevo i capelli lunghi e bellissimi! Avevo una Moto Guzzi stupenda, ve la ricordate ragazzi? Che meraviglia quella moto. Ma che fine ha fatto? L'ho venduta? L'ho imprestata? Per caso ce l'ho ancora?».

Nessuno ha risposto, solo lo Zio Aldo ha scosso la testa, poi è tornato alla signora che li interrogava: «È vero, sì, il permesso di caccia ce l'abbiamo, ma è normale se uno nasce nei nostri posti. Eravamo ragazzi, non c'erano altri svaghi. L'anno scorso però abbiamo smesso tutti insieme, di colpo, per un brutto fatto che è successo una mattina di ottobre. Glielo posso raccontare?».

Lei lo ha guardato con gli occhi stretti, «Sì, temo di sì».

«Bene. Allora, era ottobre appunto, giravamo da cinque ore e siccome non si vedeva un uccello ci eravamo messi a raccogliere le castagne. Poi a un certo punto abbiamo sentito una cornacchia che gracchiava e girava intorno a un albero, e su un ramo c'era un pettirosso piccolo e coraggioso che provava a scacciarla. Lei lo sa quanto sono tremende le cornacchie, era prepotente e cattiva, e insomma per difendere il pettirosso abbiamo sparato alla cornacchia. Solo che era lontana, e si vede che la rosa dei pallini si è allargata troppo, insomma abbiamo preso lei ma anche lui. Poverino, così coraggioso e così sfortunato. Ma dopo un attimo abbiamo sentito un verso debole dai rami, *pio pio, pio pio*, e allora abbiamo capito come mai il pettirosso era tanto coraggioso: aveva il nido in cima all'albero, e difendeva i suoi piccoli a costo di farsi ammazzare dalla cornacchia. E invece l'avevamo ammazzato noi. Allora ci siamo arrampicati lassù e li abbiamo presi, ce li siamo portati a casa e li abbiamo allevati, e da quel giorno stanno da Aramis e sono uno spettacolo. E sempre da quel giorno abbiamo smesso di andare a caccia, per il dispiacere di quella mattina sfortunata e assurda.»

«Proprio così» ha fatto lo Zio Athos, che si strusciava gli occhi perché gli veniva da piangere. «Sfortunata e assurda.»

«Eh sì» ha detto la Signora Maestra, «soprattutto assurda, visto che i pettirossi nidificano solo a primavera. E per terra, non sugli alberi.»

Silenzio. E ancora silenzio. Poi lo Zio Aldo: «Eh... strano infatti. Però può capitare».

«No Signor Mancini, non può.»

Lo Zio Aldo non ha detto nulla, lo Zio Adelmo invece: «Be', mi scusi signora, però nel mondo succedono cose anche più strane, sa».

«Lei stia buono, che non c'entra. O per caso caccia anche lei?»

«Eh, magari!» ha risposto con gli occhi tristi, indicando la carrozzina. «È la cosa che mi manca di più a questo mondo. Il vero cacciatore della famiglia ero io. Una mira incredibile, e un fiuto pazzesco per i posti giusti. Ora però, così conciato, dove vuole che vada? Posso solo rimanere sulle strade e sulla terra battuta, e la caccia mi manca da morire. E pensi che su questa sedia maledetta ci sono finito proprio per un incidente di caccia, sa? Era settembre, mi ero svegliato presto e...»

«Basta!» l'ha bloccato la signora. «Basta perdite di tempo!» Ha abbassato lo sguardo alla scrivania, ai fogli sparsi e pieni di fatti brutti, ha respirato tenendo il fiato dentro per un po', poi l'ha soffiato fuori con un tono diverso, preciso, asciuttissimo:

«Dunque, in data 15 aprile dell'anno corrente, alle ore 23, la guardia forestale Dini Lorenzo sorprendeva Mancini Aldo, Mancini Athos e Mancini Aramis nell'atto di caricare su un camion OM Tigrotto, di proprietà del suddetto Mancini Aldo, un esemplare abbattuto di cinghiale maschio del peso di 95 chilogrammi, nei boschi adiacenti l'abitato di Levigliani, all'interno del parco naturale delle Alpi Apuane.»

Ha finito di leggere, si è tolta gli occhiali e ha guardato di qua dalla scrivania, dove in piedi c'era la parte sporca del mondo. «Allora signori, stavolta com'è andata? Anche il cinghiale aveva fatto il nido sull'albero?»

Lì per lì nessuno ha risposto, le bocche aperte ma piene di silenzio, come una foto di gente che parla. E in quella lunga immagine zitta è arrivato uno scricchiolio leggero da qualche altra stanza, che sarà stato qualcuno che si sedeva o una lampada spostata, ma giuro che mi sembrava proprio il fischio di un uccello. Uno di questi uccelli bellissimi e morti che ci stavano intorno, ci fissavano coi loro occhi neri e fischiavano dall'Aldilà, come una giuria riunita per condannarci.

«No signora, quello non è stato un errore» ha risposto finalmente lo Zio Aldo. «È stata legittima difesa! Quella bestia feroce ci ha attaccati all'improvviso. Forse aveva i piccoli, non lo so, però anche noi avevamo un cucciolo da difendere.» E ha posato la mano sulla mia spalla, mi ha preso per la maglia e mi ha spinto avanti, in prima fila.

«Ah, vostro nipote era con voi?»

«Esatto signora. E il cinghiale ha puntato dritto contro di lui, cosa potevamo fare?»

«Per esempio, potevate evitare di andare a caccia in piena notte, all'interno di un parco naturale.»

«Ma noi non eravamo mica a caccia!»

«No? E allora cosa facevate?»

«Nulla. Nulla di speciale. Una passeggiata.»

«Ma certo, una bella passeggiata nei boschi, di notte, con un bambino.»

«Certo! Ha presente come li crescono al giorno d'oggi? Li tengono chiusi in casa a rimbecillirsi di televisione, vengono su mosci e pallidi e non sanno niente della Natura. E invece noi il nostro nipotino lo portiamo a fare delle belle passeggiate di salute nel verde.»

«Sì» ha fatto lei, «con un fucile da cinghiali sottobraccio. Anzi, chiedo scusa, il verbale parla di tre fucili, tre.»

«Ma per forza, ha presente i pericoli che ci sono in un bosco di notte? Lei signora ci andrebbe senza un'arma?»

«Io no Signor Mancini, ma il punto è proprio questo, che io non ci andrei proprio. Nessuno ci andrebbe a fare una passeggiata così. E se lei mi dice che non eravate a caccia, ecco, io chiudo gli occhi e vedo tre uomini adulti e armati, in un bosco a notte fonda, che uccidono una bestia da un quintale davanti a un bambino. E la prima cosa che mi viene in mente sono le tante segnalazioni di riti satanici sui nostri monti. Quindi signori io ve lo chiedo, per caso stavate facendo una messa nera? Non sarete mica satanisti?»

«N-n-no!» ha risposto lo Zio Aramis, a modo suo di botto. «N... noi sss-s-siamo c-c-comunisti!»

Lo Zio Adelmo l'ha guardato male, lo Zio Aldo malissimo, mentre lo Zio Athos come sempre ci ha trovato qualcosa da ridere.

Invece la Signora Maestra ha scosso la testa per un po', come quando scuoti i dadi prima di lanciarli. Ma alla fine il lancio è stato molto sfortunato, perché i suoi occhi sono rotolati proprio addosso a me: «Fabio, sai una cosa? Mi sa che qua dentro l'unica persona seria sei tu. E allora adesso voglio parlare un po' con te. Ti va?».

Dovevo rispondere di sì, volevo rispondere di no, quindi sono rimasto come a scuola quando la maestra mi chiamava per interrogarmi: fermo e sperando di farmi meno male possibile.

«Dunque, per prima cosa ti ricordo che ci troviamo in un ufficio pubblico. È un po' come un tribunale, sai, e in tribunale bisogna dire sempre la verità, capisci?»

E io ho fatto di sì tante volte, perché lo sapevo già da solo che questo era un tribunale. Era il tribunale della Natura, e la giuria erano questi mille uccelli morti, pronti a condannarci. Li ho guardati ancora, un attimo solo ma tutti quanti, e la signora se n'è accorta: «Ti piacciono? Sono specie che vivono nella nostra regione. Esemplari abbattuti, che abbiamo sequestrato ai bracconieri».

E allora ecco perché mi guardavano così male, tutti questi uccelli li aveva ammazzati gente come gli zii o forse proprio loro. Eravamo spacciati, eravamo spacciatissimi.

«Insomma Fabio, questa cosa della passeggiata nel bosco, di notte, col cinghiale che vi ha attaccati, è andata proprio come dicono gli zii?»

Una domanda semplice, e una risposta impossibile. Perché avevo addosso gli occhi piccoli e appuntiti degli uccelli intorno, ma anche quelli degli zii, che oltre ad averli intorno dovevo farci il viaggio insieme fino a casa.

E allora, con una goccia di fiato che ho trovato per caso in fondo alla gola, ho abbassato lo sguardo per terra e ho soffiato un «sì, signora».

«Ah, è andata proprio così? È la verità?»

Non avevo altro fiato, ho fatto solo di sì con la testa.

«Ma bravo, bravissimo! Vedo che sei proprio il loro degno nipote» ha commentato lei.

Era la seconda volta in un giorno che me lo dicevano, che ero uguale a loro, e questa cosa mi spaventava ma adesso non potevo pensarci troppo. Anzi non potevo pensarci per niente, perché l'interrogazione andava avanti, e a sorpresa la maestra mi ha chiesto: «Bene, allora se è vero dimmi un po', sono curiosa, com'era questo cinghiale?».

«Eh? Come, in che senso.»

«Be', se c'eri anche tu, puoi descrivermi questo animale tremendo, come vi ha attaccati, cos'è successo... insomma, dài, racconta.»

E a me le interrogazioni mi mettevano sempre un'ansia che mi chiudeva la gola, pure a scuola dove alla peggio mi davano tre, figuriamoci adesso che magari la signora mi dava un anno di galera insieme agli zii.

Li ho guardati, e loro mi fissavano con gli occhi spalancati, e io ero così sperso nel panico che mi ci è voluto un po' per rendermi conto che, in realtà, questa cosa che mi aveva chiesto la maestra io la sapevo bene. Anzi, la sapevo benissimo, perché a passeggio nei boschi di notte non c'ero andato, ma il mese scorso avevo letto un manuale molto appassionante che si chiamava *Allevamento del cinghiale*, di D. e J. Hector. E allora dovevo solo chiudere gli occhi, aprire la bocca e lasciare che parlasse lui per me:

«Il cinghiale appartiene alla famiglia dei suini, originario dell'Eurasia e del Nordafrica, di costituzione massiccia, corpo squadrato e zampe corte, è dotato di coda pendula e di muso conico che termina con un grugno di cartilagine, da cui spuntano due zanne che l'animale utilizza come strumenti di lavoro ma anche di difesa e offesa.»

Ho detto questo, ma potevo andare avanti. Potevo spiegare come si costruisce un recinto per tenere lontani i cinghiali, come fanno a passare sotto ai recinti normali, come sono arrivati i cinghiali dell'Est fino ai monti nostri. Ma il silenzio intorno a me di colpo era così forte che mi copriva la voce, e l'unica cosa che riusciva a bucarlo erano gli occhi della signora e degli zii, tutti sbarrati a fissarmi.

«Ma bene» ha fatto lei dopo un po'. «Che parole spontanee, molto credibili in bocca a un bambino. Non sembrano per niente preparate eh, complimenti agli zii.»

«No signora, noi non c'entriamo nulla!» ha fatto lo Zio Aldo. «Lo giuriamo!»

«Per cortesia, almeno abbiate la decenza di non giurare.»

«Ma è vero, non è colpa nostra, è lui che tira sempre fuori queste cose assurde. Non siamo noi, è il bimbo che è strano così!»

Ecco, perfetto, prima mi hanno detto due volte che ero uguale ai miei zii, adesso ero pure peggio di loro!

E intanto non capivo dove avevo sbagliato, anzi mi sembrava di aver risposto bene. Allora ho provato ad aggiungere qualcosa sui peli del cinghiale, che si chiamano setole e sono utilizzate per la fabbricazione di pennelli e altri utensili, e...

«Insomma, basta!» è sbottata questa maestra incontentabile. «Sono abituata alle bugie, ogni giorno mi siedo qua e sento solo quelle, dalle nove alle cinque, bugie bugie bugie. Ma voi mi offendete proprio, voi non avete ritegno. E usare questo bambino poi, che vergogna. Scommetto che i suoi genitori non lo sanno nemmeno. Anzi, esigo di parlare con loro. Fabio, dammi il numero di casa tua.»

L'ho guardata senza rispondere, e lei: «Credimi, lo faccio per il tuo bene».

«Sì, però la mamma a casa non c'è mai, è sempre nelle case degli altri.»

«Non importa, parlerò col tuo babbo.»

«Ma lui...» ho detto, e mi sono piantato così. Perché altrimenti avrei dovuto darle il numero dell'ospedale, e spiegarle che però il babbo non poteva rispondere, e come mai. Ma la signora sicuramente non capiva, e a me faceva così tanta rabbia quando le persone non capivano, e le persone non capivano mai. Dicevano *Ah, è in coma*, e da come ti guardavano lo vedevi che pensavano che praticamente il mio babbo era morto, con la sola differenza che stava su un letto e non dentro una bara. Invece non era così, era una cosa tanto diversa da così, ma era troppo delicata e non volevo sciuparla, quindi sono rimasto zitto e me la sono tenuta per me.

Ma al posto mio ci ha pensato lo Zio Aldo, a spiegare la situazione con delicatezza:

«Signora, il bimbo praticamente è orfano.»

E lo Zio Adelmo dietro: «Per fortuna ci siamo noi a tirarlo su».

L'amaro nell'aria si è fatto così forte che nessuno ha detto altro. Nemmeno lo Zio Athos riusciva a trovarci qualcosa da ridere, e la signora mi guardava con gli occhi a palla e una mano davanti alla bocca.

Però no, io adesso non ci stavo più. Perché del cinghiale non mi importava, ma questa cosa era troppo falsa e brutta, e la verità era così offesa e arrabbiata che non me la potevo tenere dentro nemmeno se volevo, e non volevo per niente:

«No!» ho urlato. «Non è vero! Il mio babbo è vivo, è vivissimo!»

La signora si è tolta la mano dalla bocca, mi ha guardato, è tornata a guardare gli zii con uno schifo infinito negli occhi. «Ma che vergogna, che vergogna. Bravo Fabio, vedi che sei un bimbo sincero? E voi, che squallore, che orrore.»

«Infatti signora!» ho insistito. «Il mio babbo è vivo e sta benissimo.»

«Eh, come no» ha fatto Adelmo.

«E voi che ne sapete? Non ci venite mai a trovarlo!»

«E che ci veniamo a fare? È lì con quelle macchine attaccate, se veniamo non se ne accorge nemmeno.»

«Non è vero! Signora, non ci creda! Io ci vado tutti i giorni dal mio babbo, e ci parlo, e gli leggo tante cose interessanti che così le impariamo insieme. Anche se lui sa già fare tantissime cose, solo che ora non le può fare perché dorme. Ma non c'è niente di strano, tutti dormiamo, no? E vabbè, lui non si sveglia mai, però uno di questi giorni sì, un giorno il babbo apre gli occhi e si tira su e si stacca tutti quei tubicini, scende dal letto e ci abbracciamo e ricomincia tutto com'era una volta!»

Ed ero felice di vedere che mentre parlavo la signora faceva di sì convinta, con gli occhi sempre meno severi. Perché lei era una persona intelligente e seria e quindi dava ragione a me, mica agli zii che intanto le dicevano *Praticamente è un vegetale.*

«No! Non è vero!»

«Fabio, i dottori dicono così.»

«Ma no! Quello lì non è un dottore vero! Quel signore lì col camice è un matto che sta al piano di sopra all'ospedale. Ogni tanto scappa e pensa di essere un dottore, ma le cose brutte che dice non sono vere. Chiedetelo alla mamma, me l'ha detto lei! Capito? Capito?»

Mi volto alla signora, che fa di sì ancora più forte, e mi crede così tanto che le trema pure la bocca.

«Quel matto dice che il babbo non si risveglierà mai, ma è un matto, non sa nulla di medicina e di niente! Io invece leggo tantissimi manuali, e quando sono più grande studio anche la medicina e divento dottore, un dottore vero però, e lo trovo io il modo per svegliarlo. Oppure divento santo, che non mi ci vuole mica tanto, sono già povero e faccio un sacco di buone azioni, e allora se non ci riesco con la medicina ci riesco con un miracolo. Capito signora? Capito?»

Lei mi guarda, ma non so se riesce a vedermi bene perché fra i miei occhi e i suoi ci sono tante lacrime, un po' mie un po' sue. Come se dal nulla fosse cominciato a piovere, addosso a noi e agli zii, alla scrivania e a tutti gli uccelli intorno. E sotto questa pioggia la signora ci mette un po' a rispondermi, infilando pezzetti di voce fra i singhiozzi. «Sì Fabio... sì, ho capito, è... è vero, hai ragione te.»

E io faccio di sì soddisfatto, perché insomma, lo so che la ragione si dà ai matti, ma ogni tanto si dà pure a chi ha ragione davvero, no? E la signora è d'accordo, e anche gli uccelli della giuria mi sembrano più buoni adesso, perché lo sanno bene cosa vuol dire ritrovarsi immobili come il mio babbo, senza un battito d'ali mai, e sperano anche loro di poter fischiare ancora prima o poi, e volare via leggeri nel cielo.

Come la signora che si alza dalla sedia, gira intorno alla scrivania e corre da me, mi prende e mi stringe forte. E ripete che ho ragione io, che sono un bimbo bravo e coraggioso e non devo scordarlo mai. E agli zii dice: «Mi raccomando, mi raccomando!».

Le gocce di pioggia le cadono ancora dagli occhi fino in bocca, ma riesce a dire: «Andate via, questa cosa del cinghiale ce la dimentichiamo, però basta così. Basta stupidaggini, fatelo per lui, fatelo per lui».

Gli zii le rispondono che può stare tranquilla, lo Zio Athos aggiunge che adesso mi portano a mangiare il buccellato.

Che è un dolce che fanno a Lucca, ma in realtà sembra un pezzo di pane duro, anzi peggio perché in mezzo a quel pane c'è pure l'uvetta. Infatti a me il buccellato mi fa schifo, e l'idea di mangiarlo adesso mi fa paura.

Ma molta più paura me la fanno gli zii, che mi portano via da quella stanza e si spingono per starmi vicini, e nessuno ripensa allo Zio Adelmo che fatica cercando di starci dietro, lungo il corridoio vuoto e zitto come noi. E ancora zitti fino al portone, ancora le loro mani pesanti sulla schiena come una specie di assaggio di quel che sta per succedermi.

Siccome mi avevano detto di rispondere sempre sì, e io non solo gli ho disobbedito, ma ho urlato che sono dei bugiardi e altre cose terribili, e allora invece che salire sul camion con loro preferirei farmela a piedi la strada da Lucca a casa. Anzi, forse mi conviene tirare dritto fino alle Galápagos, e restarci finché la situazione non si calma un po'.

Ma le mani degli zii mi stringono come morse e non mi lasciano andare, usciamo dal portone e siamo fuori, di là dalla strada e poi tutti sul camion, pure lo Zio Athos che invece di mettersi sul cassone preferisce avere la sua parte nel massacro. E infatti, se nell'ufficio della signora sono piovute le lacrime, qua sul sedile mi si rovescia addosso una tempesta di urli e colpi furibondi.

«No! Aiuto!», e tento di coprirmi in qualche modo, ma solo per un attimo, poi capisco che difendermi non ha senso. Perché questa tempesta non è roba da tenere lontana, anzi bisogna prendersela tutta: non sono mica pugni e calci, sono pacche e abbracci, carezze e complimenti e dichiarazioni d'amore. Gli zii mi stringono e mi baciano, e mi ripetono: «Sei un grande, sei un grandissimo, sei un genio, porca puttana, sei un genio veramente!».

«S-sss-s... ei un g-g-rande!»

«Sei la nona meraviglia del mondo!» fa lo Zio Athos. «La nona, perché l'ottava è troppo poco!»

«Ma come cazzo ti è venuto in mente» dice lo Zio Aldo, «quella cosa del santo poi, e del miracolo, stupenda!»

«E quando si è arrabbiato con noi? Giuro che c'ero cascato, mi veniva da piangere!»

«Oh, gente, parliamoci chiaro» dice Adelmo, «eravate spacciati, quella zoccola vi faceva un culo che non finiva più!»

«Sì, invece il nostro nipotino ci ha salvati!», lo Zio Athos lo dice mentre mi abbraccia e mi scuote, insieme al camion che ci scuote tutti mettendosi in moto.

Poi comincia a correre, e le sigarette cominciano a bruciare, e il clacson a incasinare le vie tranquille di Lucca, con gli urli e le braccia agitate fuori dai finestrini.

E il viaggio di ritorno è tutto così, sembra proprio un carosello, come quando ci sono i mondiali di pallone e l'Italia vince, solo che oggi aveva vinto la famiglia Mancini: campioni del mondo, campioni del mondo!

Allora urlo anch'io, e cerco di farlo così forte da coprire i pensieri nel cervello, che invece hanno ancora la forma degli uccelli impagliati là in quell'ufficio, del mio babbo steso all'ospedale, del cinghiale morto sui monti e della signora che mi guardava e piangeva per me.

Pensieri velenosi che sciupano tutto, da scacciare e svuotarsi la testa, come diceva il manuale quando parlava delle scimmie e del vuotacrani, che è un attrezzo difficile da trovare e però utilissimo. Via il cervello, via i pensieri, via tutto quello che non sono mani alzate in aria e colpi di clacson e questa voglia scema e magnifica di scuotere le braccia, guardare il cielo lontano lassù e urlargli:

Campioni del mondo! Campioni del mondo! Campioni del mondo!

13
Siamo seppie

Fra gli ingredienti che servono per fare un santo, c'è una dose gigante di pazienza. I santi potevano starsene tutta la vita in cima a una colonna, o tranquilli in una piazza ad aspettare che il popolo li finisse a sassate. E anch'io un bel po' di pazienza ce l'avevo, però in certi momenti mi sembrava di averla esaurita.

Perché oggi era San Valentino, era passato l'autunno e l'inverno pure, e il mio babbo stava ancora immobile nel letto. Che era una cosa triste sempre, ma a Natale peggio. Se ti manca una persona, a Natale ti manca cento volte di più, e allora figuriamoci quanto mi mancava il mio babbo, e quanto ci pensavo in quei giorni pieni di presepi e luci e stelle comete che mi ricordavano quella notte maledetta. Ma sinceramente anche senza quella roba ci avrei pensato lo stesso, come ci pensava la mamma che al pranzo di Natale era andata in bagno dieci volte dicendo che le scappava la pipì, ma invece le scappava da piangere. Come ogni anno, accanto alla nonna c'era il posto apparecchiato per il nonno, e io avevo detto che potevamo mettere piatto e bicchiere anche per il babbo. Ma la mamma mi aveva risposto *No Fabio, il babbo è vivo, apparecchiamo per il babbo il giorno che torna da noi*. E aveva tanta ragione, glielo stavo per dire, però lei ha finito di parlare ed è subito corsa in bagno un'altra volta.

E dopo abbiamo mangiato tutti insieme, e ci siamo detti lo stesso *Buon Natale*, ma appunto era difficile festeggiare, perché era il compleanno di Gesù e io a Gesù gli volevo bene, ma al tempo stesso mi faceva rabbia che era passato un anno e ancora non aveva trovato un attimo per svegliare il mio babbo.

Gliel'avevo pure chiesto come regalo, a lui e anche a Babbo Natale, invece sotto l'albero avevo trovato una pistola che sparava gli elastici. E va bene che a Babbo Natale non ci credevo quasi più, ma in certi momenti mi venivano dei dubbi spaventosi pure su Gesù.

Perché non era giusto, cambiava il mese sul calendario ma il resto era sempre uguale, e io ormai stavo per compiere undici anni, che non saranno tantissimi ma per un bambino sì, siccome dopo arriva l'adolescenza e diventi un ragazzo, quindi un bambino non può invecchiare più di così.

Quei mesi li avevo passati a studiare manuali di qualsiasi tipo, a casa a scuola e soprattutto col mio babbo. Ma lui non si svegliava, e io più leggevo e più mi sentivo ignorante. Perché imparare le cose della vita è come svuotare il mare con un bicchiere: prima di cominciare ti sembra un'impresa difficile, ma se ti fai coraggio e ci provi, allora capisci che è proprio impossibile.

Infatti io ci provavo da un pezzo, adesso sapevo come si innestano le piante da frutto e come si producono i liquori, come si preparano conserve e marmellate e ogni segreto della vita dei ricci, come si fa viaggiare un piccione viaggiatore e come si fa ingrassare una pianta grassa. Ma ogni cosa che imparavo era come una stanza nuova, che lì per lì ci stavo bene, poi mi accorgevo che c'era una finestra, mi affacciavo ed ecco là davanti un altro panorama smisurato e completamente sconosciuto.

E in questo panorama, il campo più buio e misterioso era quello dell'amore, che oggi era San Valentino e allora tutti ne parlavano, ma stava così lontano da me che chissà se esisteva davvero oppure era come Babbo Natale e la Fatina dei Denti, personaggi che aspetti e aspetti col cuore in gola, poi cresci e capisci che non c'era nulla da aspettare.

È vero, l'amore l'avevo intravisto l'anno scorso nelle sere in chiesa, alla luce delle candele quando avevo conosciuto la Coccinella. Ma poi non l'avevo vista più, a scuola non veniva e in chiesa neppure, avevo chiesto in giro e nessuno la conosceva, era apparsa quella sera e poi sparita nel nulla, e allora mi veniva il dubbio che insieme all'amore non esistesse nemmeno lei.

Ma cosa pretendevo di capirci io, che mentre la gente in giro si regalava cuori e cioccolatini e orsacchiotti amorosi, passavo San Valentino a pesca con lo Zio Aldo? E anche se pescare mi piaceva un sacco, pensavo a cosa stava facendo il resto del mondo, il mondo normale, e mi si gonfiava questa ansia incastrata fra il respiro e il battito del cuore. Perché non ero ancora un santo, e quindi non avevo tutta quella pazienza clamorosa. E poi perché nessuno, nemmeno un santo poteva immaginarsi che la prima lezione sull'amore e sul sesso la stavo per imparare proprio qui, adesso, grazie a un branco di seppie.

Che andavamo a cercare a bordo del nostro pattìno, vecchio e di legno. Secondo me e lo Zio Athos era verde, lo Zio Aldo e lo Zio Aramis invece lo vedevano rosso, quindi alla fine forse era marrone. Ma la cosa sicura è che si chiamava FABIO, ce l'aveva scritto su un fianco, e a me faceva piacere che l'avessero chiamato col mio nome, anche se gli zii mi dicevano che no, il pattìno si chiamava così prima di me, quindi al massimo ero io che mi chiamavo Fabio in onore suo.

E comunque, il *Fabio* era perfetto per la pesca, stabile e silenzioso mentre arrivava nei posti buoni. L'unico problema era all'inizio, quando lo alzavamo per spingerlo in mare, e nascoste fra gli scafi e la sabbia c'erano sempre mille schifezze lasciate da qualcuno che aveva passato la notte sulla spiaggia.

Io non capivo cosa ci venivano a fare sulla spiaggia a quell'ora, che era buio e non si vedeva nulla, e la roba che trovavamo là sotto non mi dava nessun indizio, anzi mi confondeva ancora di più. Bottiglie, ogni tanto siringhe, una maglietta strappata, un paio di mutande... fino al mistero più grande di tutti, quello di capodanno, che ci eravamo svegliati presto per andare a pesca di polpi e sotto il pattìno avevamo trovato:

tre bottiglie di birra vuote
una bottiglietta di grappa e una di Sambuca
due cartoni della pizza
una scatola di razzi
sette preservativi
una chiave inglese del 12

Io e gli zii siamo rimasti lì confusi a guardare, e nemmeno la luce dell'alba sapeva come illuminare quel misto assurdo. Avevo chiesto: «Ma che hanno fatto queste persone ieri notte?».

E lo Zio Athos aveva riso forte, prima di rispondermi: «Non ci pensare bimbo, non ci pensare. Sei sempre piccolo per il romanticismo».

E forse aveva ragione lui, quel giorno ero troppo piccolo, ma oggi non più. Era San Valentino e si avvicinava la primavera, e io ero emozionato perché lo Zio Aldo mi portava in mare e mi insegnava una tecnica di pesca alla seppia che era diversa e favolosa, e funzionava proprio perché stava cominciando "la stagione dell'amore". E allora tremavo dalla curiosità, e mi ero portato penna e quaderno per prendere appunti e ricordarmi tutto.

Ma quel che stava per succedere non l'avrei potuto scordare mai più.

Era quasi sera quando abbiamo messo in acqua il pattìno, perché questa tecnica speciale funzionava solo al tramonto, ma mi faceva strano allontanarci dalla riva nella luce che calava. L'unica cosa che ancora brillava erano le Alpi Apuane là in fondo, una fila di triangoli appuntiti come i denti nella bocca tremenda dei pescecani, mentre l'acqua sotto di noi era scura e lucida come la pelle di quei pesci assassini. O forse ero io, che quando andavamo al largo nel mare dove non si tocca pensavo solo ai pescecani, e al fatto che se gli veniva in mente potevano spezzare il *Fabio* con un colpo di coda e sgranocchiarci via dal mondo.

Provavo a farmi coraggio con una cosa che avevo letto sulla "Settimana Enigmistica" della nonna, e cioè che se uno squalo ti attacca devi rimanere calmo, aspettare che ti arrivi addosso e dargli un cazzotto fortissimo sul naso, che è il suo punto debole, così lui resta stordito un attimo e tu hai il tempo di scappare.

L'ho raccontato allo Zio Aldo, e lui mi ha risposto dopo aver riso mezz'ora: «Ma no, se ti attacca uno squalo non c'è problema, basta che chiudi gli occhi e gli salti in bocca, così col primo morso ti stacca la testa e non ci pensi più. Devi stare tranquillo».

Io ho fatto di sì, anche se non capivo in che modo questa cosa doveva farmi stare tranquillo. Ma in effetti la storia del cazzotto sul naso mi convinceva poco. Gli squali sono animali antichissimi, sopravvissuti alle cinque grandi estinzioni di massa della storia, difficile che non sopravvivessero al mio pugno.

E allora, come sempre quando devi pensare a una soluzione ma non la trovi, la cosa migliore è provare a non pensarci più. Mi sono voltato di nuovo ai monti, che diventavano pallidi mentre la spiaggia sotto spariva, e i remi in mano allo zio prendevano a schiaffi il mare come avvertimenti minacciosi alle seppie in giro sul fondale. Solo che le seppie non ascoltano, le seppie se ne fregano, loro vivono nel loro mondo fatto di furia e violenza, dove l'unica regola che funziona è la pazzia.

Perché tutto nella seppia è assurdo, la seppia è un delirio che nuota.

Magari non sembra, perché tante persone la vedono solo a cubetti nel risotto di mare, oppure spiaccicata come uno straccio sul bancone di una pescheria, ma la seppia da viva è tutta un'altra cosa. Come gli uccelli, che ballano leggeri nell'aria e però appena qualcuno gli spara diventano palline scure e pelose che cadono per terra. Come il mio babbo, che steso su un letto a volte non lo riconoscevo, i suoi occhi verdi sempre chiusi e le sue mani miracolose lì immobili, mentre il mondo si riempiva di cose da aggiustare.

E infatti la seppia fuori dall'acqua è floscia e bianchiccia, ma in fondo al mare è un essere incredibile venuto dallo spazio, un'astronave aliena che esplora i nostri oceani.

Plana nell'acqua con un'ala sottile che le danza tutta intorno, come un velo fantasma mosso da un vento che sente solo lei, mentre gli otto tentacoli schizzano qua e là guidati da due occhi giganteschi con la pupilla fatta a forma di W: una creatura così pazzesca che il resto del mare, già pazzesco di suo, quando passa la seppia resta imbambolato a godersi lo spettacolo.

E lei lo sa, infatti è così che si guadagna da mangiare. Vede un pesce della misura giusta e lo punta, e comincia a scatenarsi sulla pelle mille colori fluorescenti, che ballano e cambiano continuamente correndole addosso, tipo tanti folli flash che disegnano cerchi, poi onde, poi vortici. E il pesce rimane lì a fissare quel luna park, la seppia si avvicina ma lui non scappa, non si muove proprio, resta ipnotizzato ad aspettare il tentacolo che schizza e lo cattura con le sue ventose e lo porta dritto nella bocca della seppia, che in realtà non è una bocca ma una specie di becco, preciso identico a quello dei pappagalli.

E insomma, ecco, io non lo so se Dio lassù preferisce lavorare da solo o magari si fa dare una mano dallo Spirito Santo, ma di sicuro quando ha creato la seppia ci sarà stato qualcuno che gli ha detto *Signore, scusa, con tutto il rispetto eh, però non è che stai un po' esagerando?* E lui ha sorriso, ha scosso la testa ed è andato avanti. Perché Dio era in vena di esagerare, il giorno che ha inventato la seppia.

E per pescare un essere così strano, bisogna usare tecniche altrettanto strane. Noi per esempio usavamo sempre quella del gambero finto, che è un pezzetto di legno o di plastica con due occhi disegnati, due piume sui lati e una corona di aghi sulla coda, da legare a una lenza e calare in fondo al mare. Io con la canna e il mulinello, lo Zio Aldo no perché secondo lui erano attrezzi inutili e anche effeminati. Teneva la lenza avvolta intorno alla mano, e ogni tanto dava uno strattone così l'esca saliva un attimo e poi tornava giù, come un gambero che saltella allegro o un pesce ferito o qualsiasi cosa ci vedesse la seppia, che appena si accorgeva di quell'animaletto sfacciato gli saltava addosso con tutta la sua rabbia.

Ed è proprio la rabbia che la frega. Perché i pesci sono diversi, i pesci abboccano per fame, ma quando sentono l'amo fanno di tutto per liberarsi e scappare via. La seppia invece no. Lei stringe ancor più forte la preda che osa ribellarsi, il gambero spinge verso la superficie e lei si infuria, si avvinghia e soffia e schizza nell'acqua il nero del suo inchiostro, scrivendo così da sola la sua condanna.

«Ma lo vedi» diceva sempre lo Zio Aldo, il labbro piegato dallo schifo e insieme dalla sigaretta Nazionale che gli pendeva dalla bocca, «lo vedi che stronzate ti fa fare la rabbia? Stacci lontano bimbo, stacci lontano per davvero.»

Io tiravo su la seppia che soffiava tutta incazzata, la infilavo nel secchio e pensavo che lo zio aveva tantissima ragione. La rabbia fa solo danni, anche a chi non c'entra nulla, come al mio babbo che per colpa della rabbia di un paese intero, nella notte di Natale, adesso stava spento in un ospedale a farsi curare dai pazzi.

Ma in realtà anche lo Zio Aldo, che mi diceva di starci lontano, alla rabbia ci si avvinghiava stretto come le seppie al gambero finto. Pure nelle sere che costruivano quel presepe maledetto lui era quello che bestemmiava di più, e nascosti nei punti meno illuminati, dietro le palme e le casette in cima ai monti, c'erano pastorelli e pecore e contadini che avevano avuto la sfortuna di stargli vicino nel momento sbagliato, e si ritrovavano con un braccio spezzato o una gamba sola. Lungo la via c'era pure un piccolo fornaio eroico, che insisteva a portare due pagnotte al Bambino Gesù anche se gli mancava la testa.

E allora ecco, era una fortuna che lo zio fosse nato uomo e non seppia, altrimenti sarebbe campato cinque minuti e poi via, a spruzzare inchiostro in fondo al secchio.

Invece stava qua, dall'altra parte della lenza, e stasera mi insegnava un modo nuovo per pescarle che secondo lui era il migliore. Infatti il gambero finto, che si usava da una cinquantina d'anni solamente, era troppo moderno per piacere allo zio. Per lui anche il motore a scoppio era una novità disgraziata che aveva sciupato il mondo, e siccome l'avevano inventato due signori delle nostre parti, uno di Lucca e uno di Pietrasanta, quando passava una macchina che faceva casino e impuzzava l'aria lo zio scuoteva il pugno e urlava *Maledetto Barsanti, maledetto Matteucci! Son fortunati che sono morti, sennò sarebbe da ammazzarli di calci nel culo!* Poi alzava un dito nell'aria inquinata e ricordava la profezia di un signore che era un monaco o un viandante di nome Brandano, che diceva che quando i carri viaggeranno senza cavalli, e gli uomini voleranno come gli uccelli, allora ci sarà la fine del mondo.

Ma intanto che aspettava la fine del mondo, lo zio guidava il suo camion che sputava fumo nero a nuvoloni, e nel tempo libero pescava tutte le seppie del mare. Stasera però senza i gamberi finti, stasera usavamo questa tecnica nuova e insieme antichissima, che si chiamava "della femmina" e secondo lui era vecchia come il mondo.

Io ovviamente prima di partire avevo controllato su uno dei miei manuali, *Come pescare in mare dalla barca*, dove il Signor Roberto Zucconi raccontava questa pesca in una maniera che mi aveva fatto innamorare:

Traineremo lentamente con l'aiuto di un compagno sui remi al tramonto e nelle notti di luna con il mare calmo...

Che meraviglia, il tramonto, il chiaro di luna, scivolare lisci sul mare calmo. Una situazione intima e romantica, tipo un appuntamento amoroso in gondola a Venezia. Poi siamo arrivati in un punto che gli piaceva e lo zio mi ha detto di mettermi a remare al posto suo, ha preso una seppia femmina dal secchio, l'ha legata con uno spago e l'ha buttata in mare. E di colpo l'appuntamento intimo a Venezia è diventato un capodanno in piazza a Sodoma.

Perché l'acqua intorno a noi ha cominciato a ribollire, un nuvolone tremendo di seppie maschio ha circondato la femmina e le saltava addosso senza pietà.

Ognuno cercava di agguantare un pezzetto ancora libero, e intanto si picchiavano in un vortice di inchiostro e tentacoli, avvinghiandosi tra maschi e intorno a lei, continuando a stringerla così infoiati che non si accorgevano della forza misteriosa che li portava fuori dall'acqua, e della mano callosa che li scuoteva per staccarli dall'esca e farli cadere in fondo al secchio con un *plop*.

Poi lo zio ha sciacquato la femmina, tutta sciupata e sgraffiata, ha controllato se era ancora viva e l'ha buttata di nuovo in acqua a lavorare, mentre io remavo con gli occhi spalancati su quel mare che friggeva di seppie vogliose di suicidio.

Il sole all'orizzonte si spegneva nell'acqua, e dall'altra parte la luna scalava i monti per dargli il cambio in mezzo al cielo, con una danza eterna che andava avanti così perfetta e uguale dal primo giorno che il mondo ha iniziato a girare, insieme alle seppie maschio che saltavano addosso alla seppia femmina e allo zio che le tirava su nell'aria piena di schizzi scuri e appiccicosi.

E in quel ballo cosmico gigantesco ed eterno, l'unico che non sapeva ballare ero io. Mi aggrappavo ai remi sconvolto da questa tecnica folle, che fruttava mille volte più del gambero finto e però non aveva nessun senso: il gambero lo capivo, era cibo e le seppie lo prendevano perché avevano fame. Qua invece, con questa seppia femmina, cos'è che le agitava così tanto? Forse erano cannibali, e le saltavano addosso perché volevano mangiarsi pure lei? Difficile, altrimenti potevano benissimo mangiarsi fra loro invece di scacciarsi per averla. E allora ho concluso che si trattava di uno di quegli istinti forti e incomprensibili che hanno gli animali, e noi umani possiamo solo accettarli come sono. Tipo i galli che si mettono a urlare quando vedono l'alba, o i salmoni che partono contro corrente su per i fiumi fino a morire di stanchezza. Comportamenti assurdi per noi ma normali per loro, la Natura è meravigliosa e misteriosa e va bene così.

Anzi, va benissimo così, perché in un attimo il nostro secchio era già quasi pieno. Però tutta quella foga, quella voglia cieca e scema mi spaventava. La seppia femmina ormai aveva perso un occhio e quasi tutti i tentacoli, eppure i maschi continuavano ad attaccarsi. Lo zio li tirava su e loro soffiavano e schizzavano ricoprendolo di nero, e lui rideva con quella roba scura che dalla faccia gli colava sul mento e lì dondolava un po' prima di cadere sul petto e nel secchio insieme alle seppie spappolate una sull'altra, ormai una cosa unica e molle e sfinita. E più guardavo lì dentro, più mi sembrava una grande fortuna che noi umani magari avevamo la fame e la rabbia e tanti altri difetti addosso, ma questo istinto qua no, questo non ce l'avevamo per niente.

L'ho pensato e l'ho detto allo zio, mentre apriva una lattina di birra e un po' la ingollava un po' ci si sciacquava il muso. Gliel'ho detto perché secondo me era un pensiero bello e anche abbastanza intelligente. Ma a lui gli è venuto da ridere così forte che quasi si strozzava, ha sputato la birra nell'acqua e quando è riuscito a respirare di nuovo mi ha risposto:

«Eh sì bimbo, hai ragione, noi questo istinto non ce l'abbiamo per niente! Intanto però continua a remare, vai, che la strada è ancora lunga.»

14
L'amore ai tempi dei pirati

«Sai cosa ti farebbe tanto bene, Fabio?» mi hanno chiesto la mamma e la nonna, dopo pranzo mentre le aiutavo a sparecchiare.

«Sì» ho risposto a cantilena sbuffando, «stare un po' con quelli della mia età.»

«Bravo! Vedi che lo sai!»

E per forza lo sapevo: negli ultimi tempi me lo ripetevano ogni secondo. «Ma io con quelli della mia età ci sto già un sacco!»

«A scuola non vale.»

«Non solo a scuola, ci sto sempre!»

«Ah sì? E quando? Per esempio ai compleanni dei tuoi compagni ci vai?»

«Certo che ci vado! A tutti! Cioè, a tutti quelli che posso.»

E non era colpa mia se metà classe non mi invitava, e l'altra metà era nata nella stagione delle seppie o dei funghi e allora gli zii mi portavano via.

«Comunque ci sto tantissimo con quelli della mia età. E non solo a scuola.»

«Non vale nemmeno il catechismo» ha detto la nonna.

«Ma non solo al catechismo, anche altre volte.»

«E quando.»

«Altre volte, tante volte! Ora però non ho tempo di starvele a raccontare, perché appunto mi aspettano delle persone e sono in ritardo.»

Ho detto così, e giuro che la mamma e la nonna sono scoppiate a ridere. Ma le capivo, sentire le mie parole aveva fatto strano anche a me.

Però era vero: alle due mi aspettavano delle persone, e siccome erano già le due e un quarto l'unico modo per arrivare in orario era buttarmi sulla bici e pedalare più veloce della luce e tornare indietro nel tempo.

«E dove ti aspettano, queste persone» mi ha chiesto la mamma cercando di non ridere troppo.

«Qua vicino» ho detto uscendo di casa.

«Vicino dove?», e sono uscite pure loro, sventolavano la tovaglia e spargevano le briciole nell'erba per gli uccelli.

Sono arrivato al cancello, ho preso la bici e ci sono salito sopra, ho messo un piede sul pedale e ho risposto: «Vado all'ospedale».

Poi sono partito di corsa senza voltarmi, ma di sicuro hanno sorriso e fatto di sì, perché secondo loro andavo come sempre a trovare il babbo.

E invece no, la realtà era molto lontana. Cioè, non fisicamente, perché in effetti all'ospedale ci andavo davvero, ma oggi salivo fino all'ultimo piano. Solo che, dopo tutti questi discorsi sul frequentare i ragazzi della mia età, la verità vera non mi era riuscito tirarla fuori, anzi pedalavo forte sperando che il vento me la portasse via dalla testa come i moscerini spiaccicati dal vetro delle macchine.

Mentre correvo verso il mio pomeriggio alla Casa di riposo.

Proprio così, una giornata con le signore dell'ospizio, questo era il programma di oggi. Ma tutto era cominciato il giorno prima, che era mercoledì e stavo dal mio babbo con un manuale nuovo appena pescato dal banco della Signora Stella.

Si intitolava *La gallina ovaiola*, e mi aveva fatto tornare in mente quella volta che ero in prima elementare e lo Zio Aldo aveva sequestrato la mia classe per spiegarci come si costruiva un pollaio perfetto. Quanto era più serio e preciso adesso impararlo così, dalle pagine del Signor Pietro Conso, senza minacce fisiche e bestemmie e violenza. Poi però ho iniziato a leggere, e mi sa che c'è poco da fare, la vita del pollaio rimane comunque un discorso manesco:

L'amputazione del becco rappresenta una valida arma per rendere innocui i polli. Recentemente si è accertato che la luce rossa e quella arancione hanno azione tranquillizzante e quindi indirettamente preventiva nei confronti del cannibalismo.

«Ma in che senso, babbo? Ma perché, se non gli amputi il becco i pulcini si mangiano fra loro?» La testa mi si era subito riempita di questi pulcini cannibali, e chissà come si amputavano i loro becchi assassini: c'era una piccola mannaia, o magari una ghigliottina in miniatura, o...

Ma non aveva senso chiedermelo, bastava andare avanti a leggere.

L'amputazione è da effettuarsi con l'apposito strumento, che è in sostanza un termocauterio elettrico.

Per dire quella parola, *termocauterio*, ci ho messo un po', ma alla fine l'ho pronunciata tutta intera e precisa. E si vede che mi è riuscita proprio bene, perché giuro che nel silenzio della camera è scoppiato un applauso.

E lì per lì mi è preso un colpo, pensavo di aver detto termocauterio in una maniera così perfetta, così emozionante che il mio babbo era uscito dal coma per battermi le mani. Però non era lui, era una signora coi capelli bianchi là dietro sulla porta. Applaudiva e mi diceva «bravo», mi diceva «continua, continua a leggere!».

Ma continuare era una di quelle cose che sono impossibili, se qualcuno ti comanda di farle. Come quando ti dicono *Sii spontaneo*, o *Fai come se non ci fossi*. La signora invece c'era, lì sulla porta ad ascoltarmi, allora ho chiuso il libro e le ho chiesto se era venuta a trovare il babbo.

«No, passavo di qua e ti ho sentito. Ma lo sai che leggi benissimo?»

Ho scosso la testa e mi è scappato un colpo di riso tutto storto e vergognoso, gli occhi al pavimento di mattonelle bianche dove i piedi della signora stavano dentro due ciabatte pelose. Mi sono chiesto da dove veniva, così in ciabatte e vestaglia. Ma si vede che non l'ho solo pensato, l'ho proprio domandato, o la signora sapeva leggere nel pensiero, perché ha sorriso e mi ha risposto «io vengo da lassù», indicando il cielo.

«Viene dal Paradiso?»

«Ma no, esagerato! Dalla Casa di riposo, all'ultimo piano. Che in effetti è un passo prima del Paradiso. O dell'Inferno, chissà. E te come ti chiami, bravo lettore?»

«Io... Fabio.»

«Molto piacere Fabio, io sono Ricordina. Da piccola i miei genitori mi chiamavano Dina, ma io non volevo. Avevano scelto di darmi questo nome assurdo e allora dovevano usarlo tutto quanto, non ti pare?»

Ho fatto di sì, ma non sapevo cosa dire. Per fortuna ci ha pensato lei.

«Insomma, alla Casa di riposo si sta bene, però ci si riposa troppo. Allora ogni tanto mi faccio un giretto.»

E a me è venuto in mente il dottore matto, che anche lui veniva dai piani di sopra, usciva dal manicomio e si faceva un giro qua. Però almeno la signora non si travestiva da dottore, e non mi diceva cose brutte come lui. Anzi, le sue erano proprio stupende:

«E quel libro lo leggi a...», e ha indicato il letto.

«Al mio babbo» ho detto, e mentre la risposta usciva ho sentito una cosa calda all'altezza del respiro, calda e gonfia, che mi ha storto le parole.

«Oh, ma che bello. Gli fa bene al tuo babbo se leggi per lui, sai?»

«Penso anch'io! Ma certe volte non lo so.»

«Ma certo che sì, gli fa benissimo!»

«Perché c'è una specie di dottore che invece dice che non serve a nulla. Ma la mamma mi ha detto che è un matto.»

«Oh, i dottori sono tutti matti! Persone che sono sane e scelgono di passare la vita in un ospedale, non è roba da matti?»

Prima ho guardato se dietro di lei nel corridoio passava qualcuno, poi ho fatto di sì.

«Ecco, vedi, sono proprio pazzi. E invece al tuo babbo gli fa bene se leggi per lui. Io quando vivevo ancora a casa mia avevo delle piante incantevoli. Gerani e begonie e rododendri e giaggioli e ciclamini, avevo tutto, avevo un giardino così magnifico che la gente passava e faceva le fotografie.» E intanto la signora è entrata nella stanza, mi ha dato la mano e poi l'ha sventolata pure verso il babbo. «Ma soprattutto le ortensie. Fabio, oh, Fabio, le ortensie mi crescevano così belle che se ci ripenso mi viene da piangere. E le mie amiche insistevano, "Ricordina, su, diccelo, cosa gli dai alle tue ortensie, qual è il tuo segreto?", e non mi credevano quando gli rispondevo che non gli davo nulla di nulla. Ma sai cosa gli facevo io di speciale? Tutte le sere mi mettevo seduta lì davanti e gli parlavo. Gli raccontavo le mie cose. Cosa avevo fatto quel giorno, ma anche storie di quando ero giovane, del mio marito Oreste che non c'è più, pace all'anima sua. E gli dicevo cosa faceva la mia figliola, e le mie nipotine l'ultima volta che le avevo viste. Cose così insomma. E altre volte invece gli leggevo un libro. Lo leggevo a voce alta, per me e per loro. Quanto mi piaceva leggere, Fabio, finivo un libro alla settimana.»

«Anch'io leggo un libro a settimana!» ho detto. «Questo l'ho comprato oggi», e le ho fatto vedere *La gallina ovaiola*. L'ha preso, l'ha guardato davanti e dietro, me l'ha ridato.

«Dev'essere bello, ma purtroppo io non posso leggere più, non ci vedo bene. È una fregatura sai, arrivi a un'età che avresti tutto il tempo per fare quello che vuoi, e il corpo non può più fare nulla. Non dico cose avventurose, ma nemmeno quelle normali. Le uniche emozioni che ti rimangono sono le storie, quanto mi piacciono quelle belle storie romantiche. Di sopra, con le altre ragazze... dico ragazze ma son più vecchie di me eh, insomma a volte con loro ce le raccontiamo, le storie, però dopo un po' sono sempre le stesse. Qualche bel libro romantico ce l'abbiamo, ma nessuna ci vede più bene, e i figli ogni tanto vengono a trovarci ma stanno poco, non hanno mica tempo di leggere per noi. E invece te... te mi fai commuovere, sai. Te vieni qui e leggi al tuo babbo, che non può nemmeno... insomma, non lo vede che vieni. O forse sì, secondo me sì, però insomma, te Fabio sei... te sei...», e per un po' non ha detto altro, solo mi guardava con gli occhi che si allagavano di commozione.

E chissà cos'ero secondo la Signora Ricordina, potevo essere qualsiasi cosa, ma quello che ha detto alla fine, quando si è asciugata gli occhi e si è messa una mano sul petto, giuro che mi ha tolto il respiro: «Te Fabio sei un santo. Sei un santo, lo sai?».

E sì che lo sapevo, ero un santo o comunque stavo sulla strada per diventarlo. Ma sentirmelo dire da qualcun altro era una musica meravigliosa, che mi faceva girare la testa. Solo che fra le tante doti dei santi c'è l'umiltà, allora ho fatto di no e abbassato gli occhi, mentre lei lo ripeteva ancora e ancora, e alla fine addirittura: «Sei un santo. Anzi, sei un angelo del Paradiso».

Che magari era troppo, perché gli angeli stavano un gradino sopra i santi, appena prima di quella altezza impossibile dove c'erano San Giuseppe e l'Arcangelo Gabriele, poi la Madonna e Gesù e lo Spirito Santo, lassù a un passo da Dio. E sarà stata la vertigine di quella scalata clamorosa, sarà stata la signora che cominciava a piangere davvero oppure l'angelo dentro di me che ha mosso le mie labbra, ma dal nulla mi è uscita questa voce buonissima e profonda, che ha detto:

«Non pianga, Ricordina cara, domani verrò a leggere per voi.»

E allora adesso eccomi qui, dopo che la mamma e la nonna si erano raccomandate di passare più tempo con quelli della mia età, seduto su una poltrona coperta di centrini e con una camomilla in mano, nella saletta tv della Casa di riposo Beata Vergine Maria Regina della Pace.

«Se non chiediamo troppo, potresti fare anche le voci dei personaggi?» mi ha chiesto la Signora Ricordina quando ho cominciato, dopo mezz'ora di abbracci e complimenti, suoi e di altre cinque signore, più una sesta che però secondo me era morta, addosso al termosifone che andava al massimo anche se era maggio, immobile e avvolta in due o tre plaid.

Leggevo peggio del solito, perché avevo undici anni e dovevo leggere davanti a queste signore che messe insieme ne facevano più o meno mille, e allora mi sentivo come davanti a un millennio di storia, un millennio sordo e lento che ogni momento mi chiedeva di parlare più forte e andare più piano.

E poi questo libro era diverso dai miei manuali. Piccolo e rosa, in copertina un signore con una benda sull'occhio e la camicia strappata da dove venivano fuori i muscoli e i peli del petto, che teneva stretta una ragazza anche lei coi vestiti strappati. Si guardavano con un'espressione strana, a metà fra quando ti addormenti e quando senti odore di bruciato.

Il titolo era *Oceano di passione*, e lì per lì ero felice perché magari insegnava cose di vita marinara, ma per tante pagine non si vedeva una nave e nemmeno il mare. Solo le giornate vuote e infelici di questa donna molto bella che si chiamava Emily, e amava andare a cavallo ma non poteva più farlo perché suo padre l'aveva obbligata a sposare un uomo ricco che stava sempre via per lavoro e la teneva chiusa in casa, allora si metteva alla finestra e ricamava e sospirava. Come sospiravano le signore davanti a me, mettendoci in mezzo dei *poverina* o *poveraccia*, tutte tranne quella al termosifone che continuava a essere morta.

Poi un giorno all'improvviso arriva dal mare un galeone con la bandiera nera e il teschio disegnato, sono i pirati che entrano nella casa e uccidono i camerieri e rubano tutto. Due di loro salgono pure nella camera di Emily, la guardano e la buttano sul letto e stanno per fare qualcosa che non capivo, però arriva il capitano che li manda via, fissa Emily, si avvicina e allunga una mano e la agguanta per un fianco.

Occhi infuocati di passione e di impeto, che la riempiono di stordimento mentre le braccia possenti le fanno sentire una forza, un ardore che Emily non avvertiva da tanto, troppo tempo. Da quando era giovane e libera e si lanciava al galoppo del suo stallone preferito nelle infinite pianure lussureggianti. La stessa emozione travolgente la cattura adesso, si spande come un brivido selvaggio sulla pelle e fino al petto, scandalosamente rivelato dalla camicet-

ta strappata. Il bruto, forte e prepotente, continua a stringerla e a fissarla con quegli occhi sfacciati e penetranti, facendola sentire di nuovo in sella a uno stallone, nell'impetuosa corsa della vita...

E io andavo avanti a leggere, ma proprio non capivo cosa c'entravano adesso i cavalli. Era una storia di pirati, mica un western, e poi stavamo in mezzo a un assalto piratesco, bisognava razziare e combattere con le spade, che senso aveva stare lì a fissarsi negli occhi con tutti questi brividi strani? Ma era un problema solo mio, perché invece le signore apprezzavano parecchio, le mani strette all'altezza del respiro.

E hanno smesso proprio di respirare quando il pirata e la signora hanno cominciato a lottare. Una lotta assurda, a mani nude e strusciamenti qua e là, lui la buttava di nuovo sul letto e le saltava addosso, e lei era così sconvolta che di colpo ha smesso di combattere e anzi lo aiutava a fare quel che voleva, qualsiasi cosa fosse.

E le signore dicevano *Oh* e *Finalmente*, mentre le righe mi portavano alla bocca parole assurde tipo *florido seno, fianchi desiderosi* e *la turbinosa nudità del ventre*. E non so come facevano Emily e il pirata a non vergognarsi nella loro camera sulla costa, ma io qua alla Casa di riposo mi vergognavo così tanto che stavo per smettere di leggere.

Poi è arrivato un altro pirata, e lì per lì mi ha preso il terrore che finisse come fra le seppie, che adesso tutti e due si aggrappavano alla povera Emily e buonanotte. Invece quello resta in piedi e urla che arrivano i soldati e bisogna scappare. Allora il capo pirata si stacca da Emily, la bacia fortissimo sulla bocca, prima di tuffarsi dalla finestra si volta e le dice *Dovessi solcare i sette mari, tornerò a prenderti.*

E le signore nella stanza hanno sbuffato e maledetto i soldati, ma la Signora Ricordina: «Non vi preoccupate, ragazze, ci sono ancora tantissime pagine!».

E purtroppo aveva ragione, tante pagine ancora e tanta ansia. Perché io avrei voluto essere alla fine o ancora meglio già fuori nella strada, in un mondo che non odorava di naftalina e termosifoni al massimo, senza lotte sul letto e pirati incapaci che invece di razziare stavano a baciarsi e poi scappavano a mani vuote. Su quel galeone che salpava veloce, le vele gonfiate dal mio fiato corto mentre ricominciavo a leggere.

Di Emily seduta sul letto a ricamare, o fuori in veranda a ricamare, o da un'altra parte ma comunque ricamava, guardava il mare e pensava al pirata. Che intanto aveva tentato un altro assalto ma gli era andata male, era incatenato e lo portavano in prigione, proprio lì nel paese di Emily. E dalla prigione le fa avere una lettera:

"Bellissima Emily,

questa lettera ti giunga al posto mio, le parole sono libere di volare, mentre il mio corpo sta imprigionato a poca distanza da te. E ci rimarrà fino a domani, quando ne uscirò per il cammino che conduce al patibolo. Ho viaggiato molto nella vita, ho visitato tutti gli angoli del mondo, ma questo breve viaggio sarà il più difficile, sarà l'ultimo. Non ho rimpianti, tranne uno: non poter trascorrere la mia ultima notte con te. Avere il tuo corpo caldo addosso al mio, sentire sul mio petto la florida prepotenza dei tuoi seni affannati, e stringerli mentre ti bacio, e scendere a palpare i tuoi..."

Ecco, ci risiamo, di nuovo persone addosso a persone: pure quella sera che stava per essere impiccato, il pirata pensava a questa roba. Le signore facevano dei versi strani con la gola, gli occhi spalancati al massimo come se ascoltassero con quelli invece delle orecchie. Ma io non ce la facevo più, e se il pirata era senza vergogna io mi vergognavo tantissimo per tutti e due, allora con l'ultima goccia d'aria mi sono inventato un modo diverso e più giusto per chiudere questa lettera assurda:

Ma adesso sono stanco, cara Emily, le auguro una buonanotte e sogni d'oro. Distinti saluti, il Pirata.

Ho detto così, ho alzato lo sguardo, e le facce delle signore erano come uno che chiude gli occhi aspettando una carezza e invece gli danno una bastonata.

«Cosa? Distinti saluti?»

«Ma come, buonanotte e sogni d'oro! Bimbo, ma sei sicuro che hai letto bene?»

Io ho fatto di sì, forte, fortissimo, come se a forza di agitare la testa potessi trasformare quel sì in una cosa sincera.

«Mah» ha detto una signora coi tubicini nel naso, e «mah» hanno detto le altre, poi «Che schifezza, e ma che libro è?»

Io invece mi sentivo finalmente tranquillo, perché adesso Emily piangerà un po', ma domattina il pirata lo ammazzano e non c'è più rischio di pagine con le mani addosso e scemenze così. Allora riprendo fiato e vado avanti a leggere più sicuro e convinto, e col sorriso sulle labbra arrivo alla lettera di risposta di lei a lui, che è una riga sola. Corta, semplice, devastante:

Attendimi, stanotte sarò tua.

Così, giuro. Lo dico e resto senza parole. Invece le signore ne hanno una valanga.

«Brava!»

«Menomale che ci pensa lei, altro che distinti saluti!»

«Vai Emily, vai così!»

Pure la signora morta addosso al termosifone muove appena la testa, tira fuori un braccio dal bozzolo di maglioni e coperte, e dall'oltretomba mormora: «Scopalo!».

E io non ci potevo credere, a quel che succedeva nel libro ma pure in questa Casa di riposo. Forse avevo sbagliato piano, e in realtà ero finito nel manicomio. E magari pure il finto dottore antipatico c'era arrivato come me, un giorno per leggere una storia a queste signore indiavolate, poi loro l'avevano fatto impazzire e non se n'era andato mai più.

Io invece volevo andarmene, e subito. Mi sono guardato il polso come se avessi avuto l'orologio, mi sono alzato, «scusate ma è tardissimo, devo andare a cena».

«Cosa? Ma sono le cinque, andiamo avanti un pochino, sii bravo» dice Ricordina.

La signora coi tubicini nel naso fa: «Dài, solo un po', arriviamo fino a notte e basta».

«A notte? Ma la mia mamma si preoccupa!»

«Ma fino a notte nella storia! Dài, vediamo come va a finire la nottata fra lui e lei, per piacere!»

«Sì, per piacere» hanno detto le altre in coro.

E allora era proprio vero che ero un santo, perché adesso tutte mi pregavano. E un santo è fatto così, non è solo buono ma anche pronto al sacrificio. Quindi ho guardato Ricordina, la signora coi tubicini e le altre mie devote, sono tornato con gli occhi a quelle pagine peccaminose, e ho proseguito verso il martirio.

Con Emily che arriva alla prigione, dà dei soldi alla guardia che li prende e la lascia sola col pirata. I due si vedono, *si annusano, si vogliono*, ma grazie a Dio tra loro ci sono le sbarre di ferro, che però mi sembravano troppo sottili, troppo larghe: un muro sarebbe stato molto meglio.

Infatti il Pirata allunga le mani, agguanta Emily e la strizza verso quelle stecche inutili, e ci si appiccica pure lui, e più leggevo questa roba e più capivo quanto erano stupendi i miei cari manuali, scritti da persone serie che ti insegnavano cose utili.

Pure quello sulle galline, pure i metodi per amputare il becco ai pulcini mi sembravano meravigliosi in confronto a questa scena, dove una donna sposata che aveva tanta roba da rammendare usciva di notte e andava a trovare un pirata che la palpava furiosamente.

Le signore della stanzetta invece apprezzavano parecchio, facevano di sì così forte da alzare un vento che sapeva di caramelle alla menta, e si bevevano le lunghe descrizioni di pelle strusciata, di bocche che mangiavano bocche, di ansimi e mugolii che li leggevo e intanto li sentivo rifare precisi dal pubblico intorno a me.

E ancora peggio quando il Pirata prende Emily per i capelli, le accosta le labbra all'orecchio e ci versa dentro parole che secondo me non avevano senso. Ma si vede che invece ne avevano tantissimo, perché alle signore scappano gridolini corti e grattati, come porte che cigolano in un film dell'orrore appena prima che capiti qualcosa di tremendo. Quando lui le dice piano *Dài Emily, adesso girati.*

E lei si gira, gli dà le spalle, e allora è proprio vero che questo libro era scemissimo: lui domani lo ammazzano, Emily non potrà vederlo mai più, che senso aveva girarsi dall'altra parte e fissare il muro? Non doveva invece guardarlo bene e riempirsi gli occhi di lui, in un'epoca che non esistevano le fotografie ed era troppo tardi per chiamare un pittore e fargli un ritratto, e allora dalla mattina dopo non l'avrebbe visto mai più? Non era meglio magari...

Il Pirata la prende per i fianchi, una stretta bestiale e prepotente come la sua bramosia di lei. Le cinge la vita e la spinge ancora di più addosso alle sbarre, la schiena di lei nuda, rorida e palpitante, il fondoschiena rotondo e fremente contro di sé, contro il suo membro turgido nell'ultimo, vibrante desiderio di lei, e...

E basta, adesso veramente basta! E mi sono piantato. Come uno stecco nel fango denso e zozzissimo del peccato. Ero un santo, sì, ma non potevo andare avanti. Come le signore non potevano respirare. Mancava una pagina alla fine del capitolo, ma quel libro l'aveva scritto il Diavolo, e io non lo seguivo più, non volevo finire all'Inferno con lui. Ho guardato le signore coi loro occhi assatanati, sono tornato al resto della pagina e l'ho cancellata dalla mia mente con una mano di vernice bianca, candida come l'innocenza, poi l'ho riscritta come piaceva a me:

«Allora Emily, girandosi al muro e piegandosi in avanti, vede un orologio lì appeso e si accorge che è tardissimo e la aspettano a casa. Si tira su di scatto e dice: "Scusami Pirata, devo scappare, ho dei ricami da finire. Buonanotte!", e se ne va. E il Pirata capisce e la saluta, e siccome è molto stanco si sdraia nella cella e dorme, e vissero felici e contenti.»

Così, preciso e pulito, inventavo le ultime parole e già stavo in piedi, il libro lasciato faccia in giù sulla sedia a meditare sulle sue colpe, mi mettevo il giubbotto e salutavo cercando di reggere un sorriso che mi tremolava sulla bocca.

Ma le signore erano messe peggio di me, bocche spalancate, storte come paresi, come le mummie di Pompei rimaste secche per secoli e secoli nella posa di quando la lava le ha portate via dal mondo. E adesso che tutte erano morte, è resuscitata proprio quella aggrappata al termosifone. Ha alzato un pugno secco dalle coperte e ha urlato: «Questa Emily è una demente, e il pirata è un frocio!».

Le altre hanno applaudito, tutte d'accordo che si trattava di un libro schifoso. E io pure, che lo indicavo là sulla sedia e alzavo le spalle come per dire che non era colpa mia, fosse stato per me gli leggevo dell'allevamento della gallina ovaiola ed eravamo tutti felici.

Ma non era tempo di felicità. La Signora Ricordina si è alzata e ha detto: «Ma no, ragazze, è chiaro! È un colpo di scena, no? Adesso lei ci ripensa, torna da lui e allora fuoco e fiamme!».

Le altre hanno smesso di brontolare e l'hanno guardata, si sono guardate, e si sono caricate di una nuova speranza. Che hanno buttato fin sulla porta, dove stavo io già mezzo fuori.

«Scusatemi ma è tardissimo, devo andare via, io...»

«Ma almeno controlla se torna, solo quello, non ci puoi lasciare così!»

«No, controlliamo domani! Come nei telefilm, che finiscono nel momento più emozionante. Domani torno, e sappiamo tutto.»

L'ho detto, ma senza guardarle. Perché domani non tornavo mica, era una bugia. Che è un peccato grave, e ancor più grave se la dice un santo, ma soprattutto era inutile, perché alle signore non importava nulla del domani: loro erano come il pirata in galera, tutto doveva succedere adesso o mai più. E siccome io non mi muovevo dalla porta, ci ha pensato la signora aggrappata al termosifone. Si è staccata da lì con uno sforzo tremendo, è andata alla poltrona e ha preso il libro, ha appiccicato l'occhio buono alla pagina ed è rimasta così per un attimo che per me è durato come tutta la notte di un condannato a morte.

Poi si è staccata il libro dalla faccia, e grazie agli occhi storti ha fissato nello stesso tempo le sue amiche e me: «Ma non è così, non è così!».

«Come non è così, Dora, che vuol dire?»

«Emily non se ne va via, anzi!»

«Ecco!» ha fatto Ricordina. «È tornata da lui, lo sapevo!»
«No, macché tornata, non se n'è andata mai. Anzi, infila le mani fra le sbarre e... e altro che ricami!»
E allora tutte hanno guardato me, piantato sulla porta.
«Fabio, ma scusa, te dove l'hai letto che andava via?»
«Bimbo» mi fa la signora col libro in mano, «ma te sei sicuro che sai leggere?»
Io sono rimasto lì fermo e zitto, perché sapevo leggere eccome, però non sapevo cosa rispondere. E nemmeno dove guardare, allora ho abbassato gli occhi al pavimento e alle loro ciabatte pelose. E sentivo addosso tutti i loro sguardi, storti e velati, che magari non ci vedevano benissimo eppure mi facevano l'effetto di quelle macchine a raggi X, che ti possono vedere sotto la pelle, la carne, fino alle ossa e tutto quel che abbiamo dentro, il sangue, le vene, le paure, le bugie. E avrei tanto voluto offrirgli uno spettacolo meno tremendo, ma non sapevo se metterci dentro un po' di verità o inventarmi qualcosa di più bello, e questo è proprio strano e mica tanto incoraggiante, che nella vita devi sempre scegliere fra una cosa vera e una cosa bella, e non sono mai la stessa.
Però in quel momento non riuscivo a inventarmi nulla di bello, e allora mi restava solo la triste verità:
«Scusatemi signore, vi chiedo scusa ma... a leggere queste cose io mi vergogno, mi vergogno tantissimo.»
L'ho detto, e mi veniva pure da piangere, e avrei voluto scappare lontano per non farmi vedere così. Però non era possibile, perché in un attimo avevo mille mani addosso che mi stringevano, e mille versi acuti che uscivano dalle gole delle signore e mi si piantavano nelle orecchie.
«Ma quanto sei tenero!» faceva quella coi tubicini.
«Tenerissimooo!» diceva Ricordina, e le altre uguali. E io volevo dirgli che se ero davvero così tenero, a strizzarmi in quel modo mi spezzavano in due.
Però non ho detto niente, un po' perché mi stringevano da togliermi il fiato, ma soprattutto perché adesso erano passate a dirmi una cosa che mi piaceva molto di più. E cioè che ero un angelo, che ero un angioletto speciale mandato in terra dal Signore, un angelo dolcissimo e innocente. E mi

ringraziavano di aver letto per loro, di aver reso comunque indimenticabile quel pomeriggio, di aver portato la mia dolcezza lì dove regnavano la noia e il silenzio.

E io già mi scordavo di tutto l'imbarazzo, delle mani addosso e della pelle su pelle di quel libro folle. E giuro che senza saperlo, senza deciderlo ma solo aprendo la bocca e sentendo uscire le parole come se non fossero mie, come se venissero dal Cielo che mi aveva mandato in questo mondo bisognoso di bontà, ho detto: «È stato un piacere, anzi quando volete io torno a leggere per voi, basta che mi chiamate e io giuro che torno».

E le signore facevano di sì, e quasi piangevano, e ancora mi chiamavano *angelo* e *santo* e *anima pura e benedetta.*

Ma non mi hanno chiamato mai più.

15
Raccattapalle

La primavera era finita, ma le scuole elementari di più, perché quelle erano finite per sempre.

Con un esame che però era parecchio facile, bastava scegliere una nazione e studiare com'era fatta e cosa produceva e collegarci un po' di discorsi delle varie materie. Io avevo preso la Cina, e l'unica parte complicata era stata disegnare la cartina coi pennarelli, perché le montagne dovevano essere marroni e le pianure verdi, i fiumi blu e via così, e io ci avevo provato ma i colori li vedo a caso, allora era venuto fuori un pianeta da fantascienza con fiumi fatti di montagne, pianure di colline e grandi laghi coperti di boschi.

L'avevo fatta vedere alla mamma. «Ti piace? È venuta bene?»

E lei, dopo averla rigirata un paio di volte: «Sì Fabio, è venuta benissimo, è perfetta. Anzi, forse è *troppo* perfetta, e dopo rimani antipatico ai tuoi compagni. Sai che si fa? Te la rifaccio io, così viene un pochino peggio, ma te rimani più simpatico».

Mi era sembrata una grande idea, e la cartina l'avevo lasciata a lei, mentre il resto che bisognava studiare era poca roba, meno di uno dei manuali che mi infilavo nel cervello ogni settimana. Quindi esami passati, addio scuola e benvenute vacanze, e dopo quelle mi aspettavano le famose scuole medie, con nuove materie, nuovi insegnanti e compagni di classe.

Tutto insomma correva veloce, tranne il mio babbo che stava ancora immobile con gli occhi chiusi all'ospedale. E noi volevamo stare fermi insieme a lui, come un sasso piantato bene nel fiume della storia, che l'acqua ci picchia e spinge ma l'unico modo per passare è girarci intorno e via. Però si vede che in quel momento il fiume era proprio in piena e la corrente fortissima, perché a forza di spingere è riuscita a spostare pure noi. E così, nell'estate del 1985, anche al Villaggio Mancini sono arrivati gli anni Ottanta.

Precisamente la sera di giugno che tornavo da un giro in pineta con lo Zio Aramis, e la mamma mi ha messo una maglietta bianca col colletto, un paio di pantaloncini bianchi cortissimi, e mi ha detto che cominciavo a giocare a tennis. Come le era venuto in mente non si è capito mai. Forse perché al circolo del tennis ci faceva le pulizie, forse perché le faceva anche nella villa di una famiglia di Modena che fra le cose da buttare aveva infilato una racchetta più o meno giusta per me. Ma soprattutto la mamma aveva visto qualche film alla tv che l'aveva ispirata.

E siccome stavamo in mezzo agli anni ottanta, quasi tutti i film raccontavano la storia di uno che nasceva povero ma simpatico e sveglio, poi per sbaglio finiva in mezzo all'alta società (magari perché aiutava un ragazzo ricco a studiare, magari era il sosia di un giovane principe, magari un miliardario lo schiacciava con la macchina), e in poco tempo tutti i ricchi lo amavano e diventava ricco pure lui. Una storia perfetta per quegli anni, che la gente si era proprio fissata coi soldi e i giornali e la tv erano pieni di questi signori nuovi e vestiti bene che si chiamavano *manager*, e non si capiva che lavoro facessero ma ci guadagnavano tantissimo e solo questo importava. Nel mondo intero come qua in paese, dove adesso tutti parlavano di *azioni* e *borsa*, e mi sembravano usciti di testa come la povera Signora Olga.

Che era anziana e girava le strade in ciabatte con un grembiule a fiori, e ogni cartaccia che trovava per terra lei ci si tuffava e la stirava per bene col palmo della mano, la piegava in due come una banconota e se la infilava nella tasca del grembiule tutta contenta, perché appunto pensava che fossero soldi.

Le persone ci si divertivano proprio, soprattutto al bar La Gazzella dove gli zii e i loro amici quando passava la Olga posavano di corsa i bicchieri e le sigarette e mettevano le carte faccia in giù sul tavolino, si palpavano in cerca di biglietti e cartine o strappavano pezzetti dei manifesti delle sagre appesi lì fuori, e li buttavano sulla strada urlando *Oddìo quanti soldi!* La Olga si voltava di scatto, diceva *Miei!* e ci si lanciava sopra. E tutti ridevano, e nei giorni che non avevano nulla da fare potevano tenerla lì per ore a forza di pezzetti di carta buttati per terra, fino a riempirle il tascone. Poi lei tornava a casa e loro a fare il nulla di prima e a ridere di lei.

Di Olga la matta, che nella testa aveva solo i soldi e li vedeva da tutte le parti anche se invece non c'erano. Poi però erano arrivati gli anni ottanta, e tutto il paese era diventato come lei. Anche tanti signori lì al bar, che invece della briscola e delle bocce avevano cominciato a giocare in borsa, un gioco noiosissimo e pieno di nomi e numeri che ci perdevi pure un sacco di soldi. Mentre la Olga non spendeva nulla, anzi camminando e piegandosi tanto per le strade era arrivata a novantacinque anni in gran forma, e il giorno che è morta le hanno trovato in casa così tanto denaro che sua nipote si è comprata due palazzi in centro a Lucca.

E allora ecco, forse la Olga non era poi tanto matta, oppure sì ma come tutti quanti, solo che gli altri avevano deciso che la pazza era lei e invece loro erano manager, in un'epoca che le occasioni non bisognava nemmeno cercarle perché stavano per saltarci addosso così tante e così grosse che alla fine non ho mica capito se non sono arrivate mai, oppure erano troppe e troppo grosse e saltandoci addosso ci hanno schiacciati e addio.

E comunque, tutto questo per dire che la mamma aveva in mente un film del genere, e una racchetta in mano, e andava a pulire gli spogliatoi di questo posto con quattro campi da tennis e un casotto all'inizio, che siccome in mezzo c'erano un po' di pini si chiamava Country Club America. Lì ogni giorno vedeva giocare tanti ragazzini educati e vestiti bene, e aveva deciso che in questo club doveva entrarci pure il suo bambino.

Io le avevo spiegato che non mi piaceva, che era tempo perso e al tennis non ci volevo andare. Ma lei aveva risposto solo che questo non era un tennis, era un country club, poi mi aveva presentato a un signore che stava nel casotto e faceva di tutto, da segnare le prenotazioni dei campi a scaldare le pizzette, e gli aveva chiesto se c'era posto per me che ero suo figlio.

Sperava forse che le lezioni non costassero troppo, o che il signore ci facesse un prezzo di favore, e allora non ho capito come mai la mamma c'è rimasta così male quando lui ha risposto: «Ma sì, certo che c'è posto per il tuo bimbo, Rita! Anzi, ieri si è fatto male un ragazzino, mi fa proprio comodo un nuovo raccattapalle!».

Secondo me era una situazione favolosa: non solo quel signore non ci faceva pagare una lira, ma era pronto a pagare me! Invece la mamma c'era rimasta come la morte secca, e di colpo le era venuta fretta di tornare a casa, e sulla macchina tossiva sempre di più e alla fine anche se insisteva a tossire l'ho capito benissimo che piangeva.

Siamo arrivati al Villaggio e piangeva ancora. Poi però all'ora di cena aveva smesso, e allora le ho spiegato che era una cosa buona, che in questo modo il film era ancora più emozionante e clamoroso: la mia scalata al successo infatti partiva proprio dallo zero, raccattando le palline colpite male da ragazzi ricchi e viziati che magari mi trattavano male, ma giorno dopo giorno dai loro errori imparavo i segreti del tennis e diventavo maestro, poi piano piano direttore del tennis – anzi mamma, *manager del country club!* –, poi manager di una grande azienda che produceva palline da tennis, poi da lì un ultimo salto facile e corto ed eccomi qua, presidente della Repubblica. O *manager della Repubblica*, che suonava ancora meglio, nel finale travolgente di questo splendido film.

Già, proprio così, solo che adesso stavamo ancora all'inizio, e io dovevo stringere i denti in bocca e il cestello in mano, mentre lo riempivo con le palle sparse per il campo. E intanto chiedevo scusa al calcio e alla pallacanestro, e pure al biliardo che mi ci portavano gli zii ogni tanto. Gli chiedevo scusa perché pensavo fossero il massimo della noia, ma la noia vera era un'altra cosa, lo capivo solo ora che avevo scoperto il tennis.

Ai miei occhi era una cosa deprimente, un gioco per persone eleganti e fredde, ognuno dalla sua parte con una rete in mezzo a mantenere le distanze: io non vengo a dare fastidio a te e tu a me, e magari alla fine *se non siamo sudati*, ci stringiamo la mano e arrivederci. Mi piaceva molto di più il suo cugino piccolo e sgangherato, il ping pong, che però i tennisti seri dicevano che era dannoso perché giocando a ping pong prendevi dei brutti vizi che ti penalizzavano nel tennis. E quali erano questi vizi non lo spiegavano mai, ma di sicuro il primo era quello di divertirti.

Però non era un problema, io non ero mica lì per divertirmi, io lavoravo. Tutti i giorni dall'inizio delle vacanze, il cestello in mano e una maglietta bianca con scritto COUNTRY CLUB AMERICA. Partivo dal Villaggio senza farmi vedere dagli zii, perché secondo loro era vergognoso che nel ventesimo secolo ci fossero dei ragazzini benestanti che buttavano via delle palle e un altro ragazzino che doveva correre a raccoglierle, come uno schiavo o un cane, e in questo modo sprecavo un'estate che potevo spendere meglio insieme a loro. E io gli domandavo se non era la stessa cosa seguire loro nei boschi come un cane da funghi, o reggere il cestello dei porcini o rollare le sigarette col tabacco e le cartine per tutti, lavori che fra l'altro mi toccava fare gratis. Ma loro rispondevano: «No! Non è uguale per niente! Prima cosa, noi siamo i tuoi zii. Seconda, non siamo benestanti!».

E magari avevano ragione, ma il problema era proprio questo: che noi non eravamo benestanti, però erano arrivati gli anni ottanta e dovevamo diventarlo per far felice la mamma. Che da quando il babbo era a letto non l'avevo mai vista felice davvero, e se tante volte rideva ancora, la sua risata non faceva più lo stesso suono.

Allora ogni giorno mi mettevo la maglietta e andavo al country club per lei, e raccattavo le palle perse da questi ragazzini che non erano mica antipatici, anzi andavamo d'accordo e ci capivamo subito. Anche loro infatti stavano lì solo perché lo volevano i genitori, e allora ci mettevamo a tirare giù una lista delle cose belle che avremmo potuto fare in quel momento, se invece del tennis fosse stata di moda la libertà. La lista era stupenda e poteva andare avanti per sempre, ma invece finiva di colpo appena sentivamo quella canzone sempre più forte, che arrivava dal vialetto di ghiaia in mezzo agli allori, montava fra i pini e alla fine riempiva il campo insieme alla luce accecante del Maestro Gualtiero.

Arrivare, partire, che gusto mi dà
sono un mago poeta con due identità
sono quel vagabondo che pace non ha
amo solo me stesso e la mia libertà.

Così splendido che il sole faceva un passo indietro nel cielo mentre lui brillava nei suoi pantaloncini bianchi, scarpe bianche, maglietta Lacoste e maglioncino di cotone sulle spalle anche loro bianchissimi, occhiali da sole a specchio appoggiati ai capelli tenuti indietro col gel, che invece erano scuri come la sua pelle.

Ogni giorno arrivava con una canzone diversa, ma tutte del Signor Julio Iglesias. Che era un cantante molto bello e molto amato dalle donne, e anche la mia nonna quando faceva le pulizie ascoltava le sue cassette, e una volta mentre cantava *Manuela* si era appoggiata all'aspirapolvere e aveva detto che lei il nonno non l'aveva tradito mai in vita sua perché era stata brava, ma anche fortunata che non le era capitato davanti Julio. L'aveva detto alla mamma ma l'avevo sentita pure io, purtroppo.

E allora per fortuna non le era mai capitato davanti nemmeno il Maestro Gualtiero, che al Signor Iglesias somigliava un sacco, solo con la racchetta in spalla al posto della chitarra, abbronzato e alto e parecchio bello.

Anche se gli zii mi avevano spiegato che un uomo non deve dirlo mai, che un altro uomo è bello. Simpatico sì, bravo pure, ma bello no, un uomo non lo dice. Così come un uomo non stira, non lava i piatti, non scrive le poesie. E infatti si erano preoccupati un sacco quella volta che in terza elementare avevo vinto il premio per la poesia più bella della scuola, con questa qui che si chiamava *Mare*:

Ogni volta che vado via dal mare,
tutte le volte ci vorrei tornare.

Faceva così, giuro, e se era la poesia più bella della scuola chissà com'erano le altre.

Ma questi due versi striminziti avevano riempito d'ansia gli zii, e Adelmo era venuto a dirmi che non dovevo scriverle mai più, le poesie, né belle né brutte, sennò quando crescevo diventavo un uomo che gli garbavano gli altri uomini. Poi ha tirato fuori un coltellino a serramanico stupendo che teneva fra il sedere e la sedia a rotelle, e mi ha detto che era mio se giuravo di non scriverne altre. E io ho preso il coltellino e da quel giorno non ho più scritto un verso in vita mia, però insomma, che il maestro Gualtiero era bello lo dicevo lo stesso, perché tanto lo sapevano già tutti, e Gualtiero per primo.

Arrivava e lanciava il maglione sulla panchina, poi si voltava a sorridere al suo allievo e a me. E sorridevamo anche noi, perché era simpatico e ci raccontava storie che non capivamo tanto ma ci interessavano lo stesso, e le lezioni di tennis con lui sarebbero state meravigliose, se fossero state tutte così. Solo che erano l'opposto di così, perché dopo un attimo arrivavano le mamme a seguire i loro figlioli, e davanti alle donne Gualtiero era come un lupo mannaro davanti alla luna piena: non è che cambiava solamente, diventava proprio un altro.

La donna, che sia l'amante, la madre, l'amica
non le costa nessuna fatica
fare tutto in silenzio per meee.

Pure la voce era diversa, prendeva un accento spagnolo come appunto nelle canzoni di Julio Iglesias. Infatti certe mamme gli chiedevano se era di Madrid o Barcellona o se veniva dal Sud America, e lui le fissava per un attimo con gli occhi amari, prima di rispondere: «Preferisco no parlar de mio passato. *Mucho amor, mucho dolor*».

E loro si scusavano e non sapevano che dire, solo si davano delle cretine per aver fatto una domanda così scema a quest'uomo bellissimo e misterioso che adesso stava qua davanti a loro, chi se ne importa se veniva da Madrid o da Pamplona o da in fondo all'Argentina.

Anche perché Gualtiero in realtà veniva da Leviglia-ni, un paesino in cima ai nostri monti, tanto sperso che la gente della costa quando voleva minacciare qualcuno gli diceva *Falla finita, sennò ti do un calcio nel culo che finisci a Levigliani.*

Ma forse non era così, forse io parlo dell'uomo di prima, il maestro gentile che al suo allievo offriva colpi facili e parole incoraggianti, e ogni volta che gli riportavo le palle mi ringraziava chiamandomi per nome. Poi però dal vialetto arrivava il rumore dei tacchi che accoltellavano la ghiaia, e una danza di capelli lunghi e morbidi, e una donna vestita molto bene e molto poco si metteva a sedere vicino al maglione bianco del maestro, e allora il campo da tennis diventava un campo di sterminio.

Anzi, no, per quello ci sarebbe voluto un accento tedesco come quello dei cattivi nei film di nazisti. Con le parole spagnoleggianti del Maestro Gualtiero, invece, la lezione di tennis diventava una corrida.

E io di corrida ne sapevo tantissimo, grazie alla Signora Stella e al suo banco, dove avevo pescato un libro con la copertina piena di foto della Spagna, scritto da un signore che si chiamava Mario Cassini e intitolato *Corride sotto il sole.* E anche se il sole qua lo tappavano i pini del country club, il resto era uguale spiccicato: le mamme erano il pubblico, il campo era l'arena, il Maestro Gualtiero il matador e la racchetta il suo drappo rosso. E al posto del toro, purtroppo, c'eravamo io e l'allievo di turno.

Infatti addio palle facili e incoraggiamenti, adesso Gualtiero sparava missili lungolinea che strusciavano sulla terra rossa come teste di fiammifero quando prendono fuoco, prima di piantarsi nei cartelloni delle pubblicità là in fondo.

«Oh, cossa succede amigo!» diceva al ragazzino paralizzato dalla violenza del colpo. «Non l'hai vista? Forse te servono occhiali!», e rideva, e si voltava alla mamma sulla panchina che rideva anche lei coprendosi la bocca con la mano.

Poi quella mano scendeva un po', all'altezza del respiro, quando Gualtiero lanciava un'altra palla in aria e con un verso di gola batteva un servizio micidiale che sfiorava suo figlio, terrorizzato e immobile.

«Amigo, le gambe no funsionano? A te no serve occhiali, a te serve sedia a rotèle!»

E giù altre risate, mentre lo sfiancava mandandolo dietro a palle angolate o corte o comunque impossibili. E quando proprio non respirava più gli diceva: «Vergogna, hai un fissico come un hombre de otanta anni!», per poi voltarsi alla mamma e aggiungere: «e questo è mui estrano, con una mamma così in forma».

E la mamma smetteva di ridere per iniziare a sorridere, in un modo così prepotente che non le stava solo sulla bocca ma si spandeva agli occhi e ai capelli che si aggiustava di continuo, al collo e al petto e a tutto quel corpo che – l'aveva detto il Maestro – era così in forma.

Non sorrideva invece il povero allievo, e io ancora meno. Lui infatti perdeva il respiro correndo senza toccare palla e prendendo solo offese, ma questa era solo la prima parte della corrida, quella di preparazione, quando il matador usa le *banderillas* che sono dei bastoncini appuntiti e servono a pizzicare l'animale. Perché l'allievo comunque pagava le lezioni, anzi le pagava la sua mamma che stava lì o forse il babbo che non si sa dove stava ma l'importante era che stesse da un'altra parte, e insomma il matador non poteva accanirsi troppo su quel toro. Per quello, appunto, c'ero io.

E allora ecco che arrivava il mio momento, verso la fine della lezione. Il Maestro cambiava gioco e cominciava a lanciare palle più lente e centrali, però tagliatissime. Che sembravano facili, ma appena l'allievo le toccava schizzavano via come serpenti ingannatori e finivano tutte addosso alla rete. Il maestro rideva, la mamma rideva, il ragazzino invece si girava verso di me e mi chiedeva scusa. Sì, perché quando le palle erano tutte lì in mezzo al campo il Maestro posava le banderillas e impugnava la spada, e indicandomi la rete diceva: «Dài, amigo, tocca a te!».

Io mi facevo il segno della croce, mi piegavo, e nelle gambe nude mi cominciava una battaglia tra lo scattare e il bloccarsi, fra il senso del dovere e l'istinto di sopravvivenza. Una lotta che lì per lì mi teneva immobile e non vinceva nessuno, ma tanto alla fine ero sempre io che perdevo.

«Su, veloce!» faceva il Maestro Gualtiero. «Sei qui por raccattare le palle o no?»

No! volevo rispondergli. Perché io in realtà ero lì solo per fare contenta la mamma. Ero un santo, e la missione dei santi è fare felici gli altri, tutti gli altri, figuriamoci se non mi sacrificavo per la mia mamma. Era per lei che stavo qui, a cercare di scalare la società. Ma era una scalata lenta e pericolosa, e passava anche per quelle palle a rete nella metà campo dell'allievo. Ripensavo a lei, all'espressione senza espressione che le era venuta in faccia quando il signore del tennis le aveva detto che potevo venire al country club, sì, ma come raccattapalle, e allora stringevo i denti e insieme il mio cestino vuoto, abbassavo la testa come il toro prima di attaccare e poi via, in mezzo all'arena.

E cosa stava per succedermi lo sapevo già. Anzi, lo sapevamo tutti. La mamma del ragazzino infatti rideva più nervosa, mentre Gualtiero andava a fondo campo e tirava fuori un altro cesto pieno di palle che teneva lì dall'inizio. Tornava nella posa da perfetto tennista e ricominciava a palleggiare con l'allievo, e io lì in mezzo piegato a raccogliere le palle sotto quel mitragliamento.

Il primo colpo di solito era un pallonetto che mi scavalcava comodo, ma già il secondo diventava una fucilata tesa e micidiale, che sfiorava il nastro e insieme la mia tempia. Così vicina che alla mamma sulla panchina scappava un grido di spavento, ma era lo spavento delle montagne russe, quel brivido che per provarlo paghi pure dei soldi, e non vedi l'ora che finisca ma insieme vuoi sentirlo ancora e ancora.

E la signora non doveva aspettare troppo, giusto il tempo di riprendermi e mettere un paio di palle nel cestino, poi mi rialzavo per raccogliere le altre e il Maestro Gualtiero: «Escusa amigo, ma sei troppo lento e il tempo è pressiòso!».

Più prezioso della vita umana, evidentemente, perché lasciava andare un altro missile così veloce che non lo vedevo, solo sentivo lo spostamento d'aria vicino al viso, e un odore di plastica bruciata che mi entrava dal naso per mischiarsi al terrore.

«Su, lumaca, su! Io no amo aspettare» faceva Gualtiero. Poi si voltava alla mamma, e piantava gli occhi dentro i suoi: «Io prendo todo y subito».

Lei abbassava lo sguardo per un attimo, e si aggiustava sulla panchina come se dal nulla fosse diventata scomoda, mentre Gualtiero caricava il braccio abbronzato e muscoloso e urlava *Olé* sparando un'altra bomba. Che mi veniva proprio addosso, e facevo appena in tempo a buttarmi per terra, col cestino che si rovesciava e le due palle raccolte che rotolavano di nuovo libere.

«Amigo, cosa succede, hai sonno, ti sei addormentato? Adesso te sveglio io!»

Afferrava un nuovo proiettile dal suo cestello, e magari la mamma si lasciava scappare un *Gualtiero, dài, basta!*, ma erano quelle cose che si dicono, come quando ti fanno un regalo e dici *non dovevi*, o quando ti fanno dei complimenti e rispondi *ma no, ma no*: è quel che dici, ma non c'entra nulla con quel che vuoi.

E Gualtiero lo sapeva, infatti sparava un'altra palla e un'altra ancora, e io le seguivo cercando di tenermi sempre più basso della rete, con quella terra rossa e maledetta che si appiccicava alla maglietta e alle ginocchia, e provavo a toglierla ma non aveva senso, perché la lezione non era finita e la corrida nemmeno, il matador andava avanti e smetteva solo con la pallina che finalmente mi prendeva in pieno.

E mi faceva anche un po' male, ma non era per quello che urlavo. Era più la paura accumulata, e soprattutto la rabbia per queste lezioni assurde che al ragazzino non insegnavano nulla del tennis, e a me facevano imparare solo quanto potevano essere stupide le persone.

Il Maestro Gualtiero, sì, ma pure quella mamma che diceva *Basta Gualtiero, basta!* e intanto rideva, e tutta la gente che di colpo veniva al country club con la maglietta bianca e parlava di *look* e *business* e altra roba che non avrei capito nemmeno a scuola, figuriamoci qua steso in mezzo al campo, con la terra rossa addosso e mille palle che rotolavano a caso intorno.

E poi, tutto era finito. Io e l'allievo andavamo nel casotto del country club, la sua mamma spariva chissà dove, e pure Gualtiero tornava solo dopo un po', con un asciugamano sulle spalle e uno intorno alla vita.

Ed era di nuovo simpatico, mi offriva un bicchiere di spuma e il suo italiano era normale mentre mi diceva che dovevo imparare anch'io a giocare, così un giorno diventavo maestro come lui e invece delle palle cominciavo a raccattare qualcos'altro. Io rispondevo che era una bella idea, ma purtroppo la mia mamma voleva che diventassi presidente della Repubblica, Gualtiero rideva con quella risata piena di denti bianchi e perfetti, e io mi pentivo di aver nominato la mamma con lui che non se ne faceva scappare una.

Poi tornavo a casa tutto sporco, una cotoletta impanata nella terra rossa, e lei diceva *Io vorrei tanto sapere come fai tutti i giorni a sporcarti così*, e io non rispondevo ma la realtà era che lo facevo per lei, che ogni pomeriggio era un passo più in là nella scalata della società. Però era una salita ripida e polverosa, e più conoscevo la società e più avrei voluto starne lontano, perché se era brutta già qua figuriamoci lassù in cima, dove arrivavano solo quelli che nello sporco e nello schifo ci si muovevano benissimo. E allora era meglio fare come lo Zio Arno, che se ne stava nel suo campo e al posto del campanello aveva disegnato un teschio, e se qualcuno comunque lo cercava lui rispondeva con un colpo di fucile nel cielo.

Ma io non potevo, io dovevo continuare la scalata per la mamma, e anche per il babbo che un giorno si risvegliava e sai che sorpresa vedere dov'era arrivato suo figlio. E oltre a questo mi dava grande morale il pensiero che, appena diventavo presidente della Repubblica, la prima cosa che facevo era vietare il tennis in tutta la nazione. Mandavo l'esercito a minare i campi e i carabinieri a sequestrare le racchette casa per casa. Addio partite, addio lezioni, addio country club.

Sì, proprio così, mi immaginavo la scena e mi esaltavo già adesso. Anche se poi mi tornava in mente la maledizione della mia famiglia, l'unico grande ostacolo fra me e il potere. Perché i presidenti erano tutti gente vecchissima, che aveva più di quarant'anni, e io a quell'età rischiavo di andare fuori di testa, quindi addio presidenza e addio regime anti-tennis.

Ma alla fine il mio regime non è servito, perché prima di lui ci ha pensato il tempo. Che ha fatto l'unica cosa che il tempo sa fare: è passato, e tutto è cambiato. All'inizio c'erano tante persone che aspettavano per giocare nei quattro campi all'ombra degli alberi, allora hanno abbattuto quegli alberi per stendere altri due campi, solo che dopo un po' non ci andava più nessuno. Forse perché era finita l'ombra, forse perché era finito un momento della storia, in ogni caso la gente ha smesso di giocare a tennis e di giocare in borsa, la terra rossa l'hanno coperta col cemento e al posto del country club hanno piazzato un grande parcheggio, che però non era vicino a niente e invece delle macchine era pieno di spazzatura buttata lì, bottiglie spaccate e siringhe.

Io ogni tanto ci passavo con la bici e non lo capivo mica cos'era successo, ma mi dicevo che un senso ci doveva essere anche per questo, un senso c'è sempre per tutto, ed è forte e giusto e preciso nel mondo di oggi. Finché non arriva il domani, e di colpo questo senso non avrà più senso, e allora ce ne inventeremo un altro, poi un altro e un altro ancora. Tutti lanciati in volo lassù nel cielo, per poi cadere e picchiare a terra e rotolare via in qualche angolo sperso. Come tante palle che qualcuno raccatterà.

16
Il bosco delle seghe

L'uomo che visse nel futuro

Le mie vacanze erano passate così, il giorno a raccogliere le palle al tennis e la sera piatti e bicchieri alla festa dell'Unità, col Maestro Gualtiero che mi diceva di correre, gli zii che mi dicevano di correre, e io giuro che correvo ma non c'era verso di stare dietro a giugno luglio e agosto, scappati via in un lampo. Addio giochi sulla sabbia e tuffi in mare, addio al mio proposito di passare più tempo con quelli della mia età: quando il tennis ha chiuso e la festa dell'Unità ha smontato i tendoni ormai la spiaggia era vuota, niente ombrelloni e niente bagnanti, solo qualche gabbiano solitario e me, con la pelle bianchissima e la sensazione di essermi perso l'estate.

Ma non era così, era assai peggio. Perché poi è ricominciata la scuola e ho scoperto che, insieme all'estate, avevo perso il treno della vita.

Lì per lì non me ne sono accorto, ero troppo emozionato per queste famose scuole medie che stavo iniziando: nella storia della mia famiglia non c'era mai arrivato nessuno e allora già così ero diventato lo scienziato del Villaggio Mancini, un sapiente da interpellare nelle questioni complicate. Per esempio una sera dalla nonna, che siccome era tornata la televisione mangiavamo col telegiornale, intervistavano un signore coi riccioli neri e un cappello da vigile che si chiamava Gheddafi e parlava in arabo. Lo Zio Adelmo si è voltato verso di me e ha chiesto: «Oh, che ha detto?».

«Ma chi?»
«Gheddafi, che ha detto?»
«Boh, non lo so zio, non parlo mica l'arabo io.»
E lui: «Ecco, ti pareva. Ma a scuola che ci vai a fare?».
Io sono rimasto zitto, e la mamma ha detto: «Vabbè Adelmo, ma ancora deve cominciarle, le medie», però mi ha passato la pentola del purè con uno sguardo così pieno di delusione che nemmeno il suo sorriso riusciva a coprirlo. E allora qualche giorno dopo, quando al tg c'era Gorbaciov e mi avevano chiesto un'altra volta di tradurre cosa diceva, ho spiegato che il capo della Russia faceva i complimenti all'Italia per le feste dell'Unità, che erano bellissime e si mangiava e si beveva bene, e prima o poi voleva venirci a cena con la famiglia. E gli zii avevano alzato il pugno sinistro in aria e picchiato l'altro sul tavolo per la felicità, urlando: «Quando vuole, compagno Gorbaciov, ospite nostro!».
E pure la mamma e la nonna erano felici, perché magari Gorbaciov non gli piaceva, ma erano innamorate del loro piccolo studioso che sapeva tutto quanto.
Anche se in realtà io non sapevo proprio nulla. Giusto che cominciavano le medie, e invece di una maestra unica mi aspettavano tanti professori che forse sapevano meno di lei, perché ognuno insegnava una materia e basta. E oltre ai professori c'era una classe piena di compagni nuovi, che il primo giorno correvano e urlavano e si salutavano emozionati con pacche sulle spalle o schiaffi dietro la testa, eppure giuro che io sono arrivato e mi sembrava di essere solo. Perché quella non era mica una scuola, quella era una stazione, vuota e zitta e dimenticata: il treno della vita era partito, e io l'avevo perso.
Viaggia così, quel treno assurdo, si ferma e riparte quando gli pare, niente avvisi né orari stabiliti. Magari sta piantato nello stesso posto così a lungo che credi di restare lì per sempre, poi dal nulla fischia e riparte a razzo, e in un attimo ti trovi in una stazione nuova e misteriosa dove ogni cosa è diversa, soprattutto te: sei andato a letto che eri tu, ti svegli che sei qualcun altro.
Infatti quasi tutti i compagni erano gli stessi delle elemen-

tari, eppure per me erano degli sconosciuti. Sconosciuti e stranieri, abitanti di un mondo popolato da persone strane come quelle che incontrava lo Zio Aldo quando col camion visitava posti esotici tipo Parma, Rimini, Piacenza. Paesi strampalati dove le cose succedevano alla rovescia, il sole sorgeva dal mare e la sera spariva dietro i monti, il cocomero lo chiamavano *anguria*, e la gente poteva parlarsi per ore nella sua lingua senza che tu capissi una parola. Preciso identico a come succedeva qua fra i banchi, dove io ascoltavo e facevo di sì a molla con la testa, ma non avevo idea di cosa stavano dicendo.

C'era Sergio che di colpo aveva una nebbia scura sul labbro tipo baffi, parlava della Cristina ed era sicuro che lei ci stava, ma io non capivo dov'è che doveva stare. Poi ha detto che domenica al cinema bisognava trovare il modo di pomiciare, e io mi sono agitato perché sicuramente voleva dire che provavano a entrare senza pagare il biglietto, e godersi il film era impossibile col terrore fisso che ti beccassero.

Il mistero però è diventato totale quando è arrivato il Graziani, si è mezzo sdraiato sulla sedia e ha detto che gli faceva male la schiena, perché *ieri ho sverginato una con un ditalino*. Ha detto proprio così, e io ho riso e applaudito e ho urlato *grande* come tutti, ma cosa aveva detto, chi era diventato, com'ero capitato su questo pianeta assurdo mentre pensavo di andare a scuola?

Non ne avevo idea, e mi sentivo proprio come in un film che avevo visto una sera tardi quell'estate. Si chiamava *L'uomo che visse nel futuro*, e dentro c'era uno scienziato che alla fine dell'Ottocento costruisce un macchinario che sembra un po' un triciclo e un po' l'Ape dello Zio Aramis, però è una macchina del tempo. E infatti davanti al sedile c'è una leva, che se la mandi indietro ti porta nel passato e se la spingi in avanti viaggi nel futuro. E secondo me il mondo si divide in due, quelli che salendo su questa macchina sceglierebbero di spingere la leva avanti e quelli che indietro, e poi ci sono pure le persone come me che forse non la toccherebbero proprio, perché alla fine va bene così. Ma lo scienziato, essendo scienziato, è troppo curioso di vedere in che direzione va il progresso, allora spinge la leva in avanti e il calendario arriva all'anno 1944, così si ritrova in mezzo alla Seconda guerra mondiale, preciso sotto un bombardamento tedesco. Per salvarsi spinge ancora in avanti e salta più in là, ma è proprio sfortunato perché adesso sono gli anni sessanta e c'è una guerra ancora più tremenda, che non si capisce bene chi combatte contro chi ma al momento conta solo che gli scoppia una bomba atomica accanto, così forte che la terra si spacca e dalle crepe esce una specie di lava che sta per seccarlo. Allora lo scienziato si aggrappa alla leva e la butta avanti a caso, il calendario schizza velocissimo e si ferma alla data del 12 ottobre dell'anno 802.701. E lui per un attimo resta lì sul suo triciclo, ma quando trova il coraggio di scendere e farsi un giretto lo aspetta un mondo folle e sconosciuto dove lui non c'entra più niente, con persone tutte bionde e belle che parlano una lingua che per lo scienziato è solo un miscuglio di suoni.

Il film va avanti fra mille avventure in questo futuro lontano ed è proprio una meraviglia, se lo guardi in mutande sul divano con un ghiacciolo all'amarena. Se invece una mattina di settembre prendi la cartella e vai a scuola e ti ci ritrovi in mezzo, è tutto un altro discorso.

Mi muovevo reggendomi ai banchi, mi voltavo di scatto a ogni rumore, le mani mi sudavano e tremavano così forte che le ho nascoste nelle tasche dei calzoni. E lì ho trovato il mio tesoro. Il prezioso mazzo di figurine doppie che avevo accumulato nell'estate, e stamani ero pronto a scambiare con gli altri. Perché nel mondo che conoscevo io, alla vista di questo bendiddìo mi saltavano addosso già al cancello della scuola, scannandosi fra loro per decidere chi sceglieva per primo, attenti però a non sporcare con gli schizzi di sangue le sacre figurine dell'album dei dinosauri.

Lo facevamo tutti, l'album, da quel giorno di primavera che un signore fuori dalla scuola ce l'aveva regalato, quello dei dinosauri ai maschi e i Minipony alle femmine, insieme a una busta di figurine in omaggio per iniziarlo. E le mamme ci avevano detto di stare attenti e non dargli confidenza a quel signore, perché tante volte dietro alle figurine ci mettevano la droga, così tu le leccavi e di colpo diventavi un drogato e ti ritrovavi a passare le giornate nel parchetto giochi dietro le Poste, che in realtà nessuno ci giocava e c'erano solo questi signori mezzi sdraiati sulle panchine, sotto il sole e la pioggia, e quando passavi ti chiedevano con la voce storta se avevi uno spicciolo per un panino. Erano proprio fissati, coi panini, tutto il giorno pensavano solo a trovare i soldi per mangiarne un altro. Ma mi sa che la gente non era generosa, perché un panino in mano non gliel'ho visto mai, ed erano tutti bianchi e magrissimi. Anche se li guardavo appena, mentre passavo di corsa, e non avevo il coraggio di chiedergli quale album meraviglioso li aveva portati lì.

Ma adesso non aveva più senso saperlo, come non avevano senso le figurine che avevo in tasca. Era tutto finito, per questa gente nuova del futuro i miei doppioni non valevano nulla, e io ero come la Signora Olga che si tuffava per la strada a raccogliere cartacce pensando che fossero soldi. La mia tasca era gonfia di quadratini di carta senza senso, nati per essere appiccicati a un mondo inutile e scemo che i miei compagni avevano buttato via nella discarica del passato.

La stessa discarica dove rischiavo di finire io, se non mi davo subito una mossa.

Avevo già perso troppo tempo, e allora adesso dovevo fare come lo scienziato nel film, che comincia a frequentare queste persone biondissime e diverse e piano piano impara la loro lingua e la loro vita. Li segue fra gli alberi mentre raccolgono frutta succosa e dolcissima, poi lungo il fiume dove si stendono a mangiarla, e io uguale seguivo i miei compagni nel corridoio della scuola, a commentare con parole assurde cose ancor più assurde tipo il corpo delle ragazze che passavano, quanto era gonfia davanti la maglietta di una o dietro i pantaloni di un'altra, per poi andare nei bagni a disegnare piselli coi pennarelli e cose più strane che dovevano essere le passere di quelle ragazze, ma più che altro sembravano occhi con le sopracciglia intorno. Occhi senza pupilla che mi fissavano vuoti e paurosi, accanto a scritte tipo CRISTINA PRENDI IL MIO UCCELLO o LAURA TI VOGLIO SCOPARE, messaggi già senza senso in generale, ma ancora di più se li lasciavi per le femmine sui muri del bagno dei maschi.

Ma comunque, anche se era immersa nel mistero e nell'odore dei bagni, la mia avventura andava meglio di quella dell'Uomo che visse nel futuro. Perché lui a un certo punto scopre questa cosa tremenda, che nel futuro sono tutti belli e felici e senza pensieri, ma sottoterra vive un'altra popolazione che invece è fatta di bestioni pelosi che si chiamano Morloch, e loro sono i veri padroni del mondo. Infatti ogni tanto suonano una sirena e qualche biondo terrestre deve andare all'entrata del loro regno, dove i Morloch aprono i cancelli e lo prendono e se lo mangiano.

Ma è normale, quello era un film, ci voleva per forza il colpo di scena, così lo scienziato deve farsi coraggio e scendere là sotto a rischiare la vita nel grande finale. Io invece mi sentivo più tranquillo, perché la mia avventura si svolgeva fra i corridoi e i bagni e gli spazi precisi della vita reale, che non è mai così imprevedibile.

E giuro che la pensavo davvero, questa scemenza, ci credevo proprio. Ma forse era per colpa di tutte le palle da tennis che avevo preso in testa quell'estate. Perché invece lo sanno tutti che i film possono essere esagerati fino al limite dell'immaginazione umana, ma nessuna fantascienza sarà mai così assurda come la realtà.

E infatti alla fine di quel primo giorno, mentre tutti spingevano tutti per uscire dal cancello e scappare via, io ricominciavo a respirare pensando al Villaggio Mancini che mi aspettava sempre uguale e senza cambiare mai. Ma ecco che il Graziani alza le mani e ci guarda, guarda pure me, e urla: «Oh, ragazzi, allora ci si vede oggi eh, tutti al bosco delle seghe!».

Così ha detto, parola per parola. E io non sapevo dove stava quel bosco, e ancora meno cosa ci andavamo a fare. Sentivo solo, lontana eppure chiarissima, una sirena che suonava nell'aria. Erano i Morloch, che aprivano l'entrata di un regno sotterraneo e spaventoso, e io dovevo scendere a esplorarlo fino in fondo.

Però ecco, non ero proprio così indietro, qualcosa sulle seghe lo sapevo. Gli zii e i loro amici le nominavano in continuazione, dicevano sempre *Mi importa una sega, Non vale una sega* o *Fammi una sega*, e pure a me che ero piccolo certe volte mi chiamavano *Mezza sega*. Era insomma l'opposto di una parola nuova, e sapevo anche che c'entrava in qualche modo col sesso. Ma il problema era proprio questo, che io del sesso non sapevo nulla: come si faceva, il sesso? E come si faceva una sega? Ma soprattutto, perché?

Domande che mi avevano foderato la testa per tutto il pranzo, mentre la mamma e la nonna mi chiedevano mille cose su com'erano la scuola e i professori e se avevo fatto amicizia con dei compagni nuovi. Io ho risposto a caso e con un angolino striminzito del pensiero, poi ho preso la bici e sono partito, perché a distanza di poche pedalate c'erano le risposte che servivano a me, anche se più mi avvicinavo e meno ero sicuro di volerle.

Sergio mi aveva spiegato dove stava il boschetto, proprio dietro all'ospedale dove dormiva il babbo e andavo a leggere i nostri manuali, che ci insegnavano tantissime cose su qualsiasi argomento tranne il sesso. Cioè, qualche accenno l'avevo trovato, in *L'ABC del pastore, Piccoli volatili trovatelli* e soprattutto in *L'allevamento dei bovini* di Enzo Marcolini, ma speravo che fra esseri umani la storia fosse un po' diversa da quella descritta lì:

Le vacche vanno condotte al toro quando sono nel periodo del calore, essendo questa l'epoca propizia per la fecondazione e in cui ricevono volentieri il maschio... I sintomi del calore sono ben noti: irrequietezza, frequente muggito, desiderio della femmina di saltare sopra le altre vacche.

Parole che, invece di farmi capire, mi confondevano ancora di più. Ma è normale, queste non erano cose da imparare sui manuali, ci sarebbe voluto il mio babbo in persona che si tirava su dal letto e finalmente me le spiegava per bene.

Solo che il babbo stava zitto e immobile, e uguale io adesso, davanti a questo cancello chiuso a catena con le bici dei miei compagni appoggiate. Lo guardavo e mi sembrava una bocca gigante piena di denti cariati e storti, che rideva di me.

Pure lo scienziato di quel film era rimasto così, davanti all'ingresso dell'Inferno sotterraneo dove lo aspettavano i Morloch, poi però si era fatto forza ed era entrato. E io magari non ero uno scienziato e non lo sarei diventato mai, perché con la matematica avevo litigato il giorno che me l'avevano presentata e non ci parlavamo più, ma insomma anch'io stavo viaggiando nel tempo, e un cancello lo sapevo scavalcare, allora ho stretto le stecche rugginose, ho ingollato l'ultimo respiro che mi restava e poi via, dentro il mistero.

Nel fitto sempre più fitto del bosco, coi rovi che si aggrappavano ai pantaloni e al giacchetto come amici spinosi che cercavano di trattenermi, e mi parlavano come la Natura e gli animali parlavano a San Francesco. Mi dicevano *Non andare Fabio, non andare,* però io avevo un treno perso da recuperare, e una maledizione nel sangue da sconfiggere, allora me li staccavo di dosso e andavo avanti. E intanto mi palpavo la tasca dove stava ancora il mazzo delle figurine doppie, nella speranza che magari l'aria fresca del bosco avesse ossigenato il cervello dei miei compagni ricordandogli quali erano le cose davvero importanti nella vita.

E però no, l'ossigeno non era servito a nulla: poco più in là i rovi finivano e gli alberi si allargavano in uno spiazzo che chiudevano a cerchio, e a ogni albero di quel cerchio c'era un mio compagno dritto in piedi, la faccia verso il fusto, proprio a un palmo dalla corteccia. E per un attimo, bruciando il mio ultimo fiammifero di speranza, mi è venuto da pensare che magari anche loro avevano letto *Alberi e arbusti. Manuale di riconoscimento,* così si erano ritrovati qua per dedicarsi allo studio della vegetazione mediterranea. Giuro, per un secondo ci ho sperato. Ma se è vero che la speranza è l'ultima a morire, prima o poi il suo turno arriva comunque. E il suo turno era adesso, quando mi sono avvicinato a guardare se stavano esaminando pezzi di corteccia o foglie o bacche, e invece si tenevano tutti il pisello in mano.

Giuro, ognuno appiccicato a un albero, a toccarsi il pisello. E mi hanno salutato tranquilli come se fossero a scuola, poi mi hanno detto di andare al mio posto. Mi sono guardato intorno e c'erano due alberi liberi, un platano e un altro più scuro che non sapevo cosa fosse. Sono andato al platano, a un palmo dal fusto, dritto come stavano loro, cercando di capire cos'era che li emozionava tanto in quello spettacolo. Solo dopo un minuto ho visto per terra quei fogli, pagine strappate di giornali con le foto e qualcuna a fumetti. Mi sono abbassato a prenderle ma erano tutte appiccicate fra loro e un po' sciupate dall'umido, però si vedevano pezzi di donne nude messe in modi strani, e pezzi di uomini nudi che gli stavano aggrappati.

«Ma sono vostri?» ho chiesto a Sergio lì accanto, che mi ha risposto solo dopo un po', con la voce che gli tremava insieme alla schiena.

«No. Erano qui. Ce li lasciano i grandi la notte.»

E io avrei voluto chiedergli chi erano i grandi, e cosa ci venivano a fare qua nel bosco di notte. Ma già Sergio mi aveva risposto a fatica e con l'affanno, e poi forse era meglio non saperlo cosa facevano i grandi di notte, in questo bosco dove gli alberi crescevano secchi e storti. E soprattutto, non potevo perdere altro tempo.

Il treno scappava, la maledizione arrivava, allora basta scemenze, basta pensieri strani, ho posato per terra quelle pagine macchiate di mistero, ho aperto la cerniera dei calzoni e ho tirato fuori il pisello anch'io.

E lui è uscito tutto stranito e sperso nell'aria umida del bosco, a domandarsi che senso aveva stare qui fuori se non doveva fare la pipì, aspettando da me spiegazioni sul da farsi. Solo che io non ne avevo idea, anzi l'avevo cercato nelle mutande sperando che lo sapesse lui. Allora siamo rimasti così, a guardarci fra noi, confusi e storditi in questo cerchio assurdo in fondo a un bosco, nella prima brezza fredda che dal nulla soffiava via l'estate: la vita è così, non puoi mai abituarti a una cosa che subito passa, subito diventa qualcos'altro.

Ma i miei compagni in questo qualcos'altro si muovevano

benissimo, rivolti al loro albero e col braccio che si muoveva in modo corto e sempre uguale, così veloce che i giacchetti di nylon facevano un rumore strusciato e continuo come quello delle cicale o dei grilli, che in effetti cantano proprio così, strusciandosi forte le zampette addosso. Tanti animali che facevano la stessa cosa tutti insieme, una cosa naturale e quindi normale, e anch'io volevo far parte di questa normalità. Allora senza girare troppo la testa ho storto gli occhi verso Sergio, e ho provato a copiare quel che faceva lui.

Tipo nei compiti di matematica, che se nel mondo esisteva un campo buio come questo bosco era proprio lei. Solo che il compito di oggi era centomila volte più importante, perché lo so che a scuola ti dicono che la matematica ti insegna a ragionare e quindi ti aiuterà tantissimo nella vita, però è una scemenza. Anzi, se c'è una cosa che con la vita non c'entra proprio niente è la matematica, e affrontare i mille casini improvvisi del destino usando i suoi ragionamenti rigidi e i suoi schemi generali è come stare in mezzo all'oceano in tempesta e provare a salvarti indossando un bel cappotto di cemento, e insistere con uno stile di nuoto perfetto mentre le onde ti prendono e ti ribaltano e ti frullano via dal mondo.

Invece il compito di oggi era importante davvero, in quest'aula con gli alberi al posto dei banchi, i giornali di donne nude al posto dei libri e il pisello al posto della penna. E se non imparavo subito a farlo bene, la vita mi avrebbe bocciato senza pietà.

Allora spiavo Sergio e muovevo il braccio come lui, provando a far frusciare il giacchetto con lo stesso suono mentre mi tiravo il pisello di qua e di là come un elastico. Me lo guardavo e mi dispiaceva per lui, tormentato come un lombrico da mettere all'amo, col rischio magari che qualche merlo dai rami lassù lo scambiasse davvero per un verme succulento e si tuffasse a portarmelo via, mentre fino a un attimo prima se ne stava spensierato e comodo al caldo nelle mutande, con l'unica preoccupazione di fare la pipì ogni tanto.

Ma forse, a pensarci bene, era proprio questo che facevano gli altri: certo, io mi immaginavo le cose più folli e invece loro stavano solo cercando di fare la pipì contro un albero. Infatti ogni tanto nel fruscio dei giacchetti infilavano qualche mugolio di piacere dalla gola, proprio identico a quando ti scappa fortissimo la pipì e alla fine la fai con quell'*ohhh* di soddisfazione che saliva qua e là dal cerchio nel bosco.

E adesso magari non mi scappava, ma se continuavo a tenerlo in mano e mi concentravo, un po' di pipì la tiravo fuori di sicuro. Come Sergio qua accanto a me, che mugolava sempre di più e alla fine ha allargato le gambe, ha piegato la schiena all'indietro e ha fatto *Oh! Oh!* così forte che mi sono preoccupato. Perché magari l'aveva punto una vespa o morso una vipera, allora senza volerlo gli ho chiesto «che succede?» e lui con la voce rotta, come uno che sta per piangere e insieme si strozza, mi ha risposto «vengo, oh sì, vengo!».

E io mi sono immaginato Sergio lì a un passo da me col pisello di fuori, che cominciava a fare la pipì e si agitava e intanto mi diceva che veniva, e dal cuore mi è venuto da urlare questa cosa che a me sembrava ovvia e serissima, però i miei compagni l'hanno presa per una battuta e sono scoppiati a ridere forte, quando Sergio col pisello in mano mi ha detto «vengo, oh sì, vengo!» e io sono saltato indietro e gli ho gridato «no, per piacere non venire, stai fermo lì dove sei!».

Poi finalmente ci siamo richiusi la zip dei pantaloni e siamo venuti via da quel bosco spaventoso, e mi hanno chiesto mille volte di ridire la mia battuta, e ridevano e mi davano pacche sulle spalle, e io ero felice anche se con tutto il lavoro che avevano appena fatto con quelle mani non era il massimo dell'igiene. Perché non avevo capito cosa c'era di tanto comico nella mia risposta, e non mi era venuto nemmeno un goccio di pipì, però nessuno se n'era accorto e questo era l'importante. Il treno filava a tutta velocità, ma in qualche modo ero riuscito a saltarci sopra al volo. Senza biglietto e senza un posto per me, tipo un clandestino della vita, ma intanto ero a bordo e nessuno mi aveva scoperto, e allora tutto bene.

E invece no, tutto bene proprio per niente: ero tranquillo perché avevo ingannato i miei compagni nel bosco delle seghe, ma era facile in un vagone dove c'erano solo maschi.

È come risalire i fiumi inesplorati dell'Amazzonia, e sentirti tranquillo perché ti sei messo la crema contro le zanzare. Senza pensare che dentro quei fiumi ci vivono le anaconde, che sono serpenti grossi come pulmini e se ti abbracciano ti strizzano via l'anima come il dentifricio da un tubetto. E ci sono gli alligatori che ti troncano in due con un assaggio, e anguille elettriche che quegli alligatori se li friggono per cena.

E così, allo stesso modo, sul mio treno c'erano le femmine.

Che sono la specie più intelligente del pianeta. Sono come i delfini le femmine, mentre i maschi sono al massimo come gli elefanti. Però agli elefanti veri non gliene importa mica, loro vivono nella savana e lì non c'è rischio di incrociare un delfino. Come per me nella vita fino a oggi, dove le femmine erano un mondo inutile e lontano da noi quanto l'oceano dalla savana. Adesso però era tutto cambiato, uno tsunami tremendo aveva portato le sue onde fino qua e la savana era allagata, i baobab millenari tutti sommersi, sommerse le pianure smisurate e senza pensieri. E delfini, tanti delfini dappertutto.

Ma io non me ne ero accorto, infatti quel pomeriggio mentre uscivo dal bosco mi sentivo tanto leggero, e ho pedalato fino a casa fischiettando.

Poi però è passato qualche giorno, e come ogni cosa grossa che non ne sai nulla e non ti sfiora nemmeno, quando la sai ti arriva addosso tutta intera, e ti spiaccica.

"Voi non piacete a nessuna"

Il suo campanello non faceva *dlin dlon*, ma una musica che era famosa e però io la sentivo solo quando suonavo a casa sua, allora magari era di Mozart o Beethoven o uno di quelli lì, ma per me era la musica del Piccolo Massimo, la sigla di inizio dei sabati pomeriggio con lui.

L'avevo conosciuto da poco, era uno dei miei compagni di classe nuovi, però sembrava un bimbo di prima elementare. Perché una sera a sei anni Massimo era uscito di casa a prendere il suo gattino, che stava in giardino e c'era il temporale. Il gattino si chiamava Mirtillo, e Massimo dalla porta gli diceva *Mirtillo, vieni qui Mirtillo, qui!*, però lui non ci andava, restava nell'erba e miagolava di paura e si bagnava tutto. Allora Massimo era corso fino là e l'aveva preso in braccio e stavano tornando dentro veloci, ma ancor più veloce è stato il fulmine che dal cielo gli si è piantato addosso. O magari addosso a Mirtillo, che infatti non se n'è ritrovato nemmeno un pezzetto, invece Massimo era finito a testa in giù dentro la siepe. Non era morto, però da quel giorno non era più cresciuto di un millimetro e nemmeno di un grammo. Era rimasto così, solo più storto da una parte, una spalla più su dell'altra, una gamba corta e secca, un occhio storto puntato verso il naso e verso l'altro occhio, come per controllare che almeno lui funzionasse bene.

Insomma, la Morte gli era passata accanto, anzi l'aveva proprio investito e gli aveva lasciato un sacco di segni, però il Piccolo Massimo stava ancora qui. E questa era una fortuna per lui ma anche per me, che lo conoscevo solo da qualche giorno eppure eravamo già diventati compagni di banco e migliori amici.

Avevamo tanti interessi in comune, come la Natura e i fumetti e i film dell'orrore, e cercare di evitare schiaffi e calci degli stessi compagni prepotenti. E poi, a tutti e due mancava il babbo. Cioè, io ce l'avevo, da quasi due anni dormiva in un letto con le macchine attaccate, però bastava avere un po' di pazienza e sarebbe tornato da me. Il suo invece l'aveva schiacciato un camion sull'autostrada, e allora c'era meno da sperare. Ma insomma, avevo un migliore amico ed era bello così, finalmente andavo in giro con uno della mia età, e non era un problema se sembrava un bimbo di sei anni.

Il vero problema era che la sua mamma non lo mandava in giro volentieri. Perché già le mamme di tutto il mondo si preoccupano fisse, ma quando tuo marito lo schiaccia un camion e tuo figlio lo prende un fulmine in giardino, ecco, mi sa che è normale se diventi un po' apprensiva e preferisci averlo sempre a casa. E però aveva anche paura che stesse troppo solo, allora per attirare gli altri ragazzi aveva trasformato la casa in una specie di sala giochi, così anche se l'unico vero amico di suo figlio ero io, il sabato pomeriggio tutti andavano a giocare dal Piccolo Massimo.

Con biliardino e ping pong e pure un vero flipper, vassoi interi di panini con sopra lo stuzzicadenti fatto a bandierina, paste e bomboloni, Coca-Cole e aranciate e spume. In questo modo lui stava a casa al sicuro, però con tanta compagnia intorno, di classe nostra e di classi diverse e altri che non sapevano nemmeno di stare a casa sua.

E invece, in questo sabato di ottobre, arrivo dal Piccolo Massimo e non c'è nessuno.

«Sono tutti a una festa» mi ha detto lui tranquillo.

«Ma come una festa, che festa!»

«A casa di Katia.»

«Ma perché, è il suo compleanno?»

«No. Penso di no.»

«E allora scusa che festa è.»

Massimo mi ha guardato un attimo con l'occhio buono, poi ha alzato la spalla che riusciva a muovere. «Ho sentito dire che faceva una festina.»

«Una festina? Ma cos'è una festina!»

«Non lo so, e non mi interessa. Vedrai che mettono la musica, ballano.»

«*Ballano?*», e mi sembrava assurdo già solo dirlo, *ballano*. Che delle persone vanno a casa di qualcuno e di colpo si mettono a ballare. La gente ballava solo in certi film noiosissimi, ballavano le donne poco vestite alla tv, mica le persone normali nella vita normale.

«Ma poi scusa, se non è il suo compleanno, come mai Katia fa questa festina proprio oggi? Che senso ha, e a che ora, e chi è che balla, e dove, e...», e continuavo a buttare lì pezzi rotti di domande, per non fare l'unica che importava davvero: perché noi non eravamo invitati?

Non poteva essere vero, non doveva. Il Piccolo Massimo aveva capito male, quel fulmine gli aveva scombinato tante cose e forse pure le orecchie, era per forza così. Lo guardavo e lui guardava me, e già era difficile con quell'occhio stortissimo che puntava chissà dove, ma era pure tanto inutile, visto che lui era l'unico al mondo che ne sapeva meno di me. E allora, purtroppo, quel che dovevamo fare era andare in salotto e telefonare a casa di Katia.

Ho fatto il numero col dito che tremava, ho messo la cornetta nell'aria fra me e Massimo e ogni squillo libero suonava come il fischio di un treno, quando lo vedi passare veloce nelle praterie del destino e sai che non lo riprenderai mai più.

Massimo invece stava lì e sorrideva, tranquillo come sempre. Ma in fondo lo capivo se a lui non gliene importava tanto: Massimo il treno della vita non è che l'aveva perso, lui non si era mai nemmeno avvicinato alla stazione. Quella sera che aveva sei anni, il fulmine l'aveva spedito nella siepe e insieme in un campo sperso e lontano, dove i treni non li vedevi e non li sentivi e non incontravi nemmeno i binari. Cosa gliene importava a lui?

A me però importava tantissimo, strizzavo la cornetta del telefono come l'ansia mi strizzava il cuore, e ogni squillo che scoppiava a vuoto era un addio sempre più definitivo al viaggio della vita. Con destinazione finale la mia maledizione, arrivare a quarant'anni senza essermi sposato e forse senza aver mai baciato una donna, pronto a uscire di testa ed entrare in manicomio.

E poi, di colpo, questo schiocco elettrico dal telefono, e la voce di Katia che dice: «Pronto?». Anzi, lo urla, con sotto altre urla e risate e una musica altissima che va.

«Scusa Katia, ciao, sono a casa di Massimo e siamo noi due soli, e...»

«Pronto, chi parla!»

«Sono Fabio» dico. E nell'abisso di silenzio che segue, capisco che bisogna aggiungere: «Sono Fabio di classe tua».

«Ah.»

«Sì, ecco, e... e sono qui da Massimo, che dice che gli altri sono tutti da te perché c'è una festa, ma non è vero. Vero?»

Lo chiedo, ma insomma, se telefoni a qualcuno per sapere se c'è una festa, e glielo devi chiedere gridando perché dall'altra parte c'è un casino di risate e musica a tutto volume, non serve mica tanto ascoltare la risposta.

Eppure, lo giuro, sentirla mi ha fatto male lo stesso. Perché non era la voce di una che si scusa, che ha fatto di nascosto una cosa tremenda e viene smascherata, non è un assassino che dopo ore di interrogatorio crolla e si copre la faccia e tra le lacrime frigna *È vero, è proprio così, ma giuro che non volevo, non volevo!* No, quando finalmente ha capito quello che le domandavo, Katia ha risposto solo sì, tranquilla, come se fosse la cosa più normale del mondo. Anzi, poi ha pure aggiunto: «E allora?».

«E allora Katia, boh, non lo so, ho pensato che magari noi... siccome io stamani alla campanella sono scappato di corsa, perché dovevo andare con mio zio a cercare i funghi e... e insomma, quando hai invitato tutti magari io non c'ero più, e nemmeno Massimo, e allora è per quello che noi due non lo sapevamo, della tua festina.»

Questo ho detto, questo speravo. Ma di là, secca e precisa, così totale che per un attimo mi è sembrato che lo stereo si fosse rotto e i fortunati invitati fossero rimasti senza risate e senza balli, prima di appendere Katia ha risposto:

«Voi due non siete invitati perché siete strani e non piacete a nessuna.»

Così, parola per parola, versate gelide e insieme incendiarie dentro al telefono e schizzate lungo i fili che le avevano fatte arrivare fino qua, nel salotto pieno di giochi inutili e vuoto di persone, per schiantarsi addosso a me come il fulmine che aveva preso il Piccolo Massimo, lasciandomi lì secco, senza più crescere, senza più un centimetro possibile in avanti lungo la strada della vita.

A guardare il mio migliore amico nel suo occhio buono, mentre l'altro insisteva a fissare in quel suo verso storto, che forse era la direzione sbilenca dove andava il suo destino, e purtroppo anche il mio.

Perché siete strani, perché non piacete a nessuna.

È tutto così semplice da capire, quando non vorresti capire nulla.

17
Lupo tra i lupi

Erano passati i mesi e pure due stagioni, ma si trattava dell'autunno e dell'inverno e allora al Villaggio Mancini, come nella Natura, non era successo molto. Il babbo dormiva ancora e la mamma e la nonna continuavano a pulire le case del paese, gli zii dietro ai loro traffici strani e io un po' con loro un po' a scuola, dove insieme al Piccolo Massimo stavo a guardare il treno della vita che ormai correva lontano laggiù.

Ma insomma, a parte questo non era capitato quasi nulla in quei mesi freddi, come se il destino fosse andato in letargo tenendosi tutto dentro. Fino a oggi, che era il 21 marzo e cominciava la primavera, e la roba che non era successa in tanto tempo stava per rovesciarsi addosso a noi tutta quanta insieme.

***

La morte arriva all'improvviso e falcia tutti
alti e bassi, bianchi e neri, belli e brutti
e leggera come un volo di colomba
Sorella Morte ci rinchiude nella tomba...

Così, cantata in coro a tutta voce, la canzone picchiava nello stretto dei finestrini come una pallina nel flipper, che rimbalza da tutte le parti ma poi finisce sempre in buca. E la buca erano le mie orecchie, e io l'unico che non cantava, solo guardavo il mattino di passo là fuori, ancora così buio da poterlo chiamare notte. E avevo sonno, e mi scappava tantissimo la pipì.

L'avevo fatta a casa, l'avevo rifatta di nascosto nel piazzale della chiesa prima di partire, eppure mi scappava ancora. Ma non era colpa mia, era colpa degli indiani. Che la Signora Stella al mercato aveva sempre un sacco di libri su di loro, e quando ne pescavo uno si esaltava perché secondo lei gli indiani avevano capito tutto della vita, ed è per questo che li abbiamo ammazzati. E fra le tante cose che gli indiani avevano capito, c'era pure questo trucco per svegliarsi presto la mattina e sorprendere i cowboy nel sonno: prima di dormire bevevano tanta acqua, così a un certo punto ci pensava la pipì a svegliarli. E io stamani non dovevo attaccare nessun cowboy, però c'era la gita di inizio primavera per i ragazzi della cresima, si partiva all'alba e mi era presa paura che la mamma rimaneva addormentata e la sveglia non funzionava e io mi perdevo questa giornata, allora dopo cena avevo bevuto tutta l'acqua che mi entrava nella pancia e anche di più. Solo che forse gli indiani erano gente molto rilassata, e la sera prima di un assalto si addormentavano senza problemi. Io invece avevo passato la notte a rigirarmi e andare in bagno, e l'ultima volta non ero nemmeno tornato a letto, mi ero vestito e lavato e quando la mamma si era alzata stavo già seduto in cucina ad aspettarla.

E anche adesso stavo seduto, però qua dietro sulla Fiat Uno di Padre Domenico, con le gambe strette per non far uscire la pipì e le orecchie tappate per non far entrare questo coro scalmanato, che come i cowboy non conosceva la tregua e la pietà.

Sorella Morte portatrice di dolore
Sorella Morte che colpisci con furore
Sorella Morte falciatrice del mio cuore

E sarà stata questa canzone così sinistra, o le curve che si attorcigliavano addosso ai primi monti e mi facevano rotolare lo stomaco di qua e di là, però a ogni tornante la paura di perdermi questa gita si trasformava sempre più nel timore che avessero ragione gli zii, a dirmi che venire in montagna coi preti era un rischio mortale.

Perché i monti sono stupendi e pieni di meraviglie, ma sono anche stracolmi di pericoli se non ci vai con le persone giuste, e le persone giuste ovviamente erano loro. Che sapevano come sopravvivere se ti attaccava un cinghiale o un lupo, se ti mordeva una vipera o ti cadeva addosso un castagno, se si scatenava una tempesta o precipitavi in un crepaccio. Andarci con delle persone normali, invece, secondo gli zii era un grande rischio. Andarci con un prete, una suora e un paio di catechisti era direttamente un suicidio.

La mamma e la nonna però mi ci avevano mandato lo stesso, perché era una cosa organizzata dalla chiesa e fra poco facevo la cresima e loro erano felicissime, anche se la montagna le spaventava assai. Da casa nostra le Alpi Apuane erano così vicine là dietro che in certe mattine pulite allungavi la mano e gli potevi fare le carezze, però noi eravamo gente di mare e quei monti li guardavamo appunto solo da casa, e già il cavalcavia sopra l'autostrada era un'altitudine che consigliava l'uso delle bombole di ossigeno.

E in effetti una bombola ce l'avevamo anche qua, sull'auto di Padre Domenico, così grossa che serviva da sedile posteriore, ma era proprio lei che mi faceva paura più di tutti i monti del mondo messi uno sopra l'altro. Perché dentro non c'era mica l'ossigeno: qua si cantava e si batteva le mani, ma stavamo viaggiando seduti su un bombolone pieno di gas, a bordo della Uno di Padre Domenico che in parrocchia era meglio nota come "l'auto-bomba".

Sarebbe stato meglio salire sul pulmino come gli altri, però io appunto ero arrivato così presto che sul piazzale c'era solo Padre Domenico. «Bravo Fabio!» mi aveva detto, «mattiniero come me! Salta a bordo, viaggiamo insieme!», e tutto felice mi aveva aperto lo sportello di questa bara a quattro ruote. Poi erano arrivati gli altri ragazzi, e io li guardavo dal finestrino come un condannato a morte da dietro le sbarre, mentre le loro mamme li scortavano fino al pulmino facendoli passare lontani dalla Uno.

Dove il Padre, aggiustando lo specchietto, mi fa: «Allora, una bella preghiera prima di partire, così il Signore guiderà insieme a noi!».

E lì per lì mi era sembrata una cosa buona, avere il Signore come guida. Poi però ho ripensato al Signor James Dean, che era un attore di tanto tempo fa e la mamma era innamorata di lui, e mi raccontava sempre che aveva due occhi bellissimi e un'auto velocissima, con sopra scritto DIO È IL MIO CO-PILOTA, proprio come noi adesso. Solo che forse Dio sa fare tante cose ma guidare no, perché una notte James Dean aveva fatto un incidente e c'era rimasto secco. E allora, quando abbiamo finito la preghiera e l'auto si è accesa con uno scossone, giuro che stavo per saltare fuori dal finestrino.

Ma poi da dietro ho visto arrivare i tre Super Devoti, sono saliti sulla macchina con noi e allora mi sono tranquillizzato: adesso Dio doveva proteggerci davvero, non poteva far succedere nulla di brutto ai suoi figli preferiti, così sicuri della salvezza che tutti allegri continuavano a cantare questa canzone piena di lutto.

Sorella Morte che da sempre l'uomo mordi
Sorella Morte di nessuno mai ti scordi
Gesù ti prego resta qui con me stasera
se col buio vien da me la morte nera

I Super Devoti erano praticamente tre piccoli monaci, e il pomeriggio se passavi dalla parrocchia sentivi il rimbombo delle loro voci dallo stanzino dove si riunivano a pregare. Ma pure la mattina a scuola, approfittavano della ricreazione per mettersi in un angolo e via con le preghiere. Perché gli piaceva, ma anche perché avevano così tante prenotazioni da non poter perdere un minuto: le persone del paese quando avevano un problema andavano da loro e glielo raccontavano, e loro tre studiavano il caso e decidevano quali preghiere servivano, a quale santo affidarsi, o se era una cosa troppo seria e bisognava rivolgersi direttamente a Gesù o addirittura a Dio in persona, passando magari dalla Madonna che ci mettesse una buona parola.

All'inizio era una roba piccola, poi un giorno due fratellini giocavano a vendere i loro giornaletti usati davanti casa e un signore con l'Ape gli era passato sopra. Il dottore aveva detto alla loro mamma che la situazione era grave, che erano nelle mani del Signore, e allora lei era corsa dai Super Devoti e loro si erano messi a pregare più forte che potevano, tutta la notte senza dormire. Il mattino dopo ne avevano già salvato uno, e la gente gli diceva *Coraggio, coraggio ragazzi, ce la potete fare!* e loro avevano continuato a pregare così tanto da sudare, e alla fine i fratellini si erano salvati tutti e due. La storia era arrivata ovunque e pure sul "Tirreno" e "la Nazione", e da quel giorno le persone della Versilia intera, quando avevano un problema, correvano dai piccoli Devoti.

Ma anche senza problemi, la gente veniva lo stesso ad ascoltarli perché erano uno spettacolo. Pregavano insieme e le loro voci diventavano una sola, poi pregavano a turno passandosi la Parola del Signore come in una specie di staffetta. E infatti se ai Giochi della Gioventù ci fosse stata una gara di preghiera, i Super Devoti avrebbero vinto di sicuro la medaglia d'oro. Invece c'erano la corsa e il salto in alto e tutte quelle specialità che per essere bravi ci vuole un fisico atletico o almeno un fisico decente, e in questo i Super Devoti non erano super per niente.

Jolanda era la più grossa dei tre, ma anche degli altri due messi insieme, e forse per pareggiare la bilancia bisognava metterci sopra la macchina di Padre Domenico, dove adesso stava seduta lì davanti accanto a lui e copriva l'orizzonte. Aveva sempre la stessa tuta da ginnastica rossa, come rossi erano i capelli gonfi e grossi tipo corde arricciolate, schiacciati sotto il berretto che portavano tutti e tre, azzurro e con una croce dorata in mezzo e la scritta SUPER DEVOTI, dono esclusivo e preziosissimo del Vescovo di Pisa in persona.

Il secondo era Manuel, che era appena più grande di noi e infatti aveva una muffa sulla faccia che poteva essere barba. Ma quella muffa forse gli cresceva anche dentro la testa, perché sorrideva sempre da sé con gli occhi per aria, come a delle battute che sentiva solo lui. Si muoveva a scatti, e quando parlava la sua lingua litigava con le labbra e si capiva male, infatti recitando le preghiere diceva tipo *Padrennòffo cheffèi nei fèli, fia fantificato iffùo nome...* e a sentirlo ti veniva da ridere, ma dovevi trattenerti con tutta la forza perché una volta alla messa di Pasqua un ragazzino aveva riso mentre Manuel leggeva un salmo all'altare, anzi gli aveva fatto proprio l'imitazione, e Manuel non se n'era mica accorto ma Dio sì, infatti poi il ragazzino era tornato a casa e aveva trovato il suo gatto schiacciato in mezzo alla via.

Ma il più super dei Super Devoti era il terzo, e io lo conoscevo bene perché era proprio il Piccolo Massimo. Il mio migliore amico dal primo giorno di scuola, e se c'era una festa, un'uscita di gruppo o un giretto di classe noi stavamo sempre insieme, sempre soli da un'altra parte.

Ma se i compagni di classe non ci consideravano, le persone che chiedevano aiuto ai Super Devoti cercavano soprattutto lui. Perché la sua voce era fine e debole come l'ultimo respiro di uno scoiattolo che muore di freddo in una pozzanghera, però le sue preghiere arrivavano più vicine all'orecchio di Dio, visto che quel giorno del fulmine addosso si era già fatto una gita nell'Aldilà, e poi era tornato da noi.

Un po' come la gita che stavamo facendo oggi, seduti stretti sull'auto-bomba, con la speranza di riuscire a tornare indietro anche stavolta.

Sorella Morte che ci liberi dal male
che ci porti finalmente al Tribunale
dove saprò se la mia anima è salvata
e in Paradiso potrà vivere beata

Cantavano e pregavano, pregavano e cantavano, ogni curva una preghiera, ogni preghiera un desiderio. E devo dire che i Super Devoti funzionavano proprio, anche più di quel che speravo. Perché il mio desiderio era arrivare vivi, invece dopo qualche chilometro è successa una cosa diversa che non mi aspettavo per niente, ma è stata cento volte meglio: il pulmino dietro ha cominciato a suonare il clacson, ci siamo fermati e da là è scesa una persona che è venuta da noi, Jolanda le ha lasciato il posto e si è incastrata in qualche modo tra me e Manuel e il Piccolo Massimo, sulla bombola del gas che adesso con questo peso esplodeva di sicuro. E morire ora sarebbe stato un peccato enorme, perché sul sedile davanti giuro che si era appena seduta, tutta pallida ma sorridente, la Coccinella.

"Ma allora esiste veramente!" è la prima cosa che ho pensato, e anche l'unica per un po'. Non la vedevo da un sacco, da quella sera in chiesa che ero alle elementari e gli uomini costruivano il presepe e fra quegli uomini c'era ancora il mio babbo. Poi lui era caduto dalla scala e il mondo aveva smesso di girare e si era incastrato in qualche angolo polveroso. E forse per questo non mi sembrava di averla vista tanto tempo prima, ma proprio in un'altra vita. E anche la Coccinella, più che cresciuta, mi pareva un'altra persona. Cioè, era sempre lei ma insieme una ragazza più grande, una specie di sorella maggiore di se stessa. Chissà se anche a me era successo così, a guardarmi da fuori, perché invece da dentro mi sentivo sempre uguale, nel finestrino appannato vedevo la stessa faccia scema e piena di riccioli che avevo dal primo giorno che mi ricordavo di me.

Mentre la Coccinella era questa sua bellissima sorella maggiore, senza più il costume da coccinella e senza antenne a molla sui capelli. E se quando l'avevo conosciuta mi era piaciuto parlare con lei ma non capivo perché, adesso era così chiaro che lo capivo pure io, e al tempo stesso non capivo più nulla.

E ancora peggio quando le è passato un po' il mal d'auto, si è girata sul sedile e si è affacciata dietro, dove io schiacciato sotto Jolanda cercavo di pettinarmi i riccioli, impresa impossibile già quando le mani non mi tremavano così.

«Ciao a tutti, io sono Martina» ha detto. E pure la sua voce era diversa, sicura e piena, come quella della ragazza che alla festa dell'Unità saliva sul palco insieme allo Zio Aramis, e cantavano *Bandiera rossa* e *Sapore di sale*.

Ma molto più bella è stata la canzone della Coccinella, quando ha smesso di cantare per tutti e ha guardato solo me: «E piacere di rivederti, Fabio!».

Così ha detto, giuro. Perché anche lei si ricordava di me, e io avrei voluto rispondere o anche solo sorridere, ma sulla bocca sentivo una roba più simile al sorriso fisso e storto che l'ictus aveva disegnato in faccia allo Zio Athos.

«Stai meglio, Martina?» le ha chiesto Padre Domenico.

«Sì Padre, grazie. Ci sono ancora tante curve?»

«Una mezz'oretta di strada.»

«E quindi una mezz'oretta di curve.»

«Eh sì. Ce la fai?»

«Proviamo. Tanto magari fra cinque minuti il bombolone del gas scoppia e finisco di soffrire.»

Padre Domenico ha riso forte, poi ha detto che no, non scoppiava: il Signore era con noi.

«Vero, e poi ci sono pure i Super Devoti» ha detto lei voltandosi ancora. E io ho scosso la testa, non so perché, forse per dirle che io non ero uno dei Super Devoti. Che erano bravissimi a pregare, ma insieme erano un club dove non volevo entrare, almeno non agli occhi della Coccinella.

Poi un attimo di silenzio, che il Piccolo Massimo ha riempito con un Padre Nostro.

«Oh, bravi» ha detto lei. «Pregate forte che non scoppi tutto quanto!»

«Veramente» ha fatto lui alla fine, «adesso preghiamo la Madonna per il nipote della Signora Ines.»

«Ah, e come mai, che gli è successo.»

«Si droga.»

«Ah, vabbè, ma allora non c'è fretta, se si droga oggi si drogherà anche domani, no? Noi invece stiamo su una bomba pronta a esplodere, ogni secondo potrebbe essere l'ultimo. Al nipote della Ines ci potete pensare quando arriviamo, vero Padre?»

Padre Domenico ha fatto di sì, poi di no, poi ha risposto che non c'erano rischi, ma una preghiera in più non faceva mai male. E che invece la droga faceva malissimo.

La Coccinella si è voltata di nuovo, e io per qualche motivo mi sono indicato e ho fatto di no un'altra volta, forse per dirle ancora che non ero uno dei Super Devoti, oppure che non mi drogavo. Non lo sapevo nemmeno io, e allora menomale che non vedevo bene i colori, perché le guance mi bruciavano, la punta delle orecchie prendeva fuoco, e sicuramente stavo diventando rosso come un semaforo.

Però non era colpa mia, era la Coccinella, il suo sorriso e i suoi occhi erano una rete lanciata addosso a tutto, che tutto catturava e tirava a sé. E io stavo lì con lo sguardo tondo e fisso del pesce, stretto in quella rete e in mezzo ai Super Devoti fra le mille curve della strada.

Fino a uno spiazzo dove la macchina si è fermata, Padre Domenico ha detto che potevamo scendere e io ho guardato fuori senza la minima idea di dove eravamo.

Però eravamo arrivati, eravamo vivi, non eravamo esplosi per la strada. Che non sarà la soluzione per vivere felici, ma insomma è un buon punto di partenza.

***

È proprio vero che nella vita siamo allegri o tristi o emozionati o stanchi o sudati o tutto il resto, ma contenti mai. Infatti lì per lì ero così felice di essere arrivato che stavo per tuffarmi a baciare la terraferma, come Cristoforo Colombo quando ha scoperto l'America e un attimo prima pensava di morire in mezzo all'oceano. Però, dopo quel momento di entusiasmo, ecco che subito un altro desiderio mi entrava in testa a sciupare tutto: era bello stare qua, sì, ma adesso volevo di più, volevo starci insieme alla Coccinella. Parlare con lei tutto il giorno anche se non sapevo cosa dire, magari solo che stava bene vestita così, senza guscio di plastica a pallini, zampe finte e antenne sulla testa. Che non era una conversazione irresistibile, lo so, ma insomma era un inizio. E invece non iniziava proprio niente, perché dal pulmino è scesa Madre Palma e ha sventolato una mano grossa come un cartello stradale con scritto STOP: «Allora, i maschi con Padre Domenico, le femmine con me, veloci!».

E addio Coccinella.

In due gruppi staccati abbiamo cominciato a camminare sul sentiero che saliva fra gli alberi, stando attenti alle vipere e agli altri pericoli dei monti, e insieme ascoltando Padre Domenico e il Signor Giovanni, il babbo catechista di un altro ragazzino, mentre raccontavano la storia di San Tommaso. Che era un discepolo di Gesù, però quando Gesù è risorto lui non ci credeva mica, pensava che il Signore fosse solo un signore normale che gli somigliava. Allora Gesù gli ha fatto vedere i buchi dei chiodi nelle mani e nei piedi e la ferita della lancia nel petto, così Tommaso ci ha creduto tantissimo e ha cominciato a girare il mondo per spargere la sua parola.

Io però ascoltavo poco, distratto da tutti i funghi che scintillavano di qua e di là nel bosco, così tanti che mi sentivo come Mosè quando ha aperto in due il Mar Rosso, solo che al posto dell'acqua camminavo in un mare luminoso di porcini, che vedevo solo io mentre salivamo verso un posto che non arrivava mai. E quando qualcuno chiedeva quanto mancava, Padre Domenico rispondeva *È dietro quella curva*, poi la curva arrivava e dietro c'era solo un'altra curva, e a un certo punto quando ha detto ancora *Dietro quella curva* io ho risposto che non ci credevo più. E lui: «Ah, non ci credi? Allora abbiamo anche noi il nostro piccolo San Tommaso». E mi ha guardato serio, ma poi gli è scappato da ridere e ho riso anch'io.

Fino alla millesima di quelle ultime curve, che era l'ultima davvero e dietro si è spalancato un campo gigantesco, così aperto e piatto e pieno di luce che sembrava una piazza. Ma una piazza costruita dal Signore invece che dalle persone, con l'erba al posto del cemento e gli alberi intorno al posto dei muri, merli e fringuelli invece di macchine e motorini.

Quella prateria così libera ti metteva nelle gambe una voglia bestiale di correre, di galoppare a caso e urlare finché i polmoni non scoppiavano come palloncini gonfiati troppo. Però Padre Domenico e il catechista ci hanno detto di fare la cosa opposta, e allora con uno sforzo tremendo ci siamo seduti ad ascoltare.

«Vedete ragazzi, San Tommaso era un apostolo del Signore, più tardi è diventato addirittura un santo. Eppure quando ha visto Gesù risorto non ci ha creduto subito. Per credere ha dovuto toccare le ferite, infilarci il dito dentro, e Gesù non era mica contento. Anzi, dice "Beati quelli che non videro eppure credettero", e sapete perché? Perché è molto meglio credere per fede, senza bisogno di prove. Come facciamo noi, che infatti siamo figli prediletti, perché crediamo in Dio senza poterlo vedere, senza avere una ferita dove infilare il dito. Non abbiamo niente da stringere in mano, eppure questo non ci indebolisce, non ci porta a essere scettici e non potremo mai diventare atei, vero ragazzi?»

E tutti abbiamo scosso la testa, o almeno io pensavo che fossimo tutti, poi però si sente questa voce debole e bassa che fa: «Scusi Padre», e viene da uno che si chiama Marcello, con dei capelli biondi e lisci che gli invidio tantissimo. «Cosa sono gli atei?»

«Marcellino, ma come, non li hai mai sentiti nominare? Gli atei sono delle persone, e queste persone pensano che Dio non esiste.»

Il Padre lo dice, e la faccia di Marcello resta immobile e insieme storta, come una cosa surgelata male. «Ma come, Padre, in che senso Dio non esiste?»

«In nessun senso Marcello, sono solo loro che lo dicono.»

«Sì, ma come gli è venuto in mente. Sono pazzi Padre? Come mai non li tengono chiusi in manicomio, questi atei?»

«Be', non esageriamo. In manicomio forse è troppo.»

«No Padre, non è troppo! Se io dico che sono Giulio Cesare o l'Uomo Ragno, mi mettono in manicomio. C'era un signore vicino a casa mia che pensava di essere un cavallo, correva per la strada e faceva proprio il verso dei cavalli, fino a un bel giorno che sono venuti a prenderlo e l'hanno portato in manicomio. Ma non è più grave dire che Dio non esiste? Io non l'avevo mai sentita questa cosa, non l'avevo mai nemmeno pensata! È assurdo, è pazzesco. Vero Padre, vero?»

«Certo Marcello» ci si è messo Giovanni il catechista, «ma al mondo ci sono persone poco spirituali, poco sensibili, che non avendo prove tangibili dicono così. In fondo Dio non si fa mai vedere, e spesso nel mondo succedono cose tanto tremende che un po' ti viene da pensarlo, che se certi eventi così orribili succedono, ecco, forse Dio non esiste. No Marcello?»

«No!» ha risposto lui, «no!» con gli occhi così spalancati che gli potevo vedere dentro tutto lo spavento, tutta l'ansia mentre si guardava intorno e non riconosceva più niente. E se prima la sua faccia era congelata, adesso si squagliava e cadeva pezzo dopo pezzo, naso bocca e tutto, si scioglieva e spariva nel nulla. «Cioè, non ci avevo mai pensato. Però ora sì, boh, non lo so più. Ma com'è possibile, che Dio non esiste!»

«Ma no Marcello, infatti non è possibile! Certo che esiste, esiste eccome! È proprio questo che stavo dicendo, che è bello che tu ci creda senza dubitare.»

«Però non abbiamo nessuna prova, Padre, nessuna!»

«Ma è ancora meglio! Dio non ci offre prove tangibili perché vuole che crediamo in lui senza seguire gli occhi o le mani o la testa, ma seguendo il nostro cuore.»

«Sì, però nel mondo non c'è proprio nulla di nulla che dice che Dio esiste.»

«Non esageriamo» riprova il catechista. «C'è per esempio la Natura, non vedi che meraviglia questo spettacolo naturale che ci avvolge? Non pensi che sia un vero miracolo? La Natura è un miracolo di Dio, Marcello. Come mai esiste il mondo, chi l'ha creato questo spettacolo, se non Dio?»

«Non lo so» ha detto lui, alzando gli occhi a questa fiammella di speranza. «Quei signori atei cosa dicono? Chi l'ha creato il mondo secondo loro?»

«Mah, sai, loro si rivolgono sempre alla loro adorata scienza. Per loro tutto è nato con un'esplosione che si chiama Big Bang, e...»

«Ma certo, il Big Bang!» ha urlato lui, di nuovo disperato. «Ce l'hanno spiegato a scuola, è una cosa vera! O Signore mio, Signore beato!», lo chiamava a voce alta guardando lassù, sempre più lontano, ma non gli rispondeva più nessuno.

Il Padre cercava di aggiungere che però queste spiegazioni scientifiche non spiegavano tutto, anzi restava fuori la cosa più importante: com'è cominciato tutto quanto, chi ha detto *Pronti attenti via*, chi ha dato la prima scossa al motore?

Ma era inutile, Marcello aveva smesso di ascoltare. Pure il

suo sguardo li lasciava, è passato addosso a noi qua in cerchio, poi è scivolato via fino a sparire dentro al grande Nulla che si allargava di colpo intorno a lui.

Il Padre allora si è alzato ed è andato a sedersi accanto a Marcello, ci ha fatto recitare il Padre Nostro e ha detto «buon appetito ragazzi!», scatenando nel bosco il casino degli zaini e dei sacchetti che si aprivano, mentre ognuno pescava il panino preparato a casa dalla sua mamma.

Io ho cercato per un po', scostando tanta roba che di sicuro ci avevano messo di nascosto gli zii: una bussola, un pacchetto di fiammiferi, un coltello da caccia lungo come una spada. Poi finalmente ho tirato fuori il mio panino, grosso e scintillante nella stagnola argentata che stavo per strappare via e appallottolare come sempre. Solo che adesso era diverso da sempre, perché non stavo a casa mia, e anzi, trovare questo capolavoro preparato e incartato così bene dalla mia mamma mi ha fatto capire quanto ero lontano, dall'altra parte del mondo, lontanissimo da lei.

Una cosa amarognola e frizzante ha cominciato a stringermi la gola, allora ho preso la carta argentata con due dita e l'ho tolta attento a non sciuparla, come se fosse stata davvero un foglio d'argento. L'ho piegata e sistemata nello zaino, poi ho guardato il panino nudo nella mia mano, così bello e fatto bene che non riuscivo a mangiarlo. Ma morivo di fame, e la mamma non sarebbe stata contenta se suo figlio tornava a casa morto, allora ho aperto la bocca e ho fatto per saltare addosso al mio pranzo meraviglioso, come gli altri già azzannavano il loro.

Tutti, ma non Riccardo. Che stava seduto accanto a me con la mano ancora nello zaino, a cercare sempre più lenta come se stesse solo mescolando l'aria là dentro.

La mamma mi aveva detto di trattarlo sempre bene, Riccardo. Dovevo trattare bene tutti, ma lui di più perché il suo babbo se n'era andato via con un'altra signora e la sua mamma beveva tanto vino e a Riccardo ci pensava poco.

Me ne ero già accorto a scuola alla festa del martedì grasso, che tutti eravamo mascherati e lui aveva solo un lenzuolo addosso. Diceva che era un fantasma, ma allora potevano mettergli almeno una catena in mano, o fargli due buchi per gli occhi senza mandarlo a sbattere ogni momento, e soprattutto il lenzuolo potevano trovarlo bianco, perché io un fantasma a quadretti non l'avevo visto mai. Però non ho detto nulla, l'ho lasciato girare alla cieca per il corridoio e picchiare contro professori e termosifoni. Come adesso alla cieca muoveva la mano nello zaino, e dai suoi occhi era chiaro che la situazione là dentro era più spaventosa di centomila fantasmi a quadretti e a righe messi insieme: la sua mamma l'aveva mandato sui monti senza niente da mangiare.

L'ho capito e mi sono sentito male, solo e abbandonato in mezzo a una giungla fitta di pericoli dove se morivo non gliene importava niente a nessuno. E se mi sentivo così io che non c'entravo nulla, chissà come stava Riccardo con quella mano tesa nel vuoto. Allora stavolta non potevo stare zitto, non ce la facevo proprio, e gli ho offerto un pezzo del mio panino che tanto bastava per due o tre bocche.

Lui ha risposto «no grazie, non ho fame», e ha provato a sorridermi. Però mentre ci provava la sua bocca si è bloccata in una posa strana, gli occhi a palla, il braccio teso come se a forza di cercare nello zaino ci avesse trovato una presa della corrente e ci avesse infilato le dita. Ma non era corrente, era una scossa ancora più forte: finalmente Riccardo aveva trovato il panino, la sua mamma gliel'aveva preparato, gliel'aveva preparato!

Stava lì, avvolto nella plastica, l'ha tirato fuori e l'ha sventolato nell'aria come una bandiera. Se l'è messo in grembo e l'ha scartato, ed erano due fette di pancarré. Io ero troppo curioso di vedere cosa c'era dentro, crudo o cotto o la mortadella, magari la sottiletta e la maionese, il pomodoro a fette e... e mentre nella mia testa scorreva la lista delle bontà che la sua mamma poteva averci messo, Riccardo ha aperto il panino, e il luccichio è sparito dai suoi occhi lasciandoli spenti e bianchi e completamente vuoti. Vuoti come il panino che gli aveva preparato la sua mamma: due fette quadrate di pancarré una sull'altra, e dentro niente.

Pane e niente.

Riccardo è rimasto così, una fetta in una mano una nell'altra, e in mezzo quello stesso nulla che aveva appena avvolto Marcello, quando si parlava di San Tommaso e per la prima volta in vita sua gli era passato per la mente che magari Dio non esisteva.

E nemmeno io avrei voluto esistere, per lasciare Riccardo da solo e senza spettatori in questo momento tremendo e vergognoso. Però esistevo, e allora ho provato a darmi un senso chiedendogli se voleva metterci dentro un po' di formaggio o qualcos'altro dal mio panino.

«No, grazie» ha risposto dopo un po'. «A me il pane mi piace così, senza nulla.»

«Ah. Ma sì, infatti!» ho detto. «Il pane è la cosa più buona del mondo, la roba dentro tante volte sciupa il sapore. Anch'io quando mangio le fragole con la panna, se ci metto sopra la polvere di cioccolata non mi piace mica più tanto.»

«Eh sì, vero, proprio così!» ha detto Riccardo, e ha fatto di sì, e anch'io ho fatto di sì, e abbiamo continuato ad agitare la testa sempre più forte, cercando di stordirci fino a scordare che qua non si parlava di fragole con la panna, ma di due fette mosce e squallide di pancarré.

Ma Riccardo se l'è ricordato subito, appena ha dato il primo morso e ha provato a ingollare quel boccone di spugna. Mi ha guardato, ha guardato il mio panino: «Però sai una cosa? La montagna mette fame, e anche se non mi piace, forse è meglio se qualcosa dentro il pane ce lo metto».

«Certo, infatti! Abbiamo bisogno di forza!», ho scoperchiato il mio panino, che praticamente è diventato un vassoio pieno di roba. Lui ha preso una fetta di mortadella, poi un'altra, poi un pezzetto di pecorino, e finalmente la cosa che teneva in mano è diventata un panino vero. E abbiamo riso, e abbiamo mangiato, e io ero tanto felice.

Per Riccardo che mangiava una cosa buona, ma pure per me che avevo appena compiuto una buona azione. Anzi, buonissima. Anche più dei Super Devoti, che stavano tutto il giorno lì a dire le preghiere, sempre tra loro e lontani dalle persone e dai problemi veri, da chi stava male e aveva bisogno di aiuto. Loro se ne fregavano, e passavano il tempo a pregare il Signore che ci desse oggi il nostro pane quotidiano. E intanto io, zitto zitto, quel pane lo riempivo di pecorino e mortadella.

***

Come tutte le cose che sembrano non finire mai, il campo immenso dove stavamo a un certo punto finiva. Con una fila di alberi e un casotto di legno chiuso a catena, che aveva appiccicato un cartello con vari tipi di gelati, ma era vecchio e arrugginito e infatti non si riconoscevano bene, anche perché su ognuno c'era disegnato un pisello. E dietro agli alberi e al casotto c'era un altro spiazzo molto più piccolo, con un'altalena pure lei arrugginita, uno scivolo spezzato a metà discesa e un'altra giostra tonda che non avevo visto mai.

Io e il Piccolo Massimo e Manuel eravamo venuti fino qua, perché gli altri cominciavano a giocare a pallone, e ogni volta che facevano le squadre litigavano mezz'ora per *non* averci con loro. Allora, appena spuntava quella palla maledetta e impossibile da colpire coi piedi, per noi era più dignitoso sparire.

Solo che dopo un po' sono arrivati anche Livio e il Graziani, che loro invece giocavano benissimo, e grossi com'erano nelle partite facevano quello che gli pareva. Ma si vede che quello che gli pareva era roba troppo violenta, perché Padre Domenico che era l'arbitro li aveva espulsi, e il risultato era come quando li bocciavano a scuola: loro due si facevano una risata, e la punizione vera era per noi più piccoli che ce li ritrovavamo addosso.

Io sull'altalena, Manuel che provava a spingermi ma sbagliava il tempo ogni volta e allora stavo praticamente fermo, il Piccolo Massimo seduto in fondo allo scivolo rotto a guardare in aria le foglie e le nuvole e le meraviglie tutte del creato. Il Graziani e Livio sono arrivati e non hanno nemmeno salutato, ci hanno solo detto di toglierci dalle palle.

«Ma ftiamo giocando!» ha fatto Manuel, e loro non hanno risposto, ma ci hanno guardato con quegli occhi stretti e cattivi che ci hanno presi e buttati via, fino alla terza giostra che era una roba strana con quattro seggiolini montati in cerchio su una base rotonda, e se ti spingevi girava intorno. Spingi e gira, gira e spingi, tempo un minuto e già il panino della mamma tornava ad affacciarsi in gola e mi faceva rimpiangere l'altalena, dove però adesso giocavano Livio e il Graziani. E il loro gioco era spaccarla a calci.

Ma si sono bloccati pure loro, quando dal folto del bosco è salito questo rumore sempre più forte che sembrava una motosega che litiga con uno schiacciasassi dentro un frullatore rotto. Invece era un motorino truccatissimo che arrivava da chissà dove, e siccome è una regola fissa che più i ragazzi vivono in posti sperduti e più i loro motorini fanno casino, questo che veniva dal fondo della foresta era proprio l'Inferno messo su due ruote e sputato fuori da una marmitta indemoniata.

Lo cavalcavano due diavoli un po' più grandi di noi. Livio e il Graziani sono andati da loro e dopo un attimo di studio eccoli che chiacchieravano e fumavano insieme e giravano intorno al motorino, come i lupi che si incontrano e si riconoscono e diventano subito un branco. Ma non si è mai visto un branco di lupi che passa il tempo a parlare di marmitte e carburatori, infatti è passato un minuto e si sono voltati verso di noi, e ci fissavano: tre agnelli su una giostra cigolante, che girava e girava ma purtroppo non ci portava da nessuna parte.

Si sono avvicinati, quello più grosso reggeva il motorino e i capelli lunghi gli dondolavano in una coda di cavallo, ci guardavano e ridevano, ridevano tanto. E in chiesa ci dicevano sempre di sorridere, perché un sorriso è bello e contagioso e se sorridi tutto il mondo sorriderà insieme a te. Ma mi sa che in parrocchia questo sorriso qua non l'avevano visto mai, perché aveva proprio l'effetto opposto, e se qualcuno ce l'ha in bocca mentre viene da te, stai sicuro che fra un attimo cominci a piangere.

Allora, siccome anche gli agnelli hanno il loro istinto, senza nemmeno deciderlo mi butto dalla giostra. Rotolo per terra e mi rialzo, accanto al Piccolo Massimo che ha fatto la stessa cosa. Manuel invece rimane là sopra, lui si diverte un sacco, spinge e gira e fa dei versi di emozione con la gola.

Io vorrei dirgli che non c'è niente da giocare, deve scendere e basta, ma quello coi capelli lunghi mi fissa malissimo e mi punta addosso un dito che è grosso come il mio braccio, e molto più peloso. Arrivano alla giostra e cominciano a spingere i seggiolini vuoti, la fanno girare più veloce e Manuel ride e urla felice, mentre si tiene sulla testa il berretto azzurro donato dal Vescovo.

E giuro che vorrei fare qualcosa, vorrei davvero, ma cosa? Anch'io stavo su quella giostra, però mi guardavo intorno, e appena ho visto il pericolo sono scappato. È così che gli animali sopravvivono, è così che l'essere umano è arrivato dall'Età della Pietra fino a oggi, una lunghissima fuga a slalom fra mammut e tigri coi denti a sciabola, colpi di spada e lanci di frecce e bombe atomiche, e appunto giostre assassine come questa. È colpa mia se Manuel non lo sa? Perché devo pagare io per lui?

Non lo so, e non riesco nemmeno a pensarci bene perché l'aria è piena del suo grido, che sale in tondo sempre meno simile a una risata. Il suo cappello azzurro vola via e rotola verso di noi, mentre un senso di colpa mi gonfia il respiro e si spande lungo le braccia e le gambe, dicendomi di fare qualcosa. Però non faccio niente, mentre il Piccolo Massimo prova a urlare, ma la sua vocina fine e storta la sento a malapena io qui accanto, senza capire se sta dicendo di smetterla oppure ha già cominciato a pregare per l'anima del povero Manuel.

E non capisco nemmeno quel che si sono appena detti i lupi fra loro, però il sorriso gli diventa ancora più affilato mentre smettono di spingere la giostra con le mani, accendono il motorino casinoso e sollevano la ruota dietro, mettono l'acceleratore al massimo e quella comincia a frullare velocissima nell'aria.

Lì per lì spero che saltino tutti in sella e spariscano per sempre, ma non è così. Anzi, è l'opposto di così: calano la ruota impazzita sulla base rotante della giostra, la gomma tocca il ferro là sotto e di colpo la giostra parte a girare impazzita, come la ruota di un motorino gigante e truccatissimo e guidato dal Diavolo.

E invece il passeggero è Manuel, che in quello stesso momento smette di esistere. Non è più una persona, è una striscia di luce che gira e gira così veloce da diventare un cerchio, e il suo urlo sale a vortice fino al cielo dove si sente gridare *Bafta! Bafta! Aiufo! Fer fiafere aiufo!*

Ma un aiuto, più che il cielo, possiamo darglielo solo noi. Mi volto verso il Piccolo Massimo e lui non c'è più, c'è solo la sua schiena laggiù che ondeggia tutta storta mentre cerca di correre via, verso gli alberi e il campo di là, dove ci sono gli altri che giocano e c'è un arbitro e forse è rimasta ancora qualche regola. Lo so che non sta scappando, che va a chiamare i soccorsi, però così storto e zoppo ci arriverà fra un paio di settimane. Se andassi io farei molto prima, e forse dovrei andare. Anzi, sarebbe sicuramente la cosa giusta. Però è troppo facile sapere qual è la cosa giusta, se bastasse questo il mondo sarebbe perfetto e pulito e profumato. Il difficile è farla, la cosa giusta. E io infatti non la faccio.

Perché quello coi capelli lunghi mi punta di nuovo con quel dito gigante, e io resto piantato lì davanti alla giostra indiavolata. I quattro lupi ridono e agitano le braccia prendendo a cazzotti il cielo, urlano *Giii-ra! Giii-ra!* e si godono la pena di Manuel che ormai non dice più niente e manda solo rumori di cose che si rompono. E quando alzano lo sguardo da lui, lo piantano tutti addosso a me.

Ma sono occhi diversi, e dopo un attimo lo capisco anch'io: non mi guardano come il prossimo agnello da sbranare, non vogliono prendermi e incastrarmi al volo in quella giostra infernale. No, per la prima volta in quel pomeriggio e forse nella mia vita, giuro che mi stanno guardando come uno di loro, come uno che può stare davanti a un poveraccio indifeso che soffre e godersi lo spettacolo, come un lupo tra i lupi.

Magari più secco, magari meno feroce, ma è solo questione di tempo, di crescere e imparare come si salta addosso alle prede, come si mordono al collo e si tengono a terra finché non smettono di tremare. Perché insomma, forse è così che funziona, la vita corre da qualche parte e per starle dietro non puoi farti troppi scrupoli, devi stringere i denti e andare dritto, senza preoccuparti se nella corsa schiacci qualcosa.

E io stavo già parecchio indietro. Da sempre. Dal primo giorno alle elementari su su fino a quest'anno, con le scuole medie e il bosco delle seghe e i sabati pomeriggio senza festine. Anzi, ultimamente si erano aggiunte pure le domeniche al cinema: che era un posto pubblico e allora potevamo andarci anche io e Massimo, in prima fila per prenderci addosso tutta la meraviglia del film, eppure ci ritrovavamo soli anche lì. Perché invece tutti i compagni e le compagne stavano in fondo, se ne fregavano del film e vivevano emozioni tutte loro, di prima mano, fra rumori strusciati e mezzi gridi e colpi di riso soffocati che diventavano mugolii.

Insomma, non importa dove e come, la storia era sempre la stessa, la vita correva dritta per la sua strada e noi restavamo voltati a guardare da un'altra parte. Ma la colpa era solo mia, il Piccolo Massimo era giustificato da quel fulmine che l'aveva inchiodato lì per sempre e buonanotte. Io invece mi ci ero piantato da solo, il film della vita andava avanti con mille colpi di scena e io non ero un protagonista, non ero nemmeno una comparsa, solo uno spettatore che non capiva nulla della trama.

Ma adesso, in questa specie di parco giochi scassato, ecco la mia occasione. Nel film spuntava una parte per me e potevo unirmi al cast, dove sicuramente avrei ritrovato anche la Coccinella, che viveva nel mio stesso paesino eppure per anni non l'avevo nemmeno incontrata. Perché non stavo mai nel posto giusto. E il posto giusto era questo, per entrare nel film, per salvarmi dalla maledizione della mia famiglia, per smetterla di essere quello che ero: uno strano che non piace a nessuna.

E allora, con tutte queste cose che mi frullavano in testa tipo un vortice, o tipo Manuel sulla giostra, ho alzato gli occhi ai quattro lupi lì davanti e li ho fissati come loro fissavano me, mentre continuavano a dare gas al motorino e urlare *Giii-ra! Giii-ra!*

E giuro che non l'ho deciso, non me ne sono nemmeno accorto subito, lì per lì ho sentito questa voce fortissima nelle orecchie e non l'ho riconosciuta. Ho dovuto toccarmi le labbra per capire che era la mia, che schizzava fuori dalla mia bocca spalancata e più grande del solito, piena di zanne nuove e affilate, e riempiva l'aria con un urlo selvaggio e cattivo che alle orecchie dei lupi era l'ululato di una belva che si univa al branco, ma alle orecchie umane suonava come una parola sola, gridata tante volte e ogni volta più cattiva: *Giii-ra! Giii-ra! Giii-ra!*

Urlo così, urlo insieme a loro, e non penso più a niente. Solo urlo e alzo le mani nell'aria che ormai è tutta nostra, in questo momento meraviglioso che non finirà mai, perché noi urleremo per sempre, e la giostra girerà all'infinito, e pure il sole resterà lassù a obbedirci senza calare mai.

Però Manuel no, lui non riesce più a tenersi e decolla, vola via dalla giostra e verso gli alberi, poi rotola per terra come un sacco della spazzatura chiuso male, lasciando una scia che non lo capisco subito ma sono chiazze di vomito, sulla bocca, sull'erba, nell'aria pura della montagna.

Una goccia di vomito finisce pure addosso a me, sulla manica della maglietta. Cerco di farla sparire con le dita e la saliva, struscio e sputo, sputo e struscio, ma non se ne va. Voglio insistere fino a consumarmi le dita, fino a strusciarmi la maglietta con le ossa della mano, che sono più dure e ruvide e riusciranno a grattare via questa macchia minuscola ma così profonda, colata fino in fondo al tessuto e a tutto quanto.

Ma smetto, e di colpo, quando gli alberi là dietro cominciano a fare rumore come di un vento che sale e porta via tutto. Solo che non è il vento, è Padre Domenico. Arriva col Piccolo Massimo alle spalle, gli occhi spalancati e il fischietto ancora in bocca. Corre da Manuel e si inginocchia su di lui, lo guarda, poi alza gli occhi addosso a noi. Sputa il fischietto, e ci fa la domanda più difficile che in qualsiasi momento, brutto o bello o anche normale della vita, si possa fare a un essere umano: *Cos'è successo?*

E io non riesco a rispondere al Padre, non riesco nemmeno a guardarlo. Tengo gli occhi piantati in terra, anzi cerco di seppellirli più sotto ancora, dove vivono gli insetti e i vermi, i vermi come me. Passa un tempo zitto che dura qualche secondo o forse un anno e mezzo, non lo so, poi qualcosa spacca quel silenzio. È la voce di Manuel.

«Niente *Pàfre*» dice. Si toglie l'erba dalla bocca, tossisce, «non è *fuffèsso* nulla. *Fono cadufo* da me. È colpa mia.»

Dice così, giuro, non ci posso credere ma lo dice. E nemmeno Padre Domenico ci crede, lo so anche se non posso guardarlo in faccia, perché i miei occhi si sono strappati a forza dal profondo della terra e sono subito finiti dentro quelli di Manuel, là sdraiato che ci guarda. Anzi, guarda solo me. E non c'è cattiveria nel suo sguardo, non c'è nemmeno rabbia, è un lago pulito di bontà, dove brilla l'anima di un santo. Di un santo vero, mica come me, di un'anima così pura che forse lo pensa davvero, che sia andata come ha detto, che sia colpa sua.

Però non è così, e se Manuel non lo sa lo so io per tutti e due, anzi per tutti quanti in questa specie di parco giochi in cima ai monti, dove gli zii mi avevano detto di stare attento perché c'era pieno di bestie feroci, ma non potevano immaginare che la più feroce di tutte era il loro unico nipote.

Non me lo immaginavo nemmeno io. Anzi, fino all'ora di pranzo mi sentivo così buono, mentre aiutavo i bisognosi e riempivo di mortadella e pecorino il pane quotidiano degli affamati. Adesso invece eccomi qui, mentre il Padre aiuta Manuel ad alzarsi e torniamo tutti verso il campo di là, col rumore diabolico del motorino che schizza via, Livio e il Graziani che continuano a ridacchiare e io che voglio stare lontano da loro ma insieme non riesco a stare vicino al Padre e a Manuel e al Piccolo Massimo, e allora resto solo.

Che non sarebbe un problema, ormai sono abituato a essere solo, so bene come ci si sta. Adesso però non è più come prima, perché con me resta la mia cattiveria. L'ho appena conosciuta e mi ha già insegnato come si smette di essere soli e diversi, come si fa a essere uguali agli altri, quanto è facile fare schifo come tutti quanti.

Arriviamo dal resto del gruppo e fino alle macchine, i tre Super Devoti e la Coccinella tornano sull'auto-bomba, ma a Manuel fa male la gamba e deve tenerla allungata e allora non c'è più spazio per me. Che salgo sul pulmino, e non so se è un sollievo oppure mi dispiace, forse tutte e due le cose insieme, forse nessuna. Oppure questa roba non sta succedendo a me. Io sto ancora preso nel vortice di quella giostra sgangherata e rugginosa, che gira e gira sempre più veloce, fino a quando non riesci più a tenerti e ti sputa via nell'aria senza appigli e dentro al nulla. Un nulla scuro e spaventoso come quello che senti sotto i piedi quando stai in mezzo al mare e non tocchi, come quello che trovi dentro a due fette di pancarré vuote, o in fondo a una gita della parrocchia rotolata così lontano che forse questo pulmino scassato non riuscirà a riportarti indietro.

Infatti le strade del ritorno erano le stesse, il paese uguale a prima e il piazzale della chiesa pure, ma la normalità finiva qui. Perché sul piazzale non c'era la mia mamma ad aspettarmi, c'erano lo Zio Aldo e Athos e Aramis e Adelmo. Forse lei aveva saputo quel che avevo fatto, non so come ma l'aveva saputo, e adesso non aveva voglia di vedermi. Ci pensavo e tremavo mentre scendevo per ultimo dal pulmino, poi gli zii mi sono saltati addosso con gli occhi a palla e le mani aperte come morse, per prendermi e punirmi in modi che non potevo nemmeno immaginare.

«No! Lasciatemi stare, vi prego!» mi hanno agguantato tutti insieme, mi hanno alzato da terra e via.

«Porca puttana bimbo, è un'ora che ti aspettiamo!»

«Vi prego, non fatemi male, portatemi a casa, portatemi a casa!»

«Macché casa, ti portiamo all'ospedale.»

«No! All'ospedale no! Picchiatemi, ma poi portatemi dalla mamma, mi cura lei!»

«Pure la mamma è all'ospedale.»

«Eh? Ma perché, si è fatta male? Che è successo, che è successo?»

«A lei nulla, ma il tuo babbo è lì, e ti vuole vedere.»

TERZA PARTE

C'erano due uccellini che imparavano a cantare.
Come facevano? Nessuno gliel'ha insegnato.
L'hanno imparato in un sogno.

ELEPHANT MICAH

18
Il giorno che tutto ritorna

«Ahia!» e mi sono tappato l'occhio, che a momenti un ramo me lo cavava via.

Come prima un altro ramo mi aveva strappato un ricciolo di capelli, e lo spigolo di una tettoia quasi mi spaccava la testa. Ma nel casino generale non mi sentiva nessuno e a nessuno importava, nemmeno a me.

Sono rischi che ci stanno quando succede una cosa così clamorosa, così stupenda che rimanere buoni non è possibile e anzi non è proprio giusto, bisogna festeggiare e urlare e saltare come noi. E io quassù in spalla allo Zio Aramis un po' mi tenevo a lui e un po' alzavo le mani al cielo, che di colpo era vicinissimo, appena di là dai rami, tanto vicino che magari adesso ci picchiavo la testa, ma andava bene così: non potevamo farla più tranquilla la strada che ci portava all'ospedale, dove il mio babbo finalmente era sveglio e mi aspettava.

Andavamo a piedi, che dalla chiesa era un attimo. Gli zii avevano litigato per prendermi in spalla, e alla fine Aldo spingeva la carrozzina di Adelmo, Athos portava il mio zainetto e Aramis era riuscito ad agguantare me. Che però lì per lì non ero mica più vivo dello zaino.

Perché insomma, erano due anni e tre mesi che aspettavo questo momento, ogni mattina mi alzavo e sentivo che quello era il giorno giusto, poi la giornata passava e diventava notte e andavo a letto dicendomi che no, certo che non era stato oggi, il giorno giusto era domani. E invece adesso, proprio in questo pomeriggio schifoso che volevo solo tornare dai monti e scendere dal pulmino e nascondermi a casa con tutta la vergogna e la colpa per la cosa tremenda che avevo appena fatto, siamo arrivati sul piazzale e gli zii erano lì a urlare e a farmi una burrasca di feste. Mi alzavano in aria e mi scuotevano, e io lassù passavo di mano in mano come una coppa appena vinta da una squadra di imbroglioni, in mezzo a uno stadio pieno di spettatori che erano le suore e i catechisti, i miei compagni di classe e i loro genitori, il Piccolo Massimo, il povero Manuel, Padre Domenico e soprattutto la Coccinella. E mentre saltavo da uno zio all'altro sentivo tutti i loro occhi che mi guardavano, che mi giudicavano, che sapevano cosa avevo fatto.

Perché dopo anni che mi sforzavo di essere bravo e magari bravissimo, che studiavo per diventare santo e in certi momenti avevo quasi rischiato di diventare un angelo, ecco che il babbo si risvegliava adesso, nel pomeriggio che ero diventato un diavolo. Ma come mai? Che senso aveva?

Me lo chiedevo così tanto, e le domande sono le nemiche numero uno della felicità. Tipo i semi piccoli e duri nei chicchi del melograno, che sono così dolci e succosi da ingollarne un milione tutti insieme, però ognuno ha dentro quella cosina maledetta che ti scricchiola fra i denti e rovina tutto quanto.

E non era giusto. Era appena successa una cosa così stupenda che se mi avessero chiesto di inventarne una più bella avrei dovuto studiarci una notte intera e poi all'alba mi sarei arreso, perché una cosa più bella di questa non esisteva in tutto l'universo. E io volevo pensare solo a quella, bere tutto quel succo dolcissimo e farmi prendere in pieno dalla felicità, senza semi e senza niente di amaro. Allora mi aggrappavo alle spalle dello zio e cercavo di schivare rami, tettoie e brutti pensieri, alzavo gli occhi al cielo lassù, e anche se non lo capivo bene lo ringraziavo tanto.

Che poi come fai a capirlo bene, il cielo? È così gigante e luminoso che tutto intero negli occhi non ci sta, nemmeno in quelli degli adulti, figuriamoci nei miei che dovevano ancora vedere tante cose, se i rami e le tettoie lungo la strada non me li cavavano via.

E poi, se smettevo per un attimo di pensarci e mi guardavo intorno, lo capivo subito come mai il babbo si era svegliato proprio oggi. La spiegazione stava dappertutto, in cima a quei rami pieni di bocci, nei fiori nuovi che riempivano i giardini di qua e di là, nell'aria che di colpo ti schizzava addosso mille profumi: oggi era il primo giorno di primavera, tornava il caldo e tornavano i colori e tutto quello che c'è di bello nel mondo. E allora tornava pure il babbo.

Ma certo, era proprio così, sorridevo e facevo di sì, e più lo Zio Aramis sotto di me saltava e cantava e più ci credevo. Perché pure lui oggi era tornato finalmente tra noi.

E magari non era un ritorno clamoroso come quello del babbo, però anche lo zio a un certo punto dell'autunno scorso aveva smesso di esistere.

Succedeva ogni anno, preciso al tramonto del 31 ottobre, lo Zio Aramis ci salutava e se ne andava in depressione. Ormai lo sapevamo tutti, lui per primo, infatti quando si avvicinava quella data lui sospirava cose tipo *Peccato che la fiera degli uccelli a Monsummano c'è a fine novembre, che non avrò voglia di andarci*, oppure *Peccato che il pranzo di Natale si fa a Natale, che non avrò fame*. Perché il 31 ottobre tramontava presto l'ultimo sole accettabile prima dell'inverno, e il mattino dopo da dietro i monti sarebbe spuntata solo una pallina bianchiccia, buona giusto a illuminare le tombe lucidate per il giorno dei morti. E lo Zio Aramis moriva un po' anche lui.

Alla vigilia si preparava proprio, come uno che deve partire per un lungo viaggio, e passava la giornata nei giardini dei suoi clienti a sistemare le ultime cose prima del freddo. Quest'anno la mamma mi aveva detto di accompagnarlo, perché l'anno scorso ci aveva messo troppo a coprire le piante dei limoni, il tramonto l'aveva sorpreso lontano da casa e gli altri zii lo avevano ritrovato alle dieci di sera, steso in un giardino a fissare il buio umido e ghiaccio e a ripetere *M... ma l'i-i-inverno, l'i-i-inverno, ch-che s-senso ha.*

Io però non volevo andare con lui, perché quel giorno

era Halloween e la mamma del Piccolo Massimo gli aveva comprato una novità incredibile che si chiamava *proiettore*, il muro di camera sua praticamente era diventato un cinema e allora noi ci guardavamo tre film horror di fila con una valanga di popcorn: un modo più fantastico per passare Halloween non esisteva, e pure la festa in maschera a casa di Sergio non ci tentava così tanto, nemmeno se i costumi fossero stati rigorosamente dell'orrore, nemmeno se ci avessero invitati.

«Lo capisco Fabio» aveva detto la mamma. «Però siamo tutti a lavoro, lo devi accompagnare te.»

«Ma io non voglio!»

«Ma sì che vuoi. Che poi fino a primavera lo zio non è più lui e ti manca, lo sai.»

E non era giusto, non era giusto per niente, però era tanto vero. E allora è andata così, io e lo zio siamo partiti con l'Ape e tutti quelli che ci incontravano lo salutavano come una specie di addio. Lui rispondeva *Ci ri-rivediamo a m-ma-marzo, state b-b-bene e cop-copritevi, mi raccomando,* poi saliva sugli alberi a potare i rami e fischiava così bene che i fringuelli si posavano intorno ad ascoltarlo, i merli portavano i piccoli a imparare da lui.

Io intanto da sotto raccoglievo i rami più fini, che lo zio li tagliava tutti tranne uno, quello più in alto che puntava verso il cielo. Quello lo lasciava stare, insieme a una foglia attaccata lassù in cima. Al primo albero pensavo che si fosse scordato di tagliarlo e gliel'ho detto, ma lui ha sorriso e basta. Al secondo non ho detto nulla. Ma al terzo, ecco, come facevo a stare zitto.

«Ma lo fai apposta zio?»

Lui ha guardato giù verso di me, ha sorriso ancora.

«È una specie di firma, vero? Lasci quella foglia lassù, per dire *Questo albero l'ha potato Aramis Mancini.*»

«B-b-bello, o... ora che me lo d... d-dici mi p-piace. P-p-però no.»

È sceso e si è messo accanto a me, a guardare quella foglia rimasta sola nell'aria.

«E allora come mai?»

«A o-o-ogni alb... ogni alb-b-b... o-ogni alb...» ha scosso la testa, si è messo la mano sul cuore, e ha fatto partire una canzone:

A ogni albero lascio una foglia,
una foglia come esempio lassùùù
così a marzo l'albero la copia
e ne fa cento nuove o mille o anche di piùùù.

L'ho guardato un attimo, perché magari scherzava. Ma il tramonto era vicino e la terra si rigava di ombre lunghe e nere come le sbarre di una prigione, e lo zio non aveva più voglia di scherzi. Era serio, e aveva tanti alberi da potare, tanti rami da lasciare con una foglia lassù. E sembra assurdo, lo so, però l'inverno arrivava e schiaffeggiava tutto di burrasche e brinate e trombe d'aria che grattavano via pure la vernice dalle persiane, eppure giuro che quella foglia resisteva, e a primavera la trovavi ancora là in cima, così l'albero la copiava e si riempiva di mille foglie nuove.

E insieme alle foglie tornava tutta quanta la vita, anche quella dello Zio Aramis che adesso cantava e saltava lungo la via. E soprattutto era tornato il mio babbo.

Che adesso mi aspettava, ma io lo aspettavo centomila volte più di lui, non c'era proprio gara. Come non c'era gara col signore all'ingresso dell'ospedale, che ci ha visti arrivare così tanti e di corsa ed è venuto fuori dal suo casotto per dirci che l'orario delle visite era finito.

Ma non ci ha fermati e nemmeno rallentati, stava lì davanti e agitava le mani ma per spingerlo via è bastato lo spostamento d'aria. Poi lo Zio Athos è tornato indietro, l'ha abbracciato così forte che l'ha sollevato da terra e l'ha lasciato lì, senza parole e spettinato, come se avesse provato a fermare la tramontana quando le viene voglia di vedere il mare, si tuffa giù dai monti a tutta forza e quel che non si porta dietro lo spiaccica per terra.

Così il nostro vento ha tirato dritto fino alla porta a vetri, e si è fermato solo davanti all'ascensore. Perché più di tre alla volta non ci stavamo. Allora ci siamo guardati un attimo, poi abbiamo preso le scale. Io sempre in spalla allo Zio Aramis, mentre Aldo e Athos portavano di peso Adelmo e la sua sedia a rotelle. Era faticoso, certo, ma dovevamo arrivare per forza così, una cosa sola e irresistibile e tutta insieme. Come il vento appunto, e come la famiglia Mancini.

E mentre salivamo, la mia testa era presa dalle mille robe che adesso il babbo doveva sistemare, accumulate in quegli anni di sonno. Erano tante e tutte urgenti, e nell'agitazione degli scalini si prendevano a spinte per decidere quale veniva prima: i pedali della mia bici cigolavano così forte che facevano scappare i cani per la strada. La rete sopra l'allevamento dei lombrichi andava cambiata, sennò morivano tutti mangiati dai merli, ed erano così tanti che poi morivano pure i merli di indigestione. Il mio letto zoppicava ogni notte di più, e ormai se mi rigiravo nel sonno mi ribaltava giù per terra... queste e tante altre cose che si erano rotte, e adesso bisognava aggiustarle.

Ma le mani miracolose del babbo potevano lavorarci veloci e da sole, mentre la sua testa ne sistemava altre più complicate, che magari non erano di ferro o di legno e allora non sembrava, però erano rotte pure loro.

Per esempio doveva insegnarmi come si fa a piacere agli altri, a tutti gli altri, maschi e femmine. E a farsi invitare alle festine. E a ballare, e a parlare con le ragazze, e cosa dire quando ci parli. Cosa facevano gli altri nelle ultime file al cinema, coi cappotti ammucchiati sulle gambe, cosa dovevo fare io se un giorno stavo davanti a una ragazza, e cosa dovevo fare quando la ragazza non c'era e invece stavo davanti a un albero, nel bosco delle seghe. E come si fa a essere bravi in queste cose e in tante altre, come si fa a essere bravi in genere, come si fa a non essere brutti e cattivi com'ero stato io quel giorno sui monti, proprio nel momento che il babbo aveva aperto gli occhi ed era tornato da me.

E allora, mentre le scale finivano e già si vedeva la porta della sua stanza, speravo che il babbo in quegli anni a letto si fosse riposato tanto, perché adesso non gli avrei lasciato un secondo di pace. A cominciare da un abbraccio così forte che rischiavo di spezzarmi le braccia. Ma tanto, adesso che il mio babbo era di nuovo qui, mi sistemava al volo pure quelle.

Ci pensavo lì in spalla allo zio e facevo di sì con la testa, poi l'ho abbassata di scatto per passare sotto la porta senza essere decapitato, che morire adesso sarebbe stato proprio ingiusto, col babbo a un passo. Invece entriamo e sono ancora vivo, e la mia testa è ancora al suo posto. Ma il babbo no.

Nella sua camera non c'era niente e nessuno. Il posto dov'ero venuto a trovarlo quasi ogni giorno, a leggere insieme a lui e raccontargli le cose e guardare il sole di là dalla finestra che coi mesi scendeva di qua o di là dagli alberi. Il sole c'era ancora, gli alberi pure, ma il mio babbo no. Il suo letto era vuoto. Quel vuoto nero e gigantesco che lasciano le cose importanti quando spariscono, un vuoto che è come il silenzio nelle orecchie quando invece avresti tanto bisogno di sentire una voce, una frase, anche solo una parola. È un silenzio che ti assorda, un vuoto che ti riempie.

E in un momento così, solo lo Zio Athos poteva trovarci qualcosa da ridere: «Il solito Giorgio!» ha detto tutto divertito. «Sarà già in giro a sistemare qualcosa!», e avanti con la sua risata lunga e matta.

Però stavolta non era mica tanto matta, anzi, secondo me lo zio aveva ragione.

«Infatti!» ho detto, mentre Aramis mi tirava giù dalle spalle e mi reggevo al comodino con le gambe addormentate. «È rimasto due anni chiuso qui, ora che si è svegliato è scappato all'aria aperta!»

Tutti hanno fatto di sì, pure lo Zio Aldo, che è uscito per primo dalla stanza e ha detto: «Adesso però scendiamo con l'ascensore». Ma nel corridoio c'era un infermiere, e ci ha spiegato che invece no, il babbo non era uscito, l'avevano solo trasferito in un altro reparto, *visti i recenti sviluppi*.

Ha detto proprio così, "visti i recenti sviluppi": proprio vero che, se ti impegni, c'è sempre un modo per dire le cose che riesce a sciupare anche quelle più meravigliose. Ma non importava, le parole gelide dell'infermiere erano uscite dalla sua bocca e sfumate al volo, come cubetti di ghiaccio sputati addosso a un incendio.

E poi il nuovo reparto non era lontano, ci siamo arrivati in un attimo e siamo entrati in questo corridoio che, anche se in giro non c'era nessuno a dirci di non urlare e non correre, era così zitto e scuro che abbiamo smesso da soli.

Due file di porte, di qua e di là, tante e tutte chiuse, e muri bianchi senza foto di montagne e fiori, niente poster di mamme e babbi con bimbi e sorrisi così grossi che venivano fuori dalla cornice. Non c'era nulla, solo i muri bianchi e le porte chiuse e le ruote della carrozzina di Adelmo che fischiavano sul pavimento mentre andavamo a caso. E poi, svoltato l'angolo, accanto a un'altra porta c'era la nonna, che giocava al solitario con le gambe coperte di carte.

«Fabio!» ha detto, in quel modo di gola e strinto che ti viene se provi a urlare sottovoce. Si è alzata e io sono corso da lei, e ci siamo abbracciati così stretti che in mezzo non ci stavano nemmeno le carte del solitario, tutte cadute per terra.

«Il babbo! Il babbo!» ho detto dentro la lana del suo maglione. Sentivo i suoi capelli duri, la pelle morbida che andava su e giù per dire di sì, e poi: «Il babbo è qui Fabio, il babbo è qui!».

E se prima le parole dell'infermiere erano di ghiaccio, queste della nonna erano così stupende che riuscivano a rendere ancor più stupenda questa verità meravigliosa, anche se sembrava un'impresa impossibile tipo bombardare una bomba o dare fuoco alle fiamme.

Ma si vede che tutto l'impossibile dell'universo si era dato appuntamento in questo giorno e in questo posto, perché mentre io e la nonna ci stringevamo ho sentito altre due braccia che mi prendevano alle spalle, più dure e più forti, e mi hanno avvolto in un abbraccio che mi ha tolto il fiato. I polmoni erano fermi, il cuore non batteva più, ogni parte di me ha smesso di lavorare e voleva solo rimanere così, ferma e stretta fra le braccia del mio babbo.

Il mio babbo che era tornato, il mio babbo che il dottore matto diceva che era impossibile, che ormai era diventato un vegetale. Sì, come no, se i vegetali fossero forti come questo abbraccio, avrebbero già strangolato la razza umana che ora non potrebbe più dare fastidio al mondo. E per un attimo ho immaginato quel pianeta favoloso, dove i boschi comandavano e tutto tornava bello e pulito com'era all'inizio. E anche noi adesso tornavamo all'inizio, a prima di quel Natale e di quel volo dalla scala nella casa del Signore, il Signore che finalmente si era deciso a fare qualcosa per noi.

Sì, proprio così, ed era giusto, era magnifico, era proprio quel che doveva succedere.

E insieme però non era vero.

Era la mamma che mi abbracciava da dietro, non il babbo. E forse con un angolo del cervello l'avevo già capito prima di sentire la sua voce. Dalle braccia lisce, dal profumo, da tutti quei particolari che poi quando sai come stanno davvero le cose è facile dire *Eh, ma io l'avevo già capito*, però non è mica vero niente, è solo un modo per sentirti un po' meno scemo, quando la verità ti prende in pieno dal nulla come un gavettone d'acqua gelata.

Ma la mamma era così felice mentre mi abbracciava, e in un attimo ha fatto tornare felice anche me. Anche perché il babbo stava lì a un passo, dietro quella porta, che adesso volevo aprirla per salutarlo, per dirgli che eravamo qua fuori, per cosa di preciso non lo so ma insomma il mio babbo era sveglio e stava lì dietro uno strato sottile di legno, come facevo a non andare da lui?

Però la mamma mi ha stretto ancora più forte, e mi ha detto: «No Fabio, non si può, c'è da aspettare che aprano loro».

E anche se aspettare non mi piaceva, le parole dalla sua bocca mi carezzavano i riccioli e mi calmavano la testa con pensieri morbidi e caldi e buoni.

Tanto diversi dalla voce dello Zio Aldo, che ha gracchiato: «Oh, ma insomma, si può sapere che cazzo è successo?».

Allora ci siamo staccati, ma poco poco. E la mamma ha raccontato che oggi stava in camera dal babbo, le infermiere non giravano e così ne aveva approfittato per pulire un po'. La camera era già pulita, ma lei lo faceva lo stesso, perché puliva le case di tutto il paese e le sembrava brutto non farlo nella stanza di suo marito.

«Passavo il panno sui vetri, intanto guardavo fuori e c'era un bel sole, era proprio tornata la primavera. L'ho pensato e l'ho detto: "Giorgio, guarda, è tornata la primavera". Poi mi sono voltata e lui era lì, con gli occhi aperti.»

«Con gli occhi aperti? E ti guardava?»

«No, era sdraiato sempre uguale, guardava il soffitto. Però aveva gli occhi aperti. Ho pensato che avevo visto male, che ero abbagliata dal sole, ma invece era vero. Ho provato a chiamarlo. Poi sono corsa fuori e c'era la Ines, è venuta con me ma quando siamo tornate aveva di nuovo gli occhi chiusi. Ho avuto paura che magari mi ero sbagliata, poi però li ha aperti un'altra volta. E la Ines ha chiamato le altre infermiere, e in un attimo c'era pieno di dottori e mi hanno detto che dovevo uscire. Che dovevo aspettare fuori. Passava il tempo e non mi dicevano nulla, solo che dovevo aspettare. Ho chiesto quanto, e mi hanno detto che non lo sapevano. Ho chiesto se era più di un quarto d'ora e mi hanno detto sì, più di un quarto d'ora di sicuro. E allora ecco, sono scema, lo so, però mi sono guardata un attimo, e sono corsa a casa a cambiarmi.»

Infatti la mamma era lei e insieme era diversa. Aveva il vestito bello delle feste, che era strano perché in questi anni non se l'era messo mai, nemmeno a Natale. Ma forse non era strano per niente, perché se nella storia del mondo esisteva una festa, quella era proprio oggi.

«Ti sei anche pettinata» ho detto. E lei ha fatto di sì, con gli occhi al pavimento. «E ti sei messa il profumo.»

«Sì, e anche il rossetto, e anche gli orecchini. Sono scema Fabio, l'ho già detto da sola, non me lo ridire anche te.»

L'ho guardata ancora, poi ho smesso perché mi vergognavo di quello che stavo per dirle: «Non sei scema mamma, sei bella». E quando sono riuscito a tornare con gli occhi da lei, aveva la bocca a metà fra un sorriso e se ti viene da piangere.

«Q-q-questo è un m... momento b... b... el-l-bellissimo» ha detto lo Zio Aramis. E Athos uguale, parlando a pezzetti come suo fratello, perché si era commosso.

Ma non era lui, eravamo tutti. E allora siamo rimasti così,

fermi, zitti, nell'aria che sapeva di finestre chiuse e disinfettante e momenti più grandi di noi. Tutti con gli occhi che frizzavano, ad aspettare, aspettare fortissimo.

E non importa se non sapevamo quando sarebbe successo e come: era la cosa più stupenda del mondo, così tanto che la seconda in classifica era stare qui, tutti insieme, ad aspettarla.

Ma poi, dopo qualche minuto senza parole, dentro al nostro silenzio sono entrati questi passi leggeri e lontani, che all'inizio pensavo fosse qualcuno che arrivava dal corridoio, invece venivano dalla parte opposta, da dietro la porta chiusa dove c'era il babbo.

La maniglia ha scricchiolato, si è abbassata, la porta si è aperta e i miei occhi si sono spalancati così tanto che facevano a gara con la bocca. Ma la competizione è finita quando sono rimbalzati sul bianco di un camice, addosso a un dottore che è uscito dalla stanza e si è subito richiuso la porta alle spalle.

Non l'avevo visto mai, era più giovane dell'altro, aveva la barba e degli occhiali un po' scuri che secondo me nel buio del corridoio non ci vedeva nulla. Però almeno noi ci aveva visti, perché ci ha salutati con un *Buonasera*.

Gli altri hanno risposto *Buonasera*, io invece mi sono stretto alla mamma e le ho chiesto piano se questo qui era un medico vero, oppure un altro matto del piano di sopra. Lei mi ha posato una mano sui riccioli, l'ha guardato un attimo, poi ancora più piano mi ha risposto: «Boh, sentiamo cosa dice».

«Buonasera. Innanzitutto una cosa deve essere subito chiara.»

«Esatto dottore» ha fatto lo Zio Adelmo. «Qua si può fumare, giusto?»

Il dottore si è tolto gli occhiali per guardarlo meglio, o peggio. «Vi faccio notare che siamo in un reparto dove non sarebbero previste visite ai degenti, e anche se fossero previste è comunque tardi e saremmo fuori orario.»

«Sì, va bene, ma si può fumare o no?»

La risposta è stata solo che il dottore ha smesso di guardarlo, e si è voltato verso la mamma e la nonna e me. Per lui bastava così, ma lo Zio Adelmo è rimasto senza fumare solo perché gli è cascato l'accendino per terra e gli altri zii non gliel'hanno raccolto, allora invece del fumo ha soffiato una scarica di bestemmie a bassa voce.

«Dunque» è ripartito il dottore, «una cosa deve essere chiara subito. Perché voi guardate i film, e i film vi fanno immaginare chissà cosa. Vi fanno vedere scene assurde che non stanno né in cielo né in terra, e voi ci credete. Quindi, innanzitutto, ricordatevi che qua non siamo in un film.»

Così ha detto, e io non ci potevo credere: ma davvero con tutto quello che è successo, col milione di cose che deve spiegarci, questo qua si è messo a parlare male dei film? I film sono stupendi, sono meravigliosi, io ne guardavo così tanti che se fossero stati biscotti sarei pesato trecento chili ma senza farmi passare la fame mai: cosa avevano fatto di male, i film? Se il problema era che loro sono belli e pieni di avvenimenti magnifici e invece la realtà tante volte è peggio, che colpa avevano loro? Semmai era la realtà che doveva vergognarsi e stare con gli occhi bassi in un angolo. E poi cosa c'entrava questo discorso, oggi che finalmente la realtà era riuscita a somigliare a un grande film?

«Il coma non è così, non è una lampadina che si accende e si spegne, si spegne e si accende. Questo succede solo a Hollywood, mi capite?»

No, io almeno non capivo. E soprattutto non capivo come mai, allora, il babbo invece che in questo ospedale non l'avevano portato subito a Hollywood, così tutto filava più semplice e veloce. Però non gliel'ho chiesto, perché alla fine con un po' di pazienza era successo anche qua in Italia. E poi perché questo signore col camice bianco sopra pantaloni di velluto e mocassini mi sembrava sempre meno un dottore vero, sempre più un altro matto scappato dal piano di sopra.

«Insomma, la realtà è molto più complessa. Non è che il vostro caro adesso si risveglia, prende un caffè e viene a farsi un giro con voi, mi capite?»

E allora la mamma: «Sì dottore, certo che capiamo, ma questa cosa la sapevamo già da soli. Senza offesa, ma non siamo proprio così scemi».

L'ha detto davvero, giuro, e mi ha fatto strano perché non erano parole da lei. E poi perché io in realtà questa cosa non la sapevo mica da solo, la sapevo adesso, e allora si vede che ero proprio scemo come pensava il dottore.

«Le chiedo scusa signora, non volevo offendervi, però ci tengo a essere chiaro.»

«Mi scusi lei dottore, è solo che voglio tanto sapere come sta mio marito.»

«Certo, ma certo. Però non è una risposta semplice. È ancora presto per saperlo, ci sono tanti fattori da valutare...» è ripartito il dottore, e io sono riuscito a trattenermi ma mi veniva da sbuffare.

Anche se avrei potuto farlo tranquillamente, perché nello stesso momento la nonna ha sbuffato così forte che mi avrebbe coperto. E poi ha detto: «Va bene, però adesso Giorgio si è svegliato, questo almeno sì, giusto?».

«Be', sì e no signora. "Risveglio" è un termine su cui potremmo discutere.»

E lo Zio Aldo o Adelmo o un altro a caso degli zii ha detto «che palle». La mamma invece: «Dottore, io però l'ho visto che ha aperto gli occhi. Li ha tenuti aperti un bel po'. Erano aperti e guardava».

«Certo signora, e questo è importantissimo. È un segnale innegabile, e sinceramente io, dopo così tanto tempo, non me l'aspettavo più. Ha aperto gli occhi e questo è molto, eppure non basta. La possiamo definire una vigilanza apparente, tipica dello stato vegetativo.»

Ma come, *vegetativo*? Erano due anni e tre mesi che il babbo dormiva e dicevano che era un vegetale, adesso però aveva aperto gli occhi, cavolo, da quando in qua una pianta apre gli occhi? Una pianta non ce li ha nemmeno, gli occhi!

Invece il babbo li aveva aperti e si era svegliato, possibile che questo signore che forse era un dottore non ci credesse ancora? Ce l'aveva tanto coi film, ma era uguale identico a quel personaggio nei film di fantascienza che non crede agli alieni perché non li ha mai visti, come San Tommaso con Gesù nella storia che ci aveva raccontato oggi Padre Domenico sui monti. Poi a un certo punto arriva un disco volante, si ferma sopra casa sua e con un raggio misterioso tira a bordo lui e la sua famiglia, che si ritrovano in un'astronave piena di macchinari sconosciuti e luci che lampeggiano. E sua moglie dice *Caro, visto che gli alieni esistono?* ma lui si guarda intorno con quell'espressione precisa e antipatica e risponde *Be' cara, non li abbiamo ancora visti in faccia, quindi la tua conclusione al momento mi pare affrettata.*

Poi per fortuna gli alieni arrivano, sparano un raggio disintegrante in testa a quel sapientino e addio.

Ma quello appunto è un film, e i film sono meravigliosi. Questo invece non è un film, il dottore ce l'ha detto subito, e infatti restiamo a guardarlo tutti seri, e l'unico sorriso è quello fisso sulla bocca dello Zio Athos. Che fa: «Insomma dottore, riassumendo, il nostro Giorgio si è svegliato e sta tornando, però bisogna avere ancora un po' di pazienza. Giusto?».

«No. Cioè, non possiamo saperlo. Il percorso del paziente è tutto da seguire. Potrebbe anche prendere una direzione diversa, più corta e meno piacevole. Potrebbe aver perso molte capacità motorie e mentali, senza riuscire a recuperarle. Anzi, considerato il lungo periodo trascorso lo ritengo molto probabile. Diciamo che bisogna aspettare, questo sì, ma la persona che avete conosciuto voi, ecco, mi dispiace ma non aspettatevi quella perché escludo che possa tornare.»

Così ha detto il dottore. E mi domando come mai, se uno arriva dal nulla e ti dà una coltellata, è una cosa gravissima e ne parla il telegiornale e la gente guarda la tv e dice *Ma ti rendi conto, che orrore, ti rendi conto.* Invece uno può venire da te e dirti una roba così brutta che è peggio di cento coltellate, però nessuno lo arresta e anzi è convinto di essere stato bravo, serio e preciso. Ma come si fa a essere così cattivi, come si fa a essere così stupidi?

Il mio babbo si era risvegliato, e quindi adesso era chiaro che tornava. Non lo sapeva il dottore che le rondini, senza mappe e senza poter leggere i cartelli, volano ogni autunno fino in Africa, poi tornano su precise nel posto dove hanno fatto il nido l'anno prima? Non sapeva che le anguille partono dai fossi dietro casa nostra, attraversano i campi e si buttano nei fiumi e da lì fino in fondo all'oceano, e le loro figlie appena nate tornano qui ognuna nel fosso da dov'è partita la mamma? Non sapeva che i cani quando i padroni cattivi li portano a sperdere, tante volte tornano da quei posti lontani fino a casa, anche se non conoscono le strade, anche se a casa trovano una persona così schifosa che nemmeno li aspetta?

La Natura sa fare tantissime cose, ma quella che le riesce meglio, da sempre e per sempre, è proprio questa: andare e tornare. Tornano le rondini, tornano le anguille, tornano i cani e tornano le foglie sugli alberi potati dallo Zio Aramis. Figuriamoci se non riusciva a tornare il mio babbo.

Sì, proprio così, e stringevo forte i denti in bocca e i pugni nelle tasche mentre pensavo fortissimo questa cosa. Ma mi sa che non l'ho solo pensata, l'ho proprio detta a voce alta: «Tornano le rondini, tornano le anguille, i cani e le foglie, e torna anche il mio babbo!». Perché ho alzato gli occhi e tutti stavano zitti a fissarmi, e mi è venuta paura che adesso, invece di far uscire il babbo dall'ospedale, rinchiudevano anche me qua dentro, al piano di sopra coi finti dottori e gli altri pazzi.

Poi per fortuna la mamma ha ricominciato a parlare: «Insomma, sono più di due anni che aspettiamo, mi vuol dire che oggi non è cambiato nulla? Dobbiamo solo aspettare ancora e niente di più?».

E il dottore è ripartito col solito tono piatto e noioso, che io quasi smettevo di ascoltarlo. Ma sarebbe stato un peccato mortale, perché anche se lui la cantava male, all'improvviso dalla sua bocca è uscita una canzone bellissima: «No, questo no signora. Oggi il vostro caro ha aperto gli occhi, l'ha visto lei e l'abbiamo visto anche noi. È un segnale importante, significa che ha cominciato a stabilire quello che si chiama un canale comunicativo. Adesso però questo canale bisogna riuscire a stimolarlo, bisogna stabilire un contatto, chiamare Giorgio in un modo che arrivi fin laggiù dov'è lui. Giorgio si è svegliato, ma in mezzo a una nebbia fittissima, così fitta che non vede nulla e non sa da che parte andare. E se esiste qualcuno che può aiutarlo, che può chiamarlo dalla parte giusta, quelli siete voi».

Così ha detto il dottore, frasi tanto stupende che non sembravano mica sue, ma appunto le parole di una canzone fantastica che ogni volta che mi sentivo triste o scoraggiato me la potevo riascoltare e stavo meglio. Perché insomma, certe volte l'universo gira storto e tutto si diverte a succedere contro di te, ma non può essere un posto tanto brutto, se dentro ci esiste una canzone così.

E allora ho fatto di sì, ho fatto di sì ancora più forte, e poi ho detto questa cosa che se me la tenevo dentro mi scoppiava il cuore: «Io lo chiamo sempre, il mio babbo, sempre! Vengo da lui e leggiamo tanti libri interessanti insieme. Sono due anni e tre mesi che faccio così, dottore, giuro!».

E lui: «Bene, bravo. Da oggi questa cosa potrebbe avere un senso».

Così mi ha detto, e ha pure sorriso, perché secondo lui aveva detto una bella cosa. E invece il mio sorriso è rimasto così, una paresi sulla bocca, duro e storto come un fossile, una roba che era stata viva e selvaggia ma un milione di anni fa. Però è passato un attimo, ed è tornato a vivere. Perché magari era brutto scoprire di aver passato tanto tempo a fare una cosa senza senso, ma adesso finalmente un senso ce l'aveva. Adesso il mio babbo poteva sentirmi, e io ero pronto a chiamarlo fino a consumarmi la voce. E quando non ne avevo più cominciavo a fischiare, e andavo avanti così finché non lo vedevo tornare e gli correvo incontro e ci stringevamo forte.

E intanto stringevo la mano della mamma, e lei la mia, e la nonna mi ha baciato sulla fronte. Gli zii invece sono venuti a darmi degli schiaffi sui riccioli e le spalle, che era il loro modo di abbracciarmi, allora gliel'ho fatto vedere io come ci si abbraccia per bene, siamo rimasti tutti stretti insieme e non abbiamo detto più nulla e non abbiamo chiesto altro.

Perché tanto cosa ne sapeva il dottore, cosa ne sapevamo noi, cosa ne sappiamo tutti quanti nell'universo?

Siamo così, spersi in mezzo alla nebbia, e ci guardiamo intorno per capire se è meglio andare di qua o di là oppure stare fermi ancora un po'. E intanto parliamo e cantiamo e certe volte pure ci mettiamo a fischiare, per farti sapere dove siamo, anche se non lo sappiamo nemmeno noi. Però insomma, siamo qui, e ti aspettiamo.

19
Più scemo dei computer

«Nella preistoria ogni tribù aveva un sacerdote, che era importantissimo perché sapeva accendere il fuoco e mantenerlo per tutti. Nell'antico Egitto un ristretto gruppo di esperti sapeva costruire le piramidi, e conosceva i segreti per rendere eterne le mummie dei faraoni. Pochi e preziosi erano anche i monaci che nel medioevo erano in grado di leggere i testi classici, e copiarli per tramandarli ai posteri. E voi, voi siete come quelle persone rare e fondamentali, perché quello che un tempo sono stati il fuoco, i libri e le piramidi, oggi è il computer, e voi ne siete i maestri e i custodi. Anzi, adesso no, ma vi prometto che lo sarete fra tre mesi, alla fine del mio corso.»

La voce del Signor Giovanni si è impennata nel finale e ha riempito lo stanzone dell'oratorio. Dove mi sembrava così strano stare fermi e seduti, visto che a un passo c'erano un biliardino e un tavolo da ping pong liberi per giocare. Ma ancor più strano era diventare maestri di computer nel giro di tre mesi, soprattutto se il Signor Giovanni passava la prima lezione a raccontarci la storia dell'umanità.

«In futuro i computer saranno sempre più potenti e quindi sempre più grandi e difficili da usare, e solo pochi esperti saranno in grado di farli funzionare. Quegli esperti saranno i protagonisti della storia mondiale, che sarà cambiata dai computer come in passato è stata cambiata da... dalla ruota per esempio. Sì, la ruota, che appena è apparsa ha rivoluzionato il mondo, e nessun popolo ha potuto farne a meno.»

Allora io mi sono piegato al Piccolo Massimo qua accanto, e sottovoce gli ho detto «a parte gli indiani». Ma pianissimo, giuro, roba che a scuola non se ne sarebbe accorto nessuno. Solo che non eravamo a scuola, eravamo sei persone sedute davanti al Signor Giovanni, che non era un professore ma uno che amava tanto il suono della sua voce, e non sopportava quello degli altri. Infatti si è bloccato e mi ha puntato il dito addosso:

«Fabio, cos'hai da dire di tanto importante, che non puoi aspettare la fine della lezione?»

«Scusami Giovanni, non era nulla.»

«No no, era qualcosa per forza, e immagino qualcosa di fondamentale. Quindi su, dillo a tutti, che siamo curiosi.»

«No, niente, dicevo solo che gli indiani no.»

«Gli indiani no cosa.»

«Tu hai detto che tutti i popoli usavano la ruota, ma invece gli indiani no.»

«Gli indiani indiani o quelli americani?»

«Quelli americani. La ruota non la usavano, non la conoscevano proprio.»

«Sicuro? Be', è comprensibile, non gli serviva, avevano tanti cavalli e si spostavano con quelli.»

Io sono rimasto zitto, e giuro che volevo restare anche fermo. Però si vede che mi è scappato di scuotere la testa, perché Giovanni mi fa: «No? Perché no?».

«Perché gli indiani non avevano nemmeno i cavalli. In America non esistevano. I i hanno portati i bianchi dall'Europa.»

«Ah, ecco... ma allora vedi che mi stai dando ragione? Noi gli abbiamo portato i cavalli e oggi i computer, gli abbiamo sempre offerto il progresso. Ma ora basta, se oggi state qui ad ascoltarmi è perché volete diventare maestri del computer, quindi fate attenzione.»

E stavolta sono riuscito a stare zitto e anche fermo, senza ribattere che in realtà l'uomo bianco aveva portato agli indiani solo malattie mortali, e quelli sopravvissuti li aveva stecchiti a fucilate. E che se oggi io stavo qui ad ascoltarlo, era solo perché me l'aveva chiesto Padre Domenico.

Era passato un mese da quel giorno in cima ai monti, quando io e il Padre avevamo scoperto quanto potevo essere cattivo. E per fargli vedere che era stato un incidente, che invece sul livello del mare ero tanto buono, avrei detto di sì anche se mi avesse proposto un corso per assaggiatori di acido muriatico. Figuriamoci queste lezioni di "programmazione basic", che non sapevo cosa fossero ma insomma, probabilmente erano meglio dell'acido.

E poi l'importante non era imparare qualcosa, il Padre aveva messo su il corso solo per tenere impegnato il catechista Giovanni in questo periodo disgraziato.

Da tanti anni infatti la sua famiglia aveva una gelateria, sempre così piena che dovevi metterti in fila quando il gelato non ti andava per niente, perché tanto quando toccava a te era passato un bel pezzo e lo volevi da morire. Da un paio di mesi però la sua mamma aveva lasciato tutto a Giovanni, e lui aveva subito messo in pratica un progetto che aveva in testa da una vita: i mille gusti della gelateria adesso erano diventati senza zucchero.

Nemmeno un granello, un gelato amaro come il veleno, ho visto bimbi piccoli assaggiarlo e mettersi a piangere. E io pure la prima volta sono rimasto con la lingua di fuori a specchiarmi nella faccia del Piccolo Massimo, anche lui con la stessa espressione di disgusto. Anzi, no, proprio di spavento, di terrore che nel mondo potesse esistere una cosa così tremenda. E quella prima volta era stata anche l'ultima, per noi come per il resto del paese. Infatti Giovanni aveva chiamato "il Tirreno" e "la Nazione" per spiegare la sua scelta di difendere i ragazzi dallo zucchero, che era il grande male del ventesimo secolo, ma quando sono usciti quegli articoli la gelateria stava già chiudendo.

Nessuna bocca voleva avvicinarsi al suo nuovo gelato, e lui non voleva tornare indietro. Così addio gelateria, e Giovanni passava i giorni a camminare lungo il mare e raccogliere legni da buttare nell'acqua e a parlare da solo, con una smorfia in faccia come quella che ti veniva quando assaggiavi il suo gelato.

Allora Padre Domenico, per tenerlo occupato, gli aveva

chiesto di organizzare questo corso di computer. E io, per far vedere al Padre quant'ero buono, mi ero iscritto al volo. Ma in fondo non era mica un grande sacrificio: il corso c'era il mercoledì, e il mercoledì per me era un giorno inutile, perché era uno di quelli che non potevo andare dal mio babbo.

Era passato un mese dal giorno che aveva aperto gli occhi, e già gli avevano tolto il respiratore e stavano per iniziare lo svezzamento dalla cannula che aveva in gola per il mangiare. *Svezzamento*, una parola da bimbi, ma infatti il babbo era così, come un bimbo appena nato, che teneva gli occhi aperti e guardava il mondo intorno tutto curioso, senza però capire nulla.

L'unico momento che stava con gli occhi fermi e attenti secondo me era proprio quando mi mettevo a leggere i manuali con lui. E allora era un peccato che dalla clinica vicino casa nostra l'avessero spostato verso Lucca, in un posto che si chiamava Centro del Risveglio. Era una cosa strana: il babbo piano piano veniva verso di noi, e i dottori invece lo spedivano più lontano.

Così lontano che per andarci dovevo aspettare la mamma, che però lavorava sempre e io a casa mi consumavo, perché adesso leggere con lui era proprio stupendo. Ora che teneva gli occhi aperti e giuro che in certi momenti mi sembrava proprio che ascoltasse, allora mi emozionavo e non capivo più cosa stavo leggendo, la mia voce diventava solo un suono mentre pensavo *Dài babbo, dài, vieni che sono qui. Mi vedi, mi senti? Sono qui!*

E non avrei voluto fermarmi mai, ma appunto la mamma doveva lavorare, e pure i dottori dicevano di limitare gli stimoli, altrimenti il babbo si abituava e non gli facevano più effetto. E insomma, il mercoledì era uno di quei giorni che mi toccava essere libero, quindi potevo buttarlo via così, al corso di basic.

Insieme al Piccolo Massimo e agli altri due Super Devoti, Manuel e Jolanda, che anche loro avevano rinunciato a un'ora di preghiera solo per non far parlare Giovanni davanti a una stanza vuota. Oltre a noi un ragazzino più piccolo, che però non valeva perché era il figlio di Giovanni e sapeva già tutto di computer. Infatti mentre il suo babbo parlava lui faceva di sì forte con la testa e si guardava intorno con un sorriso antipaticissimo. Ma poveraccio, mi sa che è impossibile essere simpatico se cresci senza sentire mai lo zucchero.

Per ultimo c'era il Signor Bini, un signore vecchio che si annoiava tanto, e allora era venuto a vedere cos'erano questi famosi computer. Anche se per lui le cose moderne facevano schifo e tutto era meglio prima, e le uniche cose migliori di quelle prima erano quelle che c'erano ancora prima. E mentre il figlio del maestro faceva di sì a ogni parola, il Signor Bini faceva di no così forte che io dietro di lui non mi toglievo il giubbotto, perché a forza di scuotere la testa alzava una specie di brezza.

Poi però, così dal nulla, si è scatenato un altro vento cento volte più potente, che magari soffiava solo addosso a me ma in un attimo ha ribaltato la mia giornata. Quando la porta di alluminio si è aperta in uno schianto, il maestro si è bloccato e tutti ci siamo voltati a guardare lei, la Coccinella.

Che arrivava sempre così nella mia vita: dal nulla, in ritardo e spaccando tutto.

E allora, se un attimo prima stavo per addormentarmi, adesso tremavo per l'agitazione. E anche per la vergogna di quanto ero vestito male, coi calzoni della tuta e questa felpa mostruosa di Paperino che ballava e mandava baci. Ma non era colpa mia: chi poteva immaginarsi che la Coccinella, mai vista a scuola e mai in parrocchia e mai da nessuna parte, la incontravo proprio oggi a questo corso assurdo?

Però era così, e non potevo nemmeno starci a pensare. Dovevo limitare i danni, togliendomi questa faccia da scemo e nascondendo Paperino sotto il giubbotto chiuso fino in cima, anche se un caldo nuovo e strano mi partiva dal respiro e incendiava ogni pezzetto del mio corpo. E ho cominciato proprio a sudare quando Martina ha salutato tutti, ha chiesto scusa per il ritardo e si è venuta a sedere accanto a me.

«Allora, dopo questa ennesima distrazione, riprendiamo. Il computer sa fare tutto quel che facciamo noi, ma meglio. Perché lo fa più velocemente, non sbaglia mai e non si stanca. Il computer esegue tutto quello che gli ordiniamo di fare, però bisogna conoscere la sua lingua, una lingua nuova e fondamentale che si chiama *Basic*. E dobbiamo dire grazie ai suoi inventori, il Signor Kemeny e il Signor Kurtz. Kemeny e Kurtz: segnatevi questi nomi sul quaderno.»

Abbiamo obbedito, tutti tranne il Signor Bini che un quaderno non ce l'aveva, e invece di scrivere ha brontolato: «Ma questi due di dove sono? Non saranno mica tedeschi eh, i tedeschi hanno già fatto troppi danni».

«No, sono americani.»

«Ah, buoni quelli! Povera patria, in che mani siamo.»

«Sì, d'accordo, però scriveteli, Kemeny e Kurtz, tutti e due con la K, capito?»

E il Signor Bini: «E certo, la K, tipica lettera tedesca».

Giovanni ha smesso di guardarlo, ha respirato forte. «Ma a proposito di K, dovete sapere che ogni computer ha la sua potenza, che si chiama *memoria*, e l'unità di misura di questa memoria è proprio il K. E un giorno i due inventori del Basic hanno dichiarato», e ha alzato un dito, muovendolo come se stesse scrivendo nell'aria, «"ogni mattina ci svegliamo e restiamo sbalorditi dalle infinite possibilità che ci offre un solo K di memoria".» Poi ci ha fissati uno per uno con gli occhi serissimi, «e pensate ragazzi che i vostri computer, a casa, di questi K ne hanno come minimo quattro!».

Così ha detto Giovanni, tutto emozionato, e però secondo me non era mica una cosa buona: c'erano tanti film sui robot e i computer che si ribellavano e cominciavano a comandare l'umanità, e allora era pericoloso che fossero tanto potenti. Anche se in realtà, per quel che potevo vedere, non mi sembravano così furbi come diceva il maestro.

Che da una decina di minuti aveva acceso il suo computer qui davanti a noi, e solo adesso finalmente era pronto a funzionare. Giovanni ha cominciato a picchiare sui tasti scrivendo cose stranissime, numeri e simboli misteriosi misti a parole corte e inglesi. E il Signor Bini ha commentato che ormai usavamo solo parole straniere, che l'italiano stava morendo e gli italiani con lui, e *Povera patria, povera patria...*

Ma Giovanni non ha risposto, e si è voltato verso di noi

con lo sguardo spiritato: «Ecco ragazzi, io vi garantisco che fra tre mesi, quando sarete maestri del linguaggio basic, anche voi sarete in grado di fare... *questo*!».

Mentre il suo indice calava sulla tastiera, e suo figlio annuiva per far vedere che lui già conosceva il miracolo che stava per avverarsi. Ma noi no e allora siamo rimasti immobili a guardare, piegati in avanti per non perdercelo ma insieme pronti a scappare via, se adesso il computer mandava raggi distruttori e faceva crollare l'oratorio e tutta la chiesa, o magari si collegava con l'America e la Russia e faceva partire tutti i missili nucleari insieme, e allora non c'era un posto per scappare perché il mondo finiva tutto quanto, appena il catechista premeva il tasto giusto.

Ma in realtà erano più tasti, otto per la precisione: il maestro ha composto lettera per lettera il suo nome, e sullo schermo è apparsa la scritta GIOVANNI. Poi si è voltato di nuovo a noi, e serio, serissimo, ha premuto OK, ha incrociato le braccia sul petto tutto gonfio e di lì a qualche secondo sotto il suo nome è apparsa per magia un'altra parola, ripetuta in colonna una volta, due, mille...

BELLO
BELLO
BELLO
BELLO
BELLO
BELLO
BELLO
BELLO
BELLO

Avanti così all'infinito, o fino alla fine del mondo, il giorno che i computer riuscivano a scatenare il disastro nucleare. Ma al momento erano solo in grado di ripetere che Giovanni era bello, mentre lui restava con le braccia incrociate accanto a quella macchina prodigiosa, e suo figlio faceva partire un applauso.

Martina invece si è piegata verso di me, e con una voce da robot mi ha detto: «Giovanni - bello... computer - cieco!».

Stava per scapparmi una risata, ma insieme mi venivano

su tante altre emozioni che si sono incastrate tutte all'altezza del respiro, così a guardarmi da fuori sono rimasto fermo e calmo ad applaudire il computer e il Signor Giovanni.

Che finalmente l'ha fermato, e ha chiesto al Piccolo Massimo se voleva sapere cosa pensava il computer di lui. Massimo ha risposto «preferirei di no», ma Giovanni ha scritto lo stesso MASSIMO, e dopo un po' sullo schermo è ripartita una colonna piena di BELLO BELLO BELLO.

La stessa cosa con me e poi con Manuel, che è rimasto in ansia mentre il maestro scriveva il suo nome, poi è saltato felice sulla sedia quando anche per lui è cominciata la sfilza dei BELLO.

Dopo toccava alla Coccinella, che il catechista non sapeva come si chiamava e lei gliel'ha detto controvoglia. Giovanni ha scritto MARTINA, il computer ci ha pensato un attimo e poi ancora BELLO BELLO BELLO.

E allora Giovanni si è bloccato, col sorriso che adesso gli tremava sulla bocca: «Ahia ragazzi, ahia! Eccoci davanti a un errore! Un errore informatico. Chi sa dirmi qual è questo errore?».

Suo figlio ha alzato la mano, ma Giovanni ha scosso la testa e guardava noi altri, che però sui computer sapevamo solo che erano come il fuoco e la ruota e le mummie. Solo il Signor Bini ha risposto che quella macchina era uguale alle nuove generazioni, senza romanticismo, e non sapeva distinguere i maschi dalle femmine, che oggi andavano in giro vestite come gli uomini e non facevano più i lavori di casa, ma...

Ma mentre lui continuava così, Giovanni ha puntato il dito proprio addosso a me, e mi ha chiesto: «Fabio, su, è facile, qual è l'errore».

«Io... boh, non lo so.»

«Ma come no, è facile, su!»

«Boh, forse l'errore è BELL-O. Cioè, ecco, Martina è BELL-A.»

L'ho detto, e a Manuel è scappata una risata che mi ha fatto vergognare ancora di più. Mi è sembrato di sentire Martina che diceva *grazie*, ma l'urlo del Signor Bini ha coperto tutto: «Bravo bimbo! 1 a 0 per l'uomo contro queste macchine che non conoscono la galanteria! Bravo, sei proprio il nipote dei fratelli Mancini!».

E purtroppo mi sa che il Signor Bini aveva ragione: io ero proprio come i miei zii, maledetto come loro, goffo e scemo e condannato a vivere in un mondo lontanissimo dalle donne. E come gli zii non vedevo bene i colori, ma le persone normali intorno a me li vedevano, infatti riconoscevano bene il rosso che mi stava esplodendo in faccia e saliva su fino alla punta delle orecchie.

Mentre il maestro Giovanni spiegava che no, non era questo l'errore, lo sbaglio non era della macchina ma suo: nel programma, avrebbe dovuto ordinare al computer di rispondere BELLO oppure BELLA, a seconda del nome che scriveva.

«Lo so ragazzi, vi sembra complicato, ma diventerà semplice anche per voi, ve lo garantisco, mercoledì prossimo.»

E con questo ha chiuso la lezione, suo figlio è corso a stringergli la mano e noi ci siamo alzati veloci e più leggeri, come la domenica mattina in chiesa quando Padre Domenico diceva *La messa è finita, andate in pace*, e noi non lo so se andavamo in pace, ma di certo andavamo via di corsa all'aria aperta.

Solo che adesso io non volevo andare da nessuna parte, volevo restare qua con Martina e parlare con lei, e magari per una volta dirle qualcosa di intelligente. Ma il mio cervello era incantato come il computer di Giovanni, e se la guardavo riuscivo solo a pensare BELLA BELLA BELLA.

Allora, per fortuna, mi ha parlato lei:

«Mi sono persa la parte interessante, o tutta la lezione è stata così idiota?»

Me l'ha chiesto, e mica a bassa voce. Infatti mi sono voltato per vedere se Giovanni l'aveva sentita, però era impegnato a discutere col Signor Bini.

«No, è stata tutta così. Ma all'inizio ha parlato di mummie.»

«Ah, e che ha detto delle mummie.»

«Che fra tre mesi saremo come loro. Anzi no, che saremo come quelli che le facevano.»

«Bene, sempre meglio che parlare di computer.»

Io ho fatto di sì, e con lo stesso sì ho risposto al Piccolo Massimo, che andava una mezz'oretta di là con Manuel e Jolanda a pregare. Gli ho dato anche una pacca sulla spalla, felice di vederli andare via e restare solo con Martina.

Che mi ha chiesto come mai venivo a questo corso noiosissimo.

Per far vedere a Padre Domenico che sono buono avrei dovuto rispondere, ma era una roba così stupida che non riuscivo a dirla nemmeno io. Allora ho alzato le spalle e ho fatto: «Boh, e te?».

«Io sono obbligata.»

«Da chi?»

«Da mia mamma. Dice che sto troppo da sola, allora mi ha mandata qui. Invece io volevo tanto fare un corso di batteria.»

«Di batteria?»

«Sì. Mi piace un sacco. E lo faccio eh, ho cominciato ieri. La mamma non voleva, ha detto *Ma a cosa ti serve la batteria?* Alla fine però mi ci ha mandato, a patto che venivo anche qua, che secondo lei è utile perché il computer è il futuro.»

La stessa cosa che ci aveva ripetuto Giovanni per un'ora. Anche se con tutti i discorsi sulle mummie e gli uomini preistorici e il medioevo non avevo capito se il computer era il futuro oppure il passato, o forse tutte e due le cose insieme.

«Pure la mia mamma si preoccupa che sto troppo da solo» ho detto.

«Sì, ma tu almeno la mattina vai a scuola con gli altri.»

«Certo. Te invece a scuola non ti ho mai vista.»

«Per forza, io non ci vengo!» ha detto Martina, e io sono rimasto di sasso.

Ma come, era possibile non andarci a scuola? C'era questa possibilità e nessuno mi aveva avvertito? Cioè, gli zii sì, loro me lo ripetevano sempre, *Ma cosa ci vai a fare a scuola, resta qua insieme ai tuoi zii, te le insegniamo noi le cose importanti della vita...* e allora, a pensarci bene, restare a casa non era la mossa giusta, e mi conveniva continuare con la scuola.

Che poi pure Martina in realtà ci andava: «Oh, non è che non studio eh, tipo che sono analfabeta o boh. Vado a scuola, ma dalle suore. In classe siamo solo dieci, tutte femmine. E allora la mamma è preoccupata, dice che dovrei stare di più con quelli della mia età, con le femmine ma anche coi maschi».

«Sì, ma allora perché ti ha infilato in quella scuola là?»

«Eh, questa è la parte più brutta, tieniti forte. Non mi ha obbligata lei, ci sono voluta andare io! Non posso nemmeno dire *Come sono sfortunata, che mamma cattiva che ho.* No no, l'ho voluto io, ho anche insistito.»

«Ma perché!»

«Boh! Giuro che non lo so. Le elementari le ho fatte a Lucca, poi siamo tornate a vivere qui e la mattina passavo lì davanti, c'era una siepe altissima piena di fiori, e dentro non si vedeva nulla ma si sentivano dei canti bellissimi in coro. A forza di sentirli li avevo imparati tutti a memoria e mi sembrava di essere brava. E invece non ero brava, ero solo scema, e alla fine mi sono murata lì dietro la siepe.»

E io volevo dirle che no, non era scema. Però insomma, andarsi a rinchiudere da sola nella scuola delle suore, un po' scema mi sembrava veramente. Allora ho tenuto la bocca chiusa mentre uscivamo dalla porta, io e lei, verso il piazzale della chiesa.

E purtroppo dietro di noi veniva il Signor Bini, che aveva smesso di dire parolacce a Giovanni e alla modernità, e fischiettava verso la sua bici. Mi ha guardato indicando Martina, mi ha strizzato l'occhio e mi ha fatto un applauso silenzioso. Poi è partito a pedalare cantando a squarciagola:

Aprite le finestre, bambine innamorate, è primavera
la prima rosa rossa è già sbocciata
e nascon timide le viole mammole
ormai la prima rondine è tornata,
nel cielo limpido comincia a volteggiar,
e il tempo bello viene ad annunciar.
È primavera, è primavera
aprite le finestre al primo amoooooor.

Una canzone da trenta secondi, un minuto al massimo, ma insieme una tortura eterna. Poi finalmente ha curvato dietro la chiesa e la sua voce è sparita insieme a lui, lasciandomi addosso una vergogna così pesante che i miei occhi si erano incastrati laggiù alle catene delle biciclette, e non riuscivano a tornare da Martina.

Nemmeno quando lei, dal nulla, mi ha chiesto: «Ma te sabato vieni?».

«Sabato? Ma sabato il corso non c'è mica. C'è il mercoledì.»

«Ma non al corso, dico al compleanno di Sonia.»

Sonia Perini, che veniva alla mia stessa scuola, anzi era una mia compagna di classe. Ma io questa cosa che basta stare in classe insieme per diventare "compagni" non l'ho capita mai: in classe mia c'era gente che non mi parlava nemmeno, e se lo faceva era solo per prendermi in giro, che senso aveva dire che eravamo "compagni"? Conoscenti, ecco, conoscenti di classe mi sembrava meglio. Infatti io mica lo sapevo che sabato era il compleanno di Sonia, e figuriamoci se ero invitato alla festa.

«No, io alle feste non ci vado mai» ho risposto, e tecnicamente non era una bugia.

«Bravo! Nemmeno io! Dico sempre che non posso, o che non mi sento bene. Però quella rompipalle mi ha invitata proprio davanti a mia mamma, e lei tutta felice ha risposto *Certo che viene, certo!* Sempre per il discorso che così sto con quelli della mia età. Io le ho detto che non voglio, che se non mi ci manda giuro che lavo i piatti per una settimana, per un mese... però nulla. Dice che devo andare alla festa oppure con lei, che il sabato va sempre a Lucca a trovare la zia. E quella forse è l'unica cosa più noiosa di una festa. Da morire di noia. Ma davvero eh, te lo giuro, l'ultima volta stavo sul divano e bevevo il tè e ascoltavo loro due che parlavano di male alle gambe e medicine e effetti buoni e cattivi di quelle medicine, e giuro che mi sentivo morire. Non potevo più muovere le gambe e le mani, nemmeno ingollare e respirare. Te lo giuro, secondo me stavo davvero per morire di noia. Poi per fortuna mi è caduta la tazza, e il tè caldo addosso mi ha dato una specie di scossa che mi ha svegliata, sennò a quest'ora stavi parlando con una morta.»

Mi dispiace per il tè addosso, Martina, ma sono felice che non sei morta. Che sei al corso di basic. Che adesso siamo qua insie-

me davanti alle nostre bici e che sei viva. Queste cose avrei voluto dirle, tutte quante o almeno una. Ma le cose belle sono come quelle brutte, è difficile farsele uscire dalla bocca, così restano a gonfiarti la gola mentre dici solo le cose medie. Il meglio dei nostri discorsi resta sempre rinchiuso dentro di noi, a morire nel buio.

Un buio come quello che di colpo si è allargato sul muro della chiesa, un'ombra sempre più grande, e insieme passi pesanti alle mie spalle e mille parolacce. E lì per lì ho pensato che era il Diavolo che arrivava a prendermi, o la maledizione della mia famiglia che si era accorta che parlavo con Martina e allora veniva di corsa a portarmi via. Perché con le femmine non dovevo fidanzarmi e nemmeno dargli confidenza, così arrivavo a quarant'anni tutto solo e uscivo di testa com'era tradizione.

Un pensiero assurdo, lo so, ma non mi sbagliavo mica tanto. Perché non era la maledizione, ma quasi: era lo Zio Aldo.

«Maremma impestata, ti muovi? Son tre ore che ti aspetto, c'è da andare in pineta, che dopo va giù il sole e i funghi non li vedi più nemmeno te!»

«Ah, ciao zio... scusa, parlavo con... con una... con una persona.»

«Salve» gli ha detto Martina sorridendo, «io sono una persona.»

«Sì, bene, ciao» ha biascicato lui sventolando una mano nell'aria, un po' per salutare un po' come per scacciare una mosca. Poi però ha guardato Martina e la mano si è bloccata, e insieme tutto lo zio, con gli occhi sbarrati su di lei.

«Buonasera» ha detto di nuovo Martina, guardando lui, poi me.

E io speravo che lo zio si sbloccasse, magari per rigirarsi e andare via e lasciarci soli. Invece, quando ha ricominciato a muoversi, è stato solo per tremare forte, e puntare Martina con un dito, e fissarla con gli occhi così spalancati che potevo vedere cosa aveva dentro il cervello. Ma era come guardare una lavatrice che mescola e mescola un sacco di roba zuppa e senza forma. «Ma... ma te... te non...» biascicava «io... te non... ma come, ma non...»

Poi non l'ha indicata più e si è messo tutte e due le mani sulla testa, premendo per non far scappare via gli ultimi pezzetti di normalità. Ma mi sa che ormai era tardi, infatti lo zio si è voltato ed è scappato in fondo al piazzale, è saltato sul camion, ha chiuso lo sportello con un colpo e il finestrino fino in cima, ha acceso il motore ed è corso via a razzo.

E io e la Coccinella siamo rimasti a guardarci, un attimo pieno di silenzio, poi lei mi ha chiesto chi era quello, e cos'era successo.

«È mio zio, ma cos'è successo non lo so.»

«Nemmeno io. Però è strano tuo zio.»

«Molto, molto strano. Ma oggi di più eh, oggi molto di più.»

«Ho fatto qualcosa di male?»

«Te? Ma figurati! È lui che è strano. E poi beve, beve tantissimo.»

Martina ha fatto di sì, ha abbassato gli occhi alla sua bici, l'ha presa, mi ha detto che doveva andare. E io pure. Anche se in effetti dovevo andare con lo zio, che era scappato, quindi adesso non lo sapevo più bene.

«Ci vediamo mercoledì allora» ha detto. «Se sabato non muoio di noia dalla zia.»

«Ma non vai alla festa di Sonia?»

«No, non penso. Mi sa che quella è ancora peggio, quasi quasi vado a Lucca.»

E io ho fatto di sì, e ho detto: «Che bello, quanto vorrei venirci anch'io».

Ma giuro che l'ho detto così, senza un piano dietro o qualcosa del genere, non speravo che adesso la Coccinella mi invitava o chissà cosa. È solo che il sabato non potevo mai andare a Lucca dal babbo, perché i padroni delle ville dove lavorava la mamma arrivavano tutti, e lei doveva stare lì. E allora solo per questo avevo detto a Martina che sabato mi sarebbe tanto piaciuto andare a Lucca, per il motivo più semplice e insieme più forte del mondo: perché davvero ci sarei andato tanto volentieri. Tutto qua.

E con la stessa semplicità clamorosa, la Coccinella ha preso la bici, è salita in sella e mi ha risposto: «Bene, allora sabato ci andiamo insieme».

Io non ho fatto di sì né di no, non potevo muovermi in nessun modo.

«Dài Fabio, così mi presenti il tuo babbo!»

«Sì, ma... cioè, non è che se te lo presento lui ti risponde eh. Non ti dice nulla, non parla proprio. Probabile che non ti guardi nemmeno.»

«Vabbè, non c'è problema, dopo il tuo zio non mi stupisco più di nulla.»

«No ma non è come lo zio eh, il mio babbo è diversissimo. Una volta era normale e sapeva fare tutto, solo che si è appena risvegliato e deve imparare di nuovo, e intanto non sa fare nulla.»

«Ho capito, ma allora te cosa fai quando lo vai a trovare.»

«Leggo. Quando leggo giuro che mi ascolta, e allora leggo per lui tutto il tempo. Gli fa bene, ora lo dicono anche i dottori, gli smuove qualcosa dentro.»

«Bello, e cosa gli leggi?»

«Manuali. Sono libri interessantissimi che insegnano un sacco di cose utili. Tipo allevare i tacchini e i piccioni viaggiatori, e costruire un paesaggio in miniatura per i trenini elettrici, e...»

E potevo andare avanti ancora un sacco, ma Martina mi ha interrotto per chiedere se il mio babbo quelle cose le poteva fare.

«No. Cioè, una volta sì, una volta sapeva fare tutto. E anche fra un po', piano piano torna come prima e può fare qualsiasi cosa.»

«Sì, ho capito, ma adesso?»

«Adesso no. Adesso apre gli occhi, si volta e ti guarda. Due volte ha anche sorriso, una volta ha pianto. Ma non sa camminare, non sa prendere le cose da solo, bisogna dargli il bere e il mangiare.»

«Ecco. E allora scusa Fabio, scusa se mi intrometto eh, ma già a me allevare i tacchini e costruire paesaggi per i trenini mi annoierebbe a morte, figurati a lui che non può nemmeno farlo.»

«Be', però è interessante, un giorno se va avanti così lo può fare di nuovo.»

«Sì, un giorno. Però adesso no. Adesso secondo me gli interessa di più altra roba, cose più semplici tipo appunto come si cammina, come si mangia e si beve. Insomma, secondo me è più facile emozionarlo così, invece che coi paesaggi per i trenini. Sennò è come... boh, è come il Signor Giovanni che vuole appassionarci ai computer e ci parla delle mummie. Belle le mummie, sì, ma adesso non ci servono a nulla, e se me ne parli non è che mi tieni sveglio, anzi, il rischio è che mi addormento ancora di più. Ma questo lo posso capire da Giovanni, cosa ti aspetti da uno che fa il gelato amaro? Da te però, ecco, no.»

Io sono rimasto senza parole, solo pezzetti che ho provato a tirare fuori in qualche modo: «S... sì, forse hai ragione, però... però i manuali... cioè, i manuali che insegnano queste cose semplici, tipo... tipo mangiare o bere, mi sa che non esistono».

E lei: «Vabbè, che problema c'è? Se non esistono vuol dire che adesso li scrivi te. Sono cose che sai fare, quindi le puoi anche insegnare al tuo babbo!».

Così ha detto la Coccinella, mentre si dondolava tranquilla sulla bici, con lo stesso tono di prima quando raccontava di sua zia. Perché per lei era normale dire cose così vere e profonde, c'era abituata. Io invece no, io per la prima volta in vita mia provavo questa sensazione assurda, di stare davanti a una persona che era molto, molto più intelligente di me. Di me e di tutta l'altra gente intorno, pure di quelli che conoscevo solo sulla carta perché avevano scritto i miei preziosi manuali.

Infatti questa cosa enorme che mi aveva appena detto ci ha messo un po' a entrarmi tutta nel cervello. E a quel punto, il mio mondo si è scosso ed è crollato a terra in un polverone fitto, che quando è sparito ci sono rimasto solo io, un imbecille dritto in piedi in mezzo alle macerie.

Perché erano due anni e tre mesi che mi consumavo la voce leggendo manuali al babbo, era la cosa più importante che facevo nella mia vita. Eppure non mi era mai passata per la testa questa idea così semplice e insieme giustissima, che Martina aveva buttato lì al volo senza conoscere il mio babbo e l'ospedale e niente di niente, sorridendo mentre stava per pedalare via.

In un lampo ho rivisto tutti i miei pomeriggi all'ospedale, pieni di tacchini e piccioni e trenini, e i miei occhi che si alzavano dalla pagina per dire *Capito babbo? Basta un tubetto della carta igienica e possiamo costruire una minigalleria per il treno, capito?*, pensando di trasmettergli la mia emozione. Il babbo invece non si emozionava, il babbo nemmeno mi rispondeva. Ma forse una cosa l'aveva capita lo stesso, e molto chiara: che suo figlio era uno scemo.

E allora eccomi qui, accanto alla chiesa e in mezzo alle macerie del mio mondo, che Martina con un paio di parole aveva appena distrutto.

Però mi aveva pure spiegato come ricostruirlo meglio di prima: dovevo trovare un argomento di partenza e scrivere il mio manuale per il babbo, pagine piene di cose semplici ma appassionanti e fondamentali, che al mio babbo servivano veramente. Così quando le imparava poteva passare a quelle più complicate, su su fino al paradiso dei trenini e dei tunnel di cartone e dei piccioni viaggiatori. Ma certo, era così giusto, così ovvio adesso, che mi veniva da chiedere scusa al mio babbo per tutto il tempo perso.

E non ne dovevo perdere altro, bisognava mettersi subito al lavoro. Ma subito-subito non potevo: stavo ancora secco e immobile come una statua, un monumento alla scemenza, e un giorno le suore potevano mettermi dei lumini intorno e spiegare ai bambini che San Fabio era nato qui, ed era tanto buono e tanto volenteroso, ma purtroppo pure tanto tanto scemo.

Poi Martina mi ha detto «a sabato allora!» ed è partita, ha pedalato fino in fondo al piazzale e io sono rimasto a guardare i suoi capelli che ballavano leggeri nell'aria. E solo quando è sparita dietro la chiesa, solo quando non potevo più dirle niente, ho realizzato che il nostro appuntamento di sabato era impossibile, perché non le avevo chiesto a che ora ci trovavamo, e nemmeno dove.

Sono corso laggiù, ma era scomparsa. E allora no, io forse non ero nemmeno una statua, io ero un computer. Un computer lento e balordo come quello del catechista Giovanni, capace di fare una cosa sola: tu scrivevi lettera per lettera il nome FABIO, e io ti rispondevo a valanga

SCEMO
SCEMO
SCEMO
SCEMO
SCEMO
SCEMO
SCEMO
SCEMO
SCEMO
SCEMO
SCEMO
SCEMO
SCEMO
SCEMO
SCEMO
SCEMO
SCEMO
SCEMO
SCEMO
SCEMO
SCEMO
SCEMO
SCEMO
SCEMO
SCEMO
SCEMO
SCEMO
SCEMO
SCEMO
SCEMO

20
Carezze da un lanciafiamme

Sono rimasto così per una decina di minuti, che magari non sono tanti ma è un tempo che non andrebbe buttato via stando immobili davanti a una chiesa, a fissare il nulla e darsi dello scemo. Mai nella vita, ma soprattutto adesso, che avevo mille cose importantissime da fare.

Dovevo incontrarmi con Martina, che sabato mi aspettava e questo era fantastico, ma c'era da capire dove e a che ora, oppure farla aspettare in eterno. E intanto dovevo ricostruire il mio mondo, che proprio lei l'aveva appena raso al suolo, e decidere la prima cosa semplice da insegnare al mio babbo.

Magari potevo scrivere un breve manuale su come si fa a lavarsi la faccia, a mettersi le scarpe o a usare il telefono. Poi mi sono ricordato che in questo mese il babbo aveva imparato a respirare e gli avevano tolto il respiratore, e i dottori dicevano che presto gli toglievano anche la sonda che gli dava il cibo, allora era chiaro che la lezione più utile adesso era come si mangia e si sta a tavola.

Sì, proprio così, e dovevo mettermici subito. Anzi, quasi subito, perché prima mi toccava un compito doloroso, cioè tornare a piedi al Villaggio Mancini e informare la mamma, la nonna e gli altri zii che Aldo non c'era più.

Era venuto a prendermi, ma aveva visto Martina e qualcosa l'aveva fatto impazzire del tutto, era scappato via e chissà dov'era finito, chissà se tornava oppure bisognava apparecchiare un altro posto vuoto a tavola accanto a quello del nonno Arolando. Ci pensavo e mi dispiaceva da morire, e mi mancava già un sacco. Così tanto che quando ho sentito queste due tenaglie che mi agguantavano e mi portavano via a strappo, anche se quasi mi spezzavano il collo io ero felicissimo e ho ringraziato il Signore lassù. Perché erano le mani dello zio, che era tornato da me.

Mi ha portato in spalla fino al camion e mi ha buttato sul sedile accanto a lui, ha acceso il motore, ha succhiato la sigaretta così forte che la punta ha preso fuoco. Poi si è voltato verso di me con gli occhi sbarrati come prima davanti a Martina:

«Chi cazzo è quella lì, come si chiama!»

E io non volevo dirgli il suo nome, volevo tenerlo per me. Mi sembrava di sciuparlo, se lo lasciavo uscire in questo camion sporco e puzzolente. Ma lo zio mi faceva paura, con quegli occhi di fuori e i movimenti tutti storti e di scatto. Non era più lui, era come avere davanti per la prima volta la maledizione della mia famiglia, lì scatenata al suo massimo, mentre finiva di rovinare il mio povero zio.

E allora gliel'ho detto, che si chiamava Martina.

«Non di nome, di cognome!»

Ci ho pensato un attimo, poi «il cognome non lo so mica».

«Ma come no, cazzo, non sai il cognome della tua fidanzata?»

«Non è la mia fidanzata, è... viene al corso di computer con me.»

Lo zio ha messo la retromarcia con un cazzotto al cambio, poi ha rigirato il camion con una sgommata che quasi ci ribaltavamo. «E non sai come si chiama di cognome.»

«No zio, giuro.»

«E nemmeno dove sta di casa.»

«No!»

E non sapevo neppure il suo numero di telefono, niente di niente. Sapevo solo che il camion si scuoteva come una giostra, e se speravo di rivederla dovevo reggermi forte al sedile.

«Va bene» ha detto, «va bene, va bene. E... va bene, va bene.» Cinque volte, anche se a guardarlo non ne andava bene nemmeno una. Ha acceso un'altra sigaretta, ma si è accorto che ne aveva già una in bocca. È rimasto un attimo così, poi ha cominciato a fumarle tutte e due insieme.

«Va bene. Ora però ascoltami bimbo. Ascoltami bene che ti racconto una storia. È una storia che non sa nessuno, ma ora te la racconto. E preparati, perché è una storia parecchio romantica, Maremma puttana.»

Così ha detto lo zio, e già ascoltare una storia che non sapeva nessuno mi metteva dentro un'emozione che bruciavo come le due sigarette fra le sue labbra. Ma poi una storia romantica dalla bocca dello Zio Aldo, ecco, questo sì che era incredibile. Come una motosega che di colpo fa la musica di un violino, come un lanciafiamme che premi il grilletto e comincia a lanciare carezze.

Non era una cosa da lui. Ma non era da lui neppure fermarsi allo stop per uscire dal piazzale della chiesa, eppure l'ha fatto. E menomale, perché davanti al muso del camion sono passati il Piccolo Massimo e Manuel in bici, mi hanno salutato e hanno continuato a pedalare verso il futuro che gli era appena stato regalato.

«Allora, allora» faceva lo zio buttandosi sulla strada, «allora, questa cosa non la sa nessuno. E non so nemmeno se voglio che la sai te bimbo, però te la racconto uguale. Ascoltami bene e stai zitto e non interrompere mai, capito? Oh, hai capito?»

«Sì zio.»

«Ti ho detto di non interrompere, porca troia!»

Ha succhiato le sigarette, ha curvato a destra. «Allora. C'era la guerra. Te quando c'era la guerra non c'eri e quindi non puoi capire un cazzo, però ascolta me. La guerra è sbagliata, sì, è ingiusta e disumana e tutte quelle stronzate che ti insegnano a scuola, che magari saranno anche vere ma chi cazzo se ne frega. La cosa importante è che la guerra è paurosa. Nel senso che fa paura la guerra, paura e basta. Sei a casa che dormi, e ogni secondo ci sta che ti arrivi una bomba in testa e addio. Ma se hai fortuna arrivi al mattino e ti alzi, esci di casa e ogni secondo ci sta che qualcuno ti spari una fucilata nella testa e addio un'altra volta. E così tutti i giorni e tutte le notti, ogni respiro, ogni battito del cuore può essere l'ultimo. E te questa cosa la sai, la sai ogni secondo, e non è che dopo un po' non ci pensi più, è solo che riesci a tirare avanti con questo pensiero fisso nel cervello. Ti rendi conto bimbo, ti rendi conto?»

Io volevo rispondere, però magari lo zio la prendeva come un'interruzione, allora ho fatto solo sì con la testa.

«No, te non c'eri e non puoi rendertene conto, però ascoltami e credici. Quando c'è la guerra te vivi come se fosse sempre il momento di morire. Poi però se sei fortunato non muori, e la guerra finisce, e allora dopo il periodo più schifoso di tutti ecco che comincia quello più stupendo, e cioè quando la guerra è appena finita. Perché se in guerra ti sembra che puoi morire ogni secondo, appena la guerra è finita ti senti che non morirai mai. Che non sia proprio più possibile morire, che se ti butti dal tetto di un palazzo rimbalzi e poi via tranquillo a farti una passeggiata fra i campi col cielo azzurro e il sole addosso.»

Siamo arrivati al semaforo del viale a mare, lo zio ha curvato a destra, è ripartito col camion e con le parole.

«Certo, in giro è tutto rotto e non hai un soldo e bisogna ricostruire ogni cosa, ma non c'è problema perché sei forte e sei vivo e sarai così per sempre, e allora hai tutto quel che ti serve. Io infatti avevo gli attrezzi per lavorare il legno, e una bicicletta, e avevo pure una fidanzata, porca puttana.»

Lo Zio Aldo ha detto così, ma io ero sicuro di aver sentito male. Perché le sue labbra piene di sigarette non potevano tirare fuori la parola *fidanzata*. *Porca puttana* sì, *Maremma maiala* pure, e un sacco di altre offese utili in qualsiasi situazione, ma *fidanzata* no. E se invece l'aveva detta davvero, allora era un modo per chiamare qualcos'altro, come le *bionde* erano le sigarette, e quando diceva *Vado nei campi col mio amico* voleva dire che ci andava col fucile.

E però no, la fidanzata dello Zio Aldo era proprio una fidanzata-fidanzata:

«Si chiamava Virna, che è il nome più bello del mondo. È corto e non ruba tempo, ma insieme dice tutto: "Come ti chiami?" "Mi chiamo Virna", senti che bellezza? Solo che quando gliel'ho chiesto io, come si chiamava, lei mi ha risposto: "E a te cosa te ne frega?". Allora l'ho capito subito, che era la donna giusta per me. Anzi, no, magari l'avessi capito subito! Invece l'avevo capito ma non lo volevo capire, e quindi addio.»

Lo zio ha smesso un attimo di parlare, ha curvato di nuovo a destra, ha buttato le due sigarette dal finestrino e ne ha accesa un'altra. «Ricordati questo, bimbo, ricordatelo bene, le cose importanti della vita non te le può spiegare nessuno, perché sono così semplici che le capisci subito da solo. Il problema però è che non le vuoi capire. Capito?»

Io ho fatto di sì, anche se forse non avevo mica capito tanto, mentre strizzavo gli occhi nel fumo per vedere dove stavamo andando. Ma secondo me non andavamo da nessuna parte, a ogni incrocio lo zio curvava sempre a destra, e giravamo e giravamo sempre più in fondo a quel tempo lontano e incredibile, che tornava tutto quanto addosso a noi.

«Insomma, se lo capivo subito che la Virna era la donna della mia vita, la storia era diversa. Lei aveva sedici anni, io diciotto, il suo babbo e il mio erano amici, avevano messo su la sede del partito socialista insieme, figurati, tutto liscio come l'olio. E invece no, io ho deciso che volevo andare via col camion, per vedere gli altri posti che chissà com'erano. Però quei posti erano come tutti i posti del mondo, erano solo posti, e io ho perso il mio posto qua. Ogni tanto tornavo e la vedevo per la strada, fino a un giorno che l'ho vista ma era con Fredo Mariani, il più imbecille degli imbecilli. Giuro che stavo per scendere dal camion e dirgli qualcosa, a lui o a lei, boh, non lo so. Però erano marito e moglie, e avevano pure una figliola. E io mi sono chiesto quanto cazzo ero stato via, e di preciso non lo sapevo, ma di certo era troppo tempo. E intanto lei si era sposata con Fredo Mariani, che te non l'hai conosciuto ma ti garantisco che uno così idiota non esisteva a quei tempi e nemmeno adesso. E infatti dopo poco l'hanno mandato in guerra, e in tre giorni è morto. Ma mica in una missione eroica eh, non è che è morto per salvare un amico, un bimbo, un cane. No no, una sera che il rancio era una zuppa coi pezzetti di pane dentro, lui ingollava tutto al volo senza respirare, un pezzo di pane gli è finito nel respiro e Fredo Mariani è morto così, in guerra, soffocato da una zuppa. Ti rendi conto, ti rendi conto?»

Io ho fatto di sì, e me ne rendevo conto davvero, perché il fumo nel camion stava soffocando pure me.

«E la Virna è rimasta sola, sola con una bimba piccola, in mezzo alla guerra. Allora quando potevo le davo una mano. Se trovavo qualcosa da mangiare, se vedevo che a casa sua era cascato un pezzo di tetto o cose così. E una sera, dopo un po', lei mi fa: "Aldo Mancini, basta, te fai un sacco di cose a casa mia, adesso facciamo l'amore". E io le ho detto che le cose a casa sua non le facevo mica per quello, le facevo volentieri. E lei: "Lo so. Ma l'amore non lo fai volentieri?". Io ho risposto che sì, e allora abbiamo fatto l'amore. E l'abbiamo fatto proprio bene bimbo, sai.»

Così mi ha detto, e io un po' mi vergognavo a sentire questi discorsi dallo zio. Che secondo me l'amore non lo sapeva nemmeno pensare, e invece adesso scoprivo che l'aveva pure fatto, e fatto bene.

«E infatti l'amore, ecco, anche l'amore è una cosa che se non c'eri quando c'era la guerra non la puoi capire. Uno dice che in guerra impari a morire o a ammazzare, e sarà anche vero, ma soprattutto impari a fare l'amore. È proprio una cosa diversa, fare l'amore quando c'è la guerra. È come bere un bicchiere d'acqua: te lo sai che a me l'acqua mi fa schifo e non la bevo mai, però bere un bicchiere d'acqua nel deserto quando muori di sete dev'essere stupendo. E uguale fare l'amore in mezzo alle bombe e alla morte. È una cosa centomila volte più forte, ti ci aggrappi proprio. Non c'è confronto con l'amore che fai te oggi, in mezzo alla noia.»

Un attimo di silenzio, un'altra curva a destra, poi: «A proposito bimbo, ma te l'hai fatto l'amore, sì?».

«Io no!» ho risposto di scatto, anzi per qualche motivo ho urlato proprio.

«No? Ma quanti anni hai scusa.»

«Dodici.»

«Ah, vabbè, a dodici anni ci sta che uno non l'ha ancora

fatto. E poi figuriamoci te, che non sai nemmeno il cognome della tua fidanzata.»

«Non è la mia fidanzata!»

«Vabbè, è uguale. Noi invece l'amore lo facevamo, e alla grande, e quando la guerra è finita lo facevamo ancora. Però sempre di nascosto, perché lei era vedova da poco e aveva una figliola, e a me mi andava bene così. Però la guerra era finita, era maggio e le sere erano calde e profumate, allora una sera la Virna ha lasciato la bimba alla sua mamma e mi ha detto che ci incontravamo nei campi, e l'amore lo facevamo lì. E quella notte me la ricordo precisa come se fosse adesso, guarda. Anzi, più di adesso, che è tutta noia e roba moscia e non mi ricordo nemmeno cosa ho mangiato oggi a pranzo. C'era quel grano bello e sano che così alto non l'ho più rivisto, ci sono entrato dentro e mi grattava le braccia ma era una cosa bella, una carezza forte della Natura, e andavo in mezzo al campo dove c'era uno spiazzo che l'avevamo fatto io e i miei fratelli per cacciarci gli storni di passo. E fra poco arrivava la Virna e ci abbracciavamo lì, e c'era la luna crescente, e mi ricordo che guardavo proprio la luna fra le spighe in cima al grano e pensavo che era maggio e fra poco si faceva l'amore, e dopo lo volevo fare anche a giugno e luglio e tutti gli altri mesi, qua nel campo o al chiuso se era freddo o dove capitava. E la Virna aveva già una figliola e allora era un casino, perché all'epoca era un casino, però magari si poteva andare da un'altra parte dove non ci conoscevano e tutti pensavano che la bimba era mia, perché a crescere con me diventava sveglia e in gamba e nessuno poteva immaginare che era figlia di Fredo Mariani. Ci pensavo lì nel grano e guardavo la luna e facevo una lista dei posti dove si poteva andare a vivere, e intanto respiravo piano perché volevo sentire bene la notte, volevo sentire il fruscio delle piante che si spostavano quando arrivava la Virna. Stavo con le orecchie attente e le braccia pronte a stringerla, e un sorriso sul muso che non me lo potevo togliere nemmeno se volevo, e non volevo per niente. Ma poi, invece del fruscio del grano, è scoppiata una mina. E una luce corta ma fortissima là in fondo al campo. E addio Virna.»

Questo ha detto lo zio. Poi ha acceso un'altra sigaretta, l'ha succhiata per bene, e solo quando ha sbuffato il fumo senza ripartire ho capito che la storia era finita così.

«Ma come, ma... ma che è successo?»

«Te l'ho detto, una mina. I tedeschi avevano minato la zona. Le avevamo tolte tutte, ma si vede che una c'era ancora, è bastata quella.»

«Ma che è successo, lei...»

«Lei è morta, bimbo. Che succede se monti su una mina? Muori. In guerra, ma anche quando la guerra è finita. La mina non lo sa mica che è finita, lei sa solo che quando ci monti sopra deve scoppiare. E addio Virna» ha detto lo zio, ma le ultime parole sono uscite tutte storte. E dopo è rimasto zitto per un bel po'. Per tante curve a destra, mentre ripassavamo davanti alla chiesa e fino al viale a mare, nel nostro giro fumoso e tondo, io e questo signore sconosciuto che una volta si chiamava Zio Aldo.

Poi all'improvviso ha svoltato a sinistra, abbiamo preso la via di casa e giù fino alla stradina tutta nostra col cartello del Villaggio Mancini. E quando pensavo che la storia fosse davvero finita, lo zio ferma il camion davanti a casa mia, mi guarda fisso e fa: «E la tua amica Martina, te non lo sai il suo cognome, però il cognome della sua mamma è Mariani, come quello scemo di Fredo. Perché quella bimba è la nipote della Virna, e Maremma puttana, è identica a lei».

Lo zio me lo dice, e giuro che solo adesso capisco tutto. Mi ero scordato com'era iniziata la storia, com'era sbiancato e sparito davanti a Martina, ma ora tutto mi tornava addosso come una frustata in mezzo al cervello.

«Identica spiccicata alla sua nonna, bimbo. Che io una sua foto non ce l'ho perché all'epoca non usava, e allora con gli anni pensavo che me l'ero scordata un po', com'era la Virna. Ma invece no, era proprio così, identica alla tua amica. Appena l'ho vista era come riavere davanti lei. Ma per forza, è sua nipote. E te sei nipote mio, e su queste cose non ti posso insegnare nulla, mi dispiace, perché dopo quella mina io una donna non l'ho toccata mai più, giuro, non mi riusciva proprio. Non so nemmeno se sono fatte ancora così, le donne, e non mi interessa. Ma una cosa la so e te la dico, bimbo: stai attento, che in giro ci sarà per forza anche il nipote di Fredo Mariani. Anzi, di quelli ce ne sono tanti, perché di imbecilli è pieno il mondo. E allora occhi aperti e non farti fregare. Chiaro?»

E io con gli occhi aperti, anzi proprio sbarrati, ho guardato il mio zio tutto nuovo e ho fatto di sì. Non era chiaro davvero, ma andava bene così. Niente era chiaro nel mondo, niente era semplice. Solo il colpo di una mina, secco e senza discorsi, una fiammata nel cielo e non c'è più nulla.

«Va bene» ha detto lo Zio Aldo, e con la mano mi ha fatto segno di scendere. «Ora vai via, su, che io devo piangere.»

21
Il tuono ti saluta

Gli uomini preistorici, loro per esempio mangiavano con le mani, però andava bene perché non avevano il fuoco e allora i cibi erano tutti freddi e ti sporcavi poco, e anche se ti sporcavi non ci faceva caso nessuno. Poi siamo diventati meno pelosi e più puliti, e ci siamo inventati le posate. Che magari lì per lì erano una novità strana ma oggi no, anzi, oggi se mangi senza usare le posate le persone intorno ti guardano male e ti dispar... ti disprav... ti di-sa-ppro-vano.

Ho smesso un attimo di leggere e ho tossito per finta, vergognandomi di aver sbagliato quella parola. Ma in realtà mi vergognavo tutto il tempo, perché davanti avevo il babbo come al solito, ma oggi accanto a me c'era la Coccinella. Che mi ascoltava attenta, e la mia voce mi sembrava scema e tremolante come quando ti senti al registratore e dici *No, ma questo qui non sono mica io! Non sono io per niente, vero?*

E oltre alla voce, c'era questa cosa che stavo leggendo, che l'avevo scritta io e lo sapevo che non era un capolavoro. Però insomma, era proprio Martina che mi aveva consigliato di spiegare al babbo le cose più semplici, quelle che gli servivano adesso per ripartire, e allora potevo scegliere fra come si mangia e come si va in bagno. Ho puntato sul mangiare solo perché se vuoi usare il bagno devi prima aver mangiato qualcosa, e mi è andata bene perché altrimenti ora stavo qui a raccontarle come si alza la tazza del gabinetto e come si usa la carta igienica.

Quindi insomma, meglio leggere di gente che mangia con le mani.

Ci sono tanti tipi strani di posate ma quelle che servono davvero sono tre: la forchetta il coltello e il cucchiaio. Sono facili da riconoscere e da usare perché sono come dei modellini piccoli della forca, della spada e della pala, e più o meno si usano nello stesso modo. In Cina invece no, là sono strani e usano due bastoncini di legno, che sono scomodissimi e non somigliano a nulla e chissà come gli sono venuti in mente, perché non si è mai visto un contadino in un campo che prova a raccogliere la terra o a tagliare un albero usando un bastone. Ma quello che fanno in Cina adesso non è un problema, prima di tutto devi alzarti dal letto e tornare a casa. Per andare in Cina c'è tempo, e se non ci vai non è una grande perdita, perché tanto i cinesi coi bastoncini mangiano cose tremende tipo le meduse e le formiche.

L'ho detto, e Martina ha riso e ha fatto *bleah*. L'ho guardata con l'angolo dell'occhio, ho sorriso anch'io, sono ripartito.

Ci sono poi dei cibi più facili da mangiare, e si può cominciare con quelli. Per esempio il purè, che è buonissimo e basta il cucchiaio, poi piano piano si può arrivare fino ai cibi più complicati, che sono gli uccelli e altri animali selvatici, con poca carne tutta attaccata a un milione di ossi piccoli e storti. E magari uno dice vabbè, ma è roba particolare, quando ti capita di mangiarla? Però al Villaggio Mancini capita spesso. Magari piccioni o colombacci, tordi o merli, magari lepri o cinghiali, o anche tassi, istrici, ricci, gabbiani...

«Gabbiani?» ha chiesto Martina. Si è tappata la bocca perché non voleva interrompere, ma ormai le era scappato.

«Sì, ma una volta sola» ho risposto. «Però non lo sapevo che erano gabbiani. Lo Zio Aldo ce l'ha detto solo alla fine.»

«E com'erano?»

«Non cattivissimi. Un po' duri, e tanto salati.»

«Ma come li ha presi, è andato al mare e gli ha sparato?»

«No, sennò lo vedevano, o lo sentivano.»
«E allora come ha fatto, scusa.»
Ho guardato Martina, e stavo per raccontarglielo. Ma per un attimo al posto dei suoi occhi ho visto come aveva preso i gabbiani lo Zio Aldo, lo stesso uomo che da giovane aveva amato la sua nonna Virna così tanto che poi non aveva voluto mai più nessuna ed era rimasto solo. E questa solitudine l'aveva pagata lui, ma pure i gabbiani, e tutti gli uccelli e gli animali selvatici della provincia. E allora: «Secondo me è meglio se non te lo dico, sai».
E Martina, subito: «No no, giusto, meglio di no».
E siamo tornati a guardare il babbo, che aveva la sua solita espressione e cioè nessuna, però teneva gli occhi aperti verso di noi. Ho saltato tre righe piene di altri animali apprezzati sulla tavola del Villaggio Mancini, e sono ripartito a leggere.
E quando leggevo, il babbo teneva gli occhi ancora più aperti. Davvero, non era una mia impressione, ogni tanto muoveva pure un pochino la testa come per fare di sì. E lo so che qualche dottore pazzo diceva che erano movimenti involontari, ma non era così, non poteva essere così, non doveva. Era invece una cosa grossa e importante e meravigliosa, e ogni tanto le cose meravigliose si stufano di stare lì sedute a invecchiare nel mondo della fantasia, allora una scatta in piedi, prende un giorno a caso della tua vita e ci si tuffa dentro.

Infatti quel giorno una cosa bella era già capitata: ero riuscito a incontrarmi con Martina, anche se non sapevo a che ora e dov'era l'appuntamento. Ma insomma, di sicuro era dopo pranzo, che prima c'era la scuola, e il posto doveva essere davanti alla chiesa dove c'eravamo parlati, o magari davanti a casa mia, che Martina non lo sapeva dove stavo ma il paese era piccolo e il Villaggio Mancini lo conoscevano tutti, nel bene e nel male (soprattutto nel male). Certo, poteva anche aspettarmi a casa sua, ma io non sapevo dov'era e la mamma nemmeno, e lo Zio Aldo quando gliel'ho chiesto ha detto che la sua Virna abitava in un casolare che però l'avevano buttato giù da un pezzo e ora c'era una carrozzeria, e non dovevo andarci mai perché il padrone era un ladro. Ma io ero troppo piccolo per avere una macchina da riparare, e a lui veniva troppo da piangere, così il discorso è finito lì.

E insomma, nel dubbio ero saltato sulla bici e avevo cominciato a fare il giro da casa mia alla chiesa, dalla chiesa a casa, senza fermarmi mai. Ci volevano cinque minuti appena, e così quando Martina e la sua mamma arrivavano, in un posto o nell'altro, in un attimo mi vedevano spuntare tranquillo all'appuntamento. Sì, perfetto, stringevo le manopole e facevo di sì da solo, chiesa e casa, casa e chiesa, deciso a girare fino a notte se serviva, pedalando contro il vento e contro la paura che siccome non ci eravamo dati un orario e un posto precisi, magari Martina se n'era andata per i fatti suoi e addio.

E allora ho sorriso così forte, quando sono arrivato alla chiesa per la decima o undicesima volta, e lei stava lì a salutarmi fuori dalla macchina. Ero sudato e senza fiato, ma nel viaggio in auto mi sono ripreso. Stavo seduto dietro e rispondevo alle domande della sua mamma su cosa mi piaceva e cosa no, mentre i posti là fuori scorrevano e strusciavano addosso ai finestrini fino a diventare Lucca.

Ci siamo fermati davanti alla clinica, e io stavo per salutarle a più tardi. Però Martina ha detto qualcosa alla sua mamma e lei ha risposto: «Eh no, i patti non erano questi, la zia Enrica ormai ti aspetta». Martina ha detto che però se veniva con me stava con qualcuno della sua età, addirittura con un maschio, e a quel punto io sono sceso dall'auto perché mi sembrava brutto ascoltare, era meglio stare qua fuori a sperare. E ha funzionato, perché dopo poco io e Martina stavamo sul ciglio della strada a guardare la macchina della sua mamma che se ne andava, e adesso eccoci qua dal mio babbo che magari tornava da me.

E forse un piatto di gabbiani arrosto non era un richiamo così allettante, ma questo era solo il primo capitolo del manuale che scrivevo per lui, già il prossimo me lo sarei inventato meglio. E a forza di capitoli prima o poi il babbo tornava, e intanto io scrivevo un vero manuale come quelli che prendevo dalla Signora Stella, e diventavo un esperto riconosciuto da tutti. Sì, un esperto, un grande esperto. Chissà quando, chissà di cosa.

Il coltello è un po' più difficile da usare, ma all'inizio possiamo tagliarti noi le cose in tanti pezzetti. Non c'è niente di male, la mamma l'ha fatto per me fino a...

Poi mi sono ricordato che Martina mi ascoltava, ho tossito e ho modificato al volo questa informazione.

... la mamma lo faceva per me quando ero piccolissimo, ma adesso so tagliare la carne e tutto quanto, e lo faccio volentieri anche per te. La forchetta invece è difficile solo se devi mangiare gli spaghetti, che scappano come le anguille, però sono importanti perché gli spaghetti con le arselle sono il tuo piatto preferito. E gli spaghetti non si possono tagliare a pezzetti piccoli, perché gli zii si mettono a urlare e a dire parolacce come se avessi tagliato a pezzetti qualcuno di loro. Soprattutto lo Zio Adelmo se la prende. Non è cattivo, ma si arrabbia per tante cose che lui non c'entra nulla. Per esempio quando mangi il prosciutto crudo e togli il grasso intorno, lo zio comincia a urlare «Che cazzo fai!» E tu rispondi che togli il grasso perché non ti piace, e lui «Ma il grasso è il buono del prosciutto!» E te dici «Per me no, a me non mi piace!» e lui chiude sempre il discorso dicendo «A voi vi farebbe bene un po' di guerra, un po' di guerra vi spiegherebbe come gira il mondo». Però te puoi stare tranquillo babbo, perché la guerra adesso non c'è, e se vuoi te lo tolgo io il grasso dal prosciutto, così lo zio se la prende con me e a me non importa. A me babbo, mi basta che ritorni.

L'ho detto, e la gola ha cominciato a frizzarmi, e non avrei potuto andare avanti nemmeno se avessi scritto altro. Ho chiuso il quaderno, e la stanza si è riempita di un silenzio così grande che premeva contro le finestre. Lo stesso silenzio usciva dagli occhi spalancati del babbo, che adesso mi fissava senza espressione e senza nemmeno fare di sì con la testa. L'ho fatto io per lui, ma non era la stessa cosa.

Poi, senza volerlo, mi è venuto da chiedere scusa a Martina.

«Eh? Ma scusa di che?»

«Boh, di nulla. Però insomma, mi spiace che è così. Non te lo posso nemmeno presentare per bene, cioè, più che guardarti non può. Ma è già tanto eh, se penso al mese scorso è tantissimo. Però giuro che una volta faceva un milione di cose, costruiva e aggiustava tutto, non c'era mai nulla di rotto in giro quando il mio babbo stava in piedi. Tubi, prese elettriche, piante, muri da imbiancare o proprio da costruire. Sapeva fare tutto. In casa nostra non è mai entrato un elettricista, un muratore, uno così insomma. Anzi, io non sapevo nemmeno che esistevano. Non l'avevo mica capito che c'era gente che queste cose le andava a fare nelle case degli altri per lavoro. Cioè, era il mestiere del babbo e anche dei miei zii, però da me non succedeva mai e allora non ci avevo mai pensato per bene. Poi un giorno ero dal Piccolo Massimo, e la sua mamma era disperata che non c'era l'acqua, ha preso il telefono e diceva "Dovrebbe venire a sistemarla subito, le sarebbe possibile in giornata?". E a me mi ha fatto strano, e ho chiesto a Massimo come mai la sua mamma quando parlava col suo babbo gli dava del lei. Lui mi ha risposto che col suo babbo non ci parlava perché era morto, e che stava parlando con l'idraulico. E giuro che lo sapevo che esistevano gli idraulici, cioè, era proprio il mestiere del mio babbo, eppure non l'avevo capito veramente, che le persone quando gli si rompe qualcosa devono chiamare altre persone perché loro non sono in grado di sistemarle. Il mio babbo invece sistemava tutto, te lo giuro era una cosa incredibile, sapeva fare mille cose, anzi duemila, anzi...»

«E basta Fabio, ho capito! Ho capito, e va bene. Ma va benissimo anche adesso, secondo me. Non si muove perché non può, ma almeno il tuo babbo ce l'hai qua. E piano piano torna come prima, e anche se da fuori non si vede lui ci tiene un sacco, e dentro sta combattendo per tornare da te. Il mio babbo invece boh, chissà dov'è, chissà chi è. Sicuramente lui può camminare, può pure correre se una cosa gli interessa. Ma da me non è venuto mai. E va bene così eh, chi se ne frega, io sto bene con la mia mamma e non ci serve nulla. Però insomma, il tuo babbo eccolo qua, e magari non fa tanto però ha gli occhi aperti e ti guarda, e ti ascolta anche se gli parli di formiche e gabbiani arrosto. E prima o poi torna a casa con te e aggiusta tutto quello che c'è di rotto. Però quel giorno mandalo un attimo anche da me, per piacere, che quando faccio la doccia si allaga pure la cucina.»

«Certo!» ho detto. Anzi l'ho proprio urlato, anche se non so con quale fiato, dopo averla ascoltata senza respiro. «Te lo mando davvero, tanto lui viene volentieri. Non devi pagarlo, e non devi nemmeno dirglielo, della doccia. Basta invitarlo per un caffè, e lui prima che il caffè è pronto ha già sentito che in casa qualcosa non funziona. Tempo un minuto e sta là con degli attrezzi strani a fare cose strane, tempo un altro minuto e tutto funziona. Sì sì, appena il babbo torna te lo mando Martina, giuro. Te basta che prepari il caffè, se mi inviti vengo anch'io con lui!»

Martina ha fatto di sì, ci ha pensato un attimo: «Bene. Però allora bisogna che aggiusti anche la macchinetta del caffè, è rotta pure quella».

E mi ha guardato, con le labbra che tremolavano come le cose lontane sulla strada quando è estate e il sole ci picchia forte sopra. E forse ha cominciato lei oppure io o forse insieme, ma è passato un attimo e siamo scoppiati a ridere. Come mai io non lo sapevo, e mi sa nemmeno Martina, però era bello così. Troppo facile ridere per un motivo preciso, quando ti fanno il solletico o alla fine di una barzelletta raccontata bene. È più bello ridere così, perché ti viene da sé, come gli starnuti che soffiano via la polvere dal naso, una risata che soffia via l'amaro dal cuore.

E noi ridevamo forte, fortissimo, così tanto che è arrivata un'infermiera dal corridoio col dito davanti alla bocca e ci ha detto di fare piano. E che l'orario delle visite era finito. Noi abbiamo chiesto scusa, ci siamo guardati, e ci siamo tappati la bocca perché ci avanzava ancora un po' di riso.

Mi sono voltato al babbo, e forse con un pezzettino matto della testa speravo che stesse ridendo anche lui. Non era così, ma andava bene lo stesso. Ci siamo alzati, e ho controllato che il tubicino nella bocca fosse messo bene, e che il comodino fosse abbastanza vicino al letto anche se il babbo non poteva usarlo. Perché boh, non si sa mai, certe volte pensavo che magari era come i giocattoli in quella favola famosa, che di notte quando tutti dormivano loro cominciavano a muoversi e andavano in giro per la casa e avevano una loro vita che nessuno sapeva. E il babbo non era un giocattolo, è vero, però magari questa poteva essere una favola, e allora un occhio al comodino lo davo sempre.

Poi, anche se c'era Martina, mi sono piegato su di lui e gli ho dato un bacio sulla guancia, e ho detto «a domani».

Siamo andati alla porta e ci siamo fermati a salutarlo ancora, io gli ho detto «Ciao babbo» e lei «Ciao babbo di Fabio», e abbiamo sventolato le mani verso di lui. Poi Martina è uscita, perché era meno abituata agli ospedali e non lo sapeva che quando un'infermiera ti dice che devi andare via tu le rispondi di sì, ma cinque minuti puoi prenderteli ancora.

Infatti mi sono fermato un altro secondo sulla porta, perché da qui mi sembrava che forse il comodino gliel'avevo avvicinato troppo, e metti che di notte si rigirava e ci picchiava contro. L'ho guardato meglio, e il comodino stava dov'era sempre stato, immobile come il babbo, e tutto era normale così. Poi però ho fatto per andare, un attimo solo, e di colpo non c'era più niente di normale in tutto l'universo.

Perché il braccio del babbo si era mosso. Non per uno scatto a caso, un tremolio tipo scossa elettrica: no no, il babbo ha alzato il braccio, dal gomito in su, e mentre mi guardava ha sventolato la mano di qua e di là un paio di volte, identico a come l'avevamo salutato noi.

Il babbo si era mosso, si era mosso davvero, e io ci sono rimasto secco sulla porta.

Martina è tornata, e mi guardava. Io invece guardavo lui, e quando ci sono riuscito l'ho salutato di nuovo con la mano, però non è successo niente.

È rimasto così, gli occhi su di me, ma fermo. E allora forse me l'ero immaginato, o era stato un riflesso involontario casuale, o un'altra di quelle spiegazioni surgelate che trovano al volo i dottori.

E però queste spiegazioni si sono squagliate tutte quante in un secondo, appena il babbo ha alzato il braccio e mi ha salutato un'altra volta. Così chiaro che a Martina è scappato un grido di spavento.

L'abbiamo salutato ancora, tutti e due insieme, e di nuovo nulla per un po'. Il solito minuto, poi il babbo ha alzato il braccio e ci ha fatto ciao. E ancora, e ancora, ogni volta con quel minuto in mezzo, come se il posto da dove ci mandava il saluto fosse così lontano che ci metteva un po' ad arrivare. Come quando vedi un fulmine in fondo alla notte, senti l'elettricità nell'aria e sai che fra un po' ti arriverà addosso lo schianto del tuono. Così succedeva ogni volta che salutavamo il babbo, e dopo un po' lui salutava noi.

Io sventolavo la mano e sorridevo, sorridevo tanto, e forse anche il mio babbo adesso finalmente sorrideva. Ma non potevo vederlo bene, perché senza chiedermi il permesso i miei occhi avevano cominciato a riempirsi di lacrime. Però non mi vergognavo, perché a Martina succedeva uguale, e piangevamo e ridevamo, e ci sbracciavamo per salutare il mio babbo laggiù.

Perché ci sono cose che arrivano per farti ridere e altre per farti piangere, e altre ancora che sono così giganti da travolgere tutto, e tu voli via con loro e ridi e piangi insieme, e sventoli le mani a caso nell'aria piena di fulmini e tuoni, tuoni e fulmini, in braccio a una tempesta che si chiama felicità.

22
La gente della macchia

Se c'è una cosa davvero impossibile nel mondo, è che esistano persone che ci credono, che ci sia qualcosa di impossibile. Eppure queste persone esistono, anzi sono parecchie, e allora vuol proprio dire che nel mondo tutto è possibile, e come fanno quelli a non accorgersene io non lo so.

So solo che cambierebbero subito idea, se si facessero un giro in quei giorni di maggio che stavamo vivendo noi, dove le cose impossibili erano così tante che praticamente succedevano solo quelle.

A Lucca, dov'era passato un mese dal sabato pomeriggio che il babbo mi aveva salutato con la mano, e adesso le usava tutte e due per prendere le cose e studiarle, per stringere le tue, per tirarsi su col busto e toccarsi le gambe che ancora non volevano svegliarsi. Ma anche qua, in questa domenica pomeriggio che sembrava estate, davanti a vassoi di cartone dorato grossi come parcheggi, a scegliere tra una distesa di paste e pasticcini in mezzo alla musica e ai balli e alle risate di ragazzi e ragazze della mia età.

E a questo punto anche i più scettici dovrebbero arrendersi al fatto che tutto è possibile, perché oggi io e il Piccolo Massimo e pure Manuel e Jolanda stavamo qua, ufficialmente invitati a una vera festa di compleanno.

Anzi, alla festa più grande di tutte, a casa di Beatrice che era la più ricca della scuola e forse del paese intero, siccome il suo babbo era il Signor Marconi delle Onoranze Funebri Marconi, e quando morivi non si sa se finivi in Paradiso o all'Inferno, ma di sicuro ti ci portava lui.

Infatti la villa era gigantesca e da qua fuori sembrava un albergo, il giardino era un parco di erba fresca appena tagliata, e oltre i vassoi delle paste e delle tartine luccicava una piscina che era molto più grande di quella che avevo visto tanto tempo prima di là dal campo dello Zio Arno, nel giardino di quel bimbo ricco che aveva anche il pony. E qua il pony non lo vedevo, ma il parco era così immenso che poteva benissimo stare in giro da un'altra parte, insieme a qualche elefante e alle giraffe e un safari completo.

Con tutto questo spazio a disposizione, la domenica prima che era il giorno delle cresime la mamma di Beatrice aveva salutato la chiesa intera con un *Ci rivediamo domenica prossima, mi raccomando ragazzi, tutti quanti al compleanno della mia bambina!* E noi avevamo applaudito, però non avevamo capito bene. Poi il Piccolo Massimo ha detto «sapete, secondo me siamo invitati a una festa», allora ho ripensato alle parole della signora e gli ho dato ragione, e mi sono emozionato.

Anche se la domenica io e la mamma andavamo sempre dal babbo, ed era bellissimo stare lì tutti e tre insieme come quando eravamo a casa, allora sabato sera le ho detto che magari saltavo la festa e andavo a Lucca con lei. Che stava affettando le carote, e forse è solo per questo che si è voltata di scatto e mi ha puntato col coltello, mentre rispondeva: «Fabio, lo dico una volta e non lo ridico. Te domani vai alla festa della tua amica insieme ai tuoi amici, punto e basta».

«Ma non è mia amica, non so nemmeno...»

«Punto e basta.»

«Ma il babbo.»

«Punto e basta.»

«Ma gli ho scritto una pagina nuova di cose importantissime, gliela devo leggere.»

«Punto e basta!», stavolta con gli occhi così seri che forse chiudeva davvero il discorso con una coltellata, quindi non ho insistito più.

La mamma ha ricominciato a tagliare le carote, ma dopo

un po': «Al massimo si può fare così, la pagina che hai scritto la dai a me, e gliela leggo io».

Io ho urlato *Sììì!* e sono corso in camera a prendere il foglio. Gliel'ho portato, e ho chiesto se riusciva a leggerlo o era scritto troppo male. Lei gli ha dato un'occhiata e ha fatto di sì.

«Sicura? Controlla bene, capisci tutto tutto? Guarda che è importante, il babbo ti ascolta veramente, gli fa tanto bene.»

Allora ha sbattuto la carota sul lavandino, per fortuna ha posato pure il coltello, si è strusciata forte le mani al grembiule e ha messo il foglio sotto la luce, ha respirato e ha cominciato a leggere a voce alta, prima inciampando in qualche parola, poi sempre più liscia, sempre più dentro la pagina.

I VESTITI

È un argomento importante, perché i vestiti se uno va in giro servono per forza, però tanti vestiti sono scemi e scomodi, e allora chissà quanto saranno scomodi per te che da tanto tempo non li metti.

Le scarpe soprattutto sono il massimo della scomodità, o troppo larghe o troppo strette, troppo dure o morbide, e quando cominci a starci bene ti è cresciuto il piede e devi cambiarle. Ma per te non è un problema, a te il piede non cresce mica più, e poi secondo me per un po' di tempo puoi stare tranquillo in ciabatte, che sono comodissime e però le persone le trovano poco eleganti e allora non ci va in giro nessuno. A parte gli zii e i loro amici, che però non li devi prendere mai come esempio. Ma in questo caso hanno ragione loro, perché le ciabatte sarebbero da portare sempre, in casa e fuori e pure ai matrimoni. Secondo me, se tutto il mondo stesse in ciabatte saremmo più rilassati e felici e non ci sarebbero i litigi e le guerre. Invece no, le persone stanno scomode e nervose e allora guerre tutti i giorni.

Io per esempio, mi vedi che vengo tante volte con la felpa di Paperino, che è disegnato male e lo so, però è comodissima, mi sembra di avere addosso una nuvola che mi abbraccia. Il sabato però non posso metterla, perché vengo con Martina e allora scelgo altre maglie, magari un po' più belle ma tanto più scomode.

E i grandi fanno uguale, ma peggio, perché usano cose assurde tipo la giacca e soprattutto la cravatta, che all'inizio io pensavo servisse a tenere caldo il petto, ma cosa poteva scaldare una striscina di stoffa così? E infatti non serve a quello, non serve proprio a nulla, è solo un nodo al collo per strozzarti un po', eppure gli uomini più sono importanti e più vanno in giro così, a prendere decisioni grandi per tutti noi con poco sangue che gli arriva al cervello.

Ma te non ti preoccupare per la cravatta, non te la sei mai messa in vita tua, e allora non devi cominciare adesso. E nemmeno la giacca. E poi a te cosa te ne importa babbo di essere elegante? Te hai già la mamma che ti vuole tantissimo bene e gli piaci tanto già così, a letto in pigiama. Figuriamoci se ti alzi e vieni a casa insieme a noi.

E a questo punto la mamma ha smesso di leggere. C'erano ancora un paio di righe, e ho pensato che magari nel finale avevo la mano stanca e avevo scritto troppo male. Poi però si è voltata di nuovo alle carote, ha preso il coltello ma non le tagliava, stava solo così con gli occhi bassi, e mi ha detto un *Bravo* così storto e di gola che allora l'ho capito pure io, come mai la mamma non poteva leggere più.

Ma oggi sì, oggi lei era a Lucca dal babbo e forse proprio in questo momento gli stava raccontando dei vestiti e delle ciabatte, e io potevo stare tranquillo alla festa.

Cioè, tranquillo no, ero l'opposto di tranquillo. Ero un minestrone di emozioni che ribolliva, e fra la roba a girare nel mio brodo venivano su pezzi scuri di ansia e altri duri di terrore, in mezzo a questa che era la mia prima festa e insieme la più gigantesca della storia: come uno che non ha mai tenuto un fucile in mano e si trova a combattere nella guerra mondiale.

Infatti stavamo come in trincea, io e i tre Super Devoti che erano spersi quanto me. Massimo con una camicia bianca messa a forza dalla sua mamma, Jolanda e Manuel come sempre in tuta. Per fortuna solo Manuel si era presentato col loro berrettino azzurro e la scritta SUPER DEVOTI in oro, e gliel'avevamo fatto togliere appena in tempo. Stavamo qua, vicini ai vassoi ma staccati da tutto, da una parte il mare delle paste a disposizione, dall'altra le onde di ragazzi che ballavano e ridevano e si abbracciavano. E più in là, dopo la piscina e alla fine del parco, oltre la rete cominciava un folto che gli altri chiamavano "bosco" ma non era un bosco qualunque, era la Macchia del Nuti.

Io la conoscevo bene, perché gli zii ci passavano tutto il tempo che non stavano al bar La Gazzella, appostati dentro capanni da caccia favolosi costruiti in cima ai rami come casette sull'albero, pieni di cartucce e grappa e vino. E mentre lassù gli zii e i loro amici aspettavano gli sfortunati uccelli di passo, sul terreno c'erano posti misteriosi chiamati "cucci", costruiti tra i cespugli da altri uomini con altre passioni, che li usavano per rintanarsi con delle donne che mi sa non erano le loro mogli, altrimenti potevano benissimo sdraiarsi a casa invece che qua, tra i rovi e l'ortica, rischiando di prendersi le zecche o anche – com'era capitato qualche volta – una fucilata per sbaglio.

E mi chiedevo come poteva succedere, quali movimenti e quali rumori dovevano fare perché un cacciatore dagli alberi li scambiasse per animali. Li prendevano per lepri, per cinghiali, oppure avevano così tanta voglia di sparare che bastava un cespuglio tremolante e premevano il grilletto? Boh, non ne avevo idea, ma l'unica cosa che sapevo era che non potevo pensarci adesso, perché adesso eravamo in guerra e importava solo sopravvivere.

Dovevamo salvarci, e magari parlare con qualcuno, magari addirittura divertirci. Ma mi sembrava un'impresa impossibile, gli altri ballavano e ridevano così diversi e lontani laggiù e di sicuro saremmo rimasti tutto il tempo qui a guardarli e basta.

Poi però, finalmente, è arrivata la Coccinella.

Come sempre in ritardo, quando tutti gli altri stavano qui da un pezzo, tipo i cantanti famosi che arrivano al concerto quando gli pare. Mica li trovi sul palco prima del tempo, a sistemare le luci o a spazzare per terra. No no, il pubblico è lì che li aspetta da un'ora, ma loro non hanno fretta e nemmeno paura di perdersi qualcosa: tanto lo spettacolo comincia solo quando arrivano loro.

Solo che i cantanti lo sanno, arrivano e alzano le mani e si prendono l'applauso. Martina invece no, lei veniva di corsa a testa bassa verso di noi e ripeteva *Scusate scusate scusate, davo una mano a mamma, scusate scusate scusate*. Ha buttato il suo pacchetto sul tavolo dei regali, in una montagna ancora da scartare che già si era mangiata i nostri, e finalmente eccola qua.

«Scusate scusate scusate. Siete sempre vivi? Che è successo, che avete fatto?»

Ci siamo guardati un attimo, e il Piccolo Massimo con la sua vocina di sei anni ha risposto: «Siamo arrivati e ci siamo messi qui». Che come resoconto della nostra festa era molto secco, ma insieme completo.

«Sì, però abbiamo anche mangiato qualche pasta» ho aggiunto io, aggravando se possibile la situazione.

«Vabbè, pensavo peggio» ha fatto Martina guardandosi intorno. «Insomma, io sono venuta perché mi ha obbligato mia mamma. Voi?»

Abbiamo tutti fatto di sì, tranne Manuel che ha solo riso un po'.

«Ecco» ha continuato lei, «ma cavolo, com'è possibile che secondo i nostri genitori questa cosa ci fa bene? Come fa a farci bene?»

«Eh» ha sospirato il Piccolo Massimo, guardando lontano nelle due direzioni diverse che puntavano i suoi occhi storti. «Sarebbe bello se fosse una di quelle cose che oggi ci sembrano senza senso, ma un giorno le capiremo. Oppure se i nostri genitori fossero cattivi e si divertissero a farci soffrire e basta. Invece no, è molto peggio. Ci hanno obbligati a venire qui perché loro ci credono veramente, che stare in questo posto dove non c'entriamo nulla ci fa bene. E questo è cento volte peggio, perché vuol dire che siamo in mano a persone molto stupide.»

Il Piccolo Massimo ha detto così, con la sua voce da bimbo piccolo e insieme tanto saggia, e l'unica risposta possibile è stata un lungo silenzio, qualche pasta rubata dal vassoio e poi altro silenzio, così gigante che catturava tutta la nostra attenzione, come una balena che ti passa lenta davanti mentre cerchi di guardare l'orizzonte.

Poi però dalla veranda laggiù una voce è arrivata fino a noi, appuntita come un arpione, ha trafitto la balena e ha scosso tutto quanto: «Martina! Sei arrivata! Marti!». Era Beatrice, la padrona di casa, che la salutava ma senza muoversi dalla veranda. «Ma vieni qua no? Su, dài, cosa ci fai lì?»

E anche se non l'ha detto, nel suo tono era così chiaro che mi è sembrato di sentirlo, il vero finale della sua domanda: «ma che ci fai lì *con quelli*?».

Di colpo tutti si sono voltati a guardare Martina, che ha sventolato la mano, ha sorriso, ha risposto: «Ciao bellissima! Certo, arrivo!».

E io ci sono rimasto male, anche se in fondo era così normale. Martina andava là, perché era giusto, perché il suo posto era quello, nel cuore della festa, come il mio era quaggiù, con un amaro in bocca tanto forte che nemmeno tutte le paste di questi vassoi giganteschi potevano farlo passare.

Ma poi Martina mi guarda, ci guarda, e fa: «Dài ragazzi, su, andiamo!».

«Eh? Dove?» ha fatto Jolanda.

«Là da quelli. Siamo a una festa, e allora soffriamo fino in fondo!»

Noi per un attimo siamo rimasti immobili, come se non sapessimo nemmeno la strada per arrivarci, là al cuore della festa. Poi Martina è partita, io le sono andato dietro e tutti in fila indiana sui suoi passi, tipo in un campo minato come quello dove era morta la sua nonna, la fidanzata dello Zio Aldo, quella notte di maggio di tanti anni fa. E anche oggi era maggio, e vabbè che dalla guerra era passato un sacco di tempo, ma il tempo serve a una cosa sola, a tenere il conto mentre tutto, prima o poi, ritorna.

Andavamo schivando ballerini, saltellatori e altri scalmanati. E intanto io dicevo «sia chiaro che io non ballo», e Massimo «e io non mi unisco a conversazioni inutili». Così siamo arrivati sotto la veranda piena di fiori, e proprio sotto al grande portone c'era Beatrice circondata dagli invitati più stretti e più fichi: gli unici che lei avrebbe invitato davvero, se la sua mamma la domenica prima non avesse esagerato.

Ha fatto un gridolino e ha abbracciato Martina, che un po' l'ha abbracciata pure lei, poi ci ha guardati e ci ha fatto di sì con la testa, che non sapevo cosa voleva dire ma nel dubbio ho risposto uguale. E se fino a quel momento stavano parlando di qualcosa e ridevano e altro, adesso solamente ci fissavano, zitti loro e zitti noi, a parte Manuel che si lamentava che qui non c'erano le paste.

«Sei vestita benissimo» ha detto Martina. E Beatrice ha risposto «dici? Grazie!», e si è guardata lisciando l'abito, che aveva due spalle gonfissime e senza maniche e secondo me somigliava a quello di Biancaneve.

Ma non solo secondo me, perché il Piccolo Massimo l'ha indicata e l'ha proprio detto: «Il tuo vestito somiglia a quello di Biancaneve».

«Ah, grazie» ha risposto lei secca.

«Ma parecchio eh.»

«Ho capito. Non mi sembra, ma grazie.»

«Ma come non ti sembra? Io pensavo fossi mascherata da Biancaneve, sei sicura che non sei mascherata?»

«Sì. Sono molto sicura» ha risposto Beatrice, poi si è voltata dall'altra parte.

Due invitati maschi che avranno avuto un paio di anni più di noi, insieme a Sergio di classe mia, hanno scosso la testa e le hanno detto che il vestito era bellissimo, e bellissima lei. Lei rispondeva *Ma no ma no*, e loro *Ma sì ma sì*, e forse sarebbero andati avanti così per sempre. Però a un certo punto Beatrice si è stretta fra le braccia nude con un brivido, lì sotto il portone, e loro le hanno chiesto se aveva freddo.

Lei ha risposto «sì, c'è un po' di corrente», e allora i tre sono scattati in una gara per calare la saracinesca del portone. Ma non avevano fatto i conti con Manuel, che magari non era veloce a parlare o a capire le cose, però era sempre il primo a dare una mano agli altri. Infatti si è tuffato sulla corda della saracinesca e c'è arrivato prima di tutti, pure prima che Beatrice potesse spostarsi da lì sotto. Ha biascicato «ci *penfo* io!» e ha fatto cadere giù la saracinesca di legno pesantissimo, come una ghigliottina sulla testa della festeggiata. Un colpo così secco che forse l'ha sentito pure il suo babbo, delle Onoranze Funebri Marconi, pensando che c'era del lavoro per lui.

E Beatrice è sparita. Cioè, l'ho persa di vista un attimo, poi l'ho ritrovata lì per terra, stesa come Biancaneve quando ha mangiato la mela avvelenata. Ma anche mezza tramortita, dentro di lei c'era qualche istinto dell'alta società che le diceva di ricomporsi, di tornare subito in piedi e pettinarsi e sistemare il vestito. L'ha aiutata Sergio, che la teneva fra le braccia e le chiedeva se stava bene, e lei faceva di sì ma mica tanto. Gli altri due invece, rimasti a mani vuote e però vogliosi di azione, hanno preso Manuel, gli hanno urlato: «Che cazzo fai, spastico, che cazzo fai!» e lo tiravano di qua e di là per il collo della tuta.

Lui chiedeva scusa ma non serviva, Massimo e Jolanda dicevano «Lasciatelo stare» e Martina gridava «Fatela finita deficienti!», ma non serviva neanche quello, non serviva proprio niente. E allora in quel miscuglio di cose inutili mi sono tuffato pure io. Giuro che non l'ho deciso, anzi non lo sapevo nemmeno, ho solo sentito questo urlo fortissimo, e dopo un attimo ho capito che ero stato io a gridare:

«Lasciatelo stare, stronzi! Prendetevela con me, se avete il coraggio!»

Una frase stupenda, proprio da film, e infatti tutti hanno smesso di fare quel che facevano e si sono voltati verso di me. Solo che nei film è diverso, succede che ci sono dei prepotenti che trattano male un poveraccio indifeso, gli arriva addosso questa frase e si girano e capiscono che gli è andata male, perché in quel momento passa di lì Stallone o Schwarzenegger o un altro forzuto così, e i prepotenti possono solo sperare di arrivare a fine giornata con qualche osso ancora intero. Invece adesso, qua alla festa, i due si voltano e davanti a loro ci sono io, che nemmeno con tutti i miei capelli altissimi gli arrivo al petto, e le mie gambe sono più sottili dei loro polsi. E allora, quando sentono il mio *Prendetevela con me, se avete il coraggio!* prima pensano di aver capito male, ma poi è chiaro che questo coraggio ce l'hanno eccome, e se la prenderanno tantissimo con me.

Anzi, peggio, possono tranquillamente prendersela con me senza lasciar perdere Manuel. Infatti ci alzano da terra tutti e due, e in mezzo agli invitati che ormai sono radunati come un pubblico di sadici ci portano verso il parco, verso i vassoi delle paste, ancora qualche passo e poi è chiaro che ci stanno portando fino alla piscina.

In una tempesta di risate e di applausi, con dentro Martina che urla di lasciarci stare. Si attacca alle braccia di quello che tiene me, ma poi non la sento più, non sento più nulla, solo l'aria intorno, mentre volo senza sapere dov'è il sopra e dove il sotto. Dura un attimo, poi tutto cambia, e di colpo so dov'è l'acqua: l'acqua mi sta addosso, mentre vado a fondo.

Non si tocca, sotto i piedi solo altra acqua, e una forza strana che sembra portarmi giù. Ma non è così, è giusto un momento, poi allargo le braccia e torno a galla. Perché se c'è una cosa che so fare bene è nuotare. Me l'ha insegnato il mio babbo, quel giorno che mi ha portato al largo col pattìno, e come questi due mi ha preso e mi ha buttato così, nel mare dove non si tocca. Che all'inizio hai paura e annaspi e bevi, urli e ti disperi, ma solo perché hai ancora fiato, perché il tuo cuore batte, perché appunto stai a galla e sei vivo.

Ma forse Manuel un babbo così bravo non ce l'ha, infatti urla e beve e sparisce sott'acqua. Allora nuoto da lui, lo prendo per la tuta e lo tiro fino a bordo piscina, e piano ricomincia a respirare.

Restiamo qui aggrappati, zuppi e ridicoli, con intorno una risata così forte che mi congela le spalle. Poi però esco dall'acqua, e insieme al freddo dell'aria sento il caldo degli occhi di Martina, tanto belli e appassionati addosso a me.

Perché qualcuno ha di nuovo trattato male Manuel, ma stavolta io non sono diventato un lupo, non sono nemmeno rimasto a guardare, l'ho difeso e pure salvato. E allora sono bagnato e mi fa male una spalla, e a scuola parleranno per anni di questa scena, ma tanto con noi non ci parlano mai e quindi chi se ne importa. Importa solo come mi guarda adesso Martina, e come mi sorride Manuel, e tutto va bene così.

E continua ad andare bene per un altro minuto. Poi, più forte delle risate, delle prese in giro e della musica che ancora va, più forte del vento freddo sulla pelle e della trama prevedibile dei grandi film, mi arrivano addosso queste urla nuove e così diverse, dal folto della foresta di là dalla rete.

Anzi, la rete in un punto è caduta, e da lì quattro uomini ci vengono incontro coi fucili in mano, trasformando il film di questa giornata in una storia dell'orrore. Perché arrivano a un passo e li riconosco, e nemmeno io che credo a tutto ci posso credere, mentre fisso lo Zio Aldo e lo Zio Athos e i loro amici Marte, Urano e Gino.

«Oh, dovete stare zitti!» urla Aldo con la sua voce grattata. «Fate scappare gli uccelli, avete rotto i coglioni!» E anche se ha l'affanno, ci piazza dietro una sfilza di bestemmie che non finisce mai.

Per un attimo gli invitati rimangono immobili, tranne me che piano piano scivolo fino a nascondermi dietro le spalle giganti di Jolanda. E tranne Beatrice, che arriva dalla veranda con un sacchetto di ghiaccio sulla testa:

«Chi siete? Questa è proprietà privata.»

E Urano: «La proprietà privata è un furto!».

Parole senza senso nell'aria della festa, solo un suono rauco e puzzolente di vino.

«E anche questa festa è privata, e nessuno vi ha invitati!»

«Infatti a noi della vostra festa non ce ne frega un cazzo» dice lo Zio Aldo. «Noi siamo a fare gli affari nostri, nella Macchia del Nuti che è di tutti. Stava passando un branco di storni e a forza di casino li avete fatti scappare, la dovete fare finita!»

Sono vestiti mimetici, le cinture piene di cartucce e i fucili in braccio e in testa cappelli assurdi coperti di ramoscelli e foglie. E davanti a questi ragazzi belli e super eleganti mi sembrano ancora più strani del solito, quasi impossibili in questo parco così preciso e pulito. Ma appunto, niente è impossibile, e gli zii e i loro amici stanno qua dritti a gridarlo forte al mondo. Perché loro sono così, la loro maledizione è così, sono arrivati a quarant'anni senza sposarsi e allora addio. Ma forse non volevano mica, forse anche loro quando avevano la mia età hanno lottato per non finire in questo modo, solo che non ce l'hanno fatta, magari per colpa di qualche zio che è arrivato a incasinargli la vita.

Ma di sicuro loro non avevano un'amica gigantesca come Jolanda, che dietro le sue spalle posso stare nascosto fino al Giorno del Giudizio, o almeno fino a quando gli zii non smettono di tormentare la festa e tornano nella macchia a prendersela con la Natura.

Solo che, oltre a Jolanda, ho un amico non proprio furbissimo che si chiama Manuel, lì zuppo a bordo piscina. E dal nulla lui, tutto emozionato, mi chiama a voce alta: «Fabio! Oh, Fabio! Posso *f*rovare un fu*f*ile? Lo chiedi ai *f*uoi zii, se *f*osso?».

Urla così, e io cosa posso fare, rimango zitto e immobile, e spero che il mondo sbagli il suo giro rotolando via lontano da qua.

Invece, dopo la voce di Manuel, mi arriva quella ancora più storta dello Zio Athos, che mi vede e viene verso di me: «O bimbo, ma te che ci fai qui? Aldo, guarda chi c'è, c'è il bimbo!».

«Eh? Ma come il bimbo, dove!»

Jolanda si gira, si sposta, e io resto così, accucciato davanti ai loro occhi e a quelli di tutti quanti. Li sento addosso uno per uno, mentre i miei si piantano in fondo all'erba in cerca di un posto per sotterrarmi.

«Bimbo, ma che cazzo ci fai qui? Ma vai in giro con questa gente qua?»

Io vorrei dire che no, mai, solo oggi. E per colpa loro non succederà mai più. Invece non rispondo, come non voglio rispondere a Beatrice, che subito mi chiama col dito puntato.

«Senti, tu», siccome il mio nome non lo sa, anzi per lei non ce l'ho un nome, tipo quei gatti randagi che non bisogna accarezzarli sennò prendi le malattie. «Questi signori sono venuti a prenderti? Li conosci?»

Io la guardo, guardo i miei zii coi rametti e le foglie in testa che dondolano mentre loro fanno di sì tutti convinti, poi non guardo più nessuno e solo rispondo *No*.

«Oh, ma come no!» dice lo Zio Athos. Si avvicina e si toglie il berretto, perché pensa che magari è mimetizzato così bene che non l'ho riconosciuto: «Oh, bimbo, siamo noi!».

«Ecco» gli dice Beatrice. «Siete pure dei bugiardi, qua non vi conosce nessuno, andate via!»

Ma gli zii non le rispondono, perché ci sono rimasti così male che non riescono a parlare, possono solo fissare me.

E allora ci pensa Marte: «Ma come non conosciamo nessuno? Quello lì è il loro nipote. Anzi, praticamente sono i loro babbi. Diglielo bimbo, su, è vero o no?».

La folla degli invitati intorno comincia a dirsi delle cose, parole che non capisco ma sicuramente tutte brutte. E io sono qui, bagnato e tremolante sotto gli occhi e i commenti dell'universo.

Ma non è giusto, non ha senso: nella vita si può avere solo un babbo, e al massimo due nonni maschi. È un fatto risaputo, è la prima cosa che impari a scuola. E allora non è che io posso scegliere, non posso mica cambiare le regole alla base della famiglia, sennò poi la famiglia crolla e con lei crollano la società e il mondo intero. Posso solo rispondere con la verità, allora cerco un po' di fiato in fondo al petto, e lo uso per dire che «No, non è vero, voi non siete i miei babbi, voi non siete nemmeno i miei nonni».

Dico così, e se mentre ci pensavo mi sembrava vero, semplice e ufficiale, a sentirmelo uscire dalla bocca ha un suono spaventoso, che mi fa male alla gola.

Ma fa ancora più male a loro, perché la faccia dello Zio Aldo si piega in una smorfia spersa, la bocca di Athos per la prima volta in tanti anni perde il suo sorriso fisso e rimane spalancata e amara, mentre con la mano libera dal fucile si tiene il cuore.

E sul parco un silenzio assordante, che il Signor Marte prova a scacciare cambiando discorso: «E te» dice puntando Beatrice, «te sei proprio antipatica, Biancaneve!».

«Io non sono Biancaneve!»

«No? E allora perché sei mascherata da Biancaneve?»

«Ma infatti!» arriva la voce del Piccolo Massimo, invisibile in mezzo alla folla. «Gliel'ho detto anch'io signore, ma lei insiste di no!»

«Basta!» fa Beatrice. «Andate via! Anche tu, e tu!», che siamo io e Massimo. «Io non vi volevo a casa mia, non vi conosco nemmeno! È la mamma che ha invitato tutti, e ha rovinato la mia festa!»

Massimo fa di sì, dice «nemmeno noi volevamo venire, ci hanno mandato le nostre mamme».

E allora forse aveva ragione Martina: i babbi e le mamme, è sempre colpa loro. Infatti proprio adesso eccoli che arrivano, a passo svelto dalla villa, pronti a peggiorare la situazione.

Sono i genitori di Beatrice e qualche altro adulto. E se i ragazzi erano invitati tutti, si vede subito che invece gli adulti sono selezionatissimi, eleganti con la giacca e la cravatta, le signore in abiti così belli che sembrano tende costose, staccate dalle finestre e avvolte addosso. Hanno bicchieri in mano con dentro una cosa colorata, che io non l'ho mai bevuta ma con gli zii ne ho annusata tanta, e so che ti brucia il naso su fino a incendiarti i pensieri nel cervello. E adesso è proprio l'ultima cosa che serve.

Accanto al babbo di Beatrice c'è il padrone della farmacia del paese. Gli altri non li conosco, però gli zii ne indicano uno senza capelli e dicono «toh, c'è pure l'assessore!» e gli fanno un inchino ma per finta.

Il Signor Marconi va subito dalla figlia, la abbraccia stretta e le dice parole dolci, mentre guarda malissimo gli zii e Marte e Urano e Gino. Gli chiede cosa vogliono e come sono entrati.

«Semmai come siete entrati voi nella Macchia del Nuti!»

«Questa è la mia proprietà, la macchia comincia dopo la rete.»

«Certo, perché ti sei fregato un pezzo e ti ci sei fatto questo bel giardino! E come hai fatto, ora è chiaro!», lo Zio Aldo indica quello che ha chiamato assessore, e lui gli risponde di stare attento a come parla.

«Io non sto attento mai, a nulla!» fa lo zio, e io voglio solo restare zitto e magari sparire in un buco sottoterra, altrimenti direi a quei signori di stare attenti, che questa cosa è proprio tanto vera.

«Papà, stanno rovinando la mia giornata speciale, mandali via, mandali via!»

«Oh!» fa lo Zio Aldo, con la faccia sicuramente cattiva anche se adesso non riesco a guardarlo, mi vergogno troppo e tengo gli occhi alla piscina, ripensando ai bei tempi di cinque minuti fa quando mi ci hanno buttato dentro. «A noi non ci scaccia nessuno, semmai siamo noi che ce ne andiamo. Però dovete farla finita di fare casino.»

«Ma quale casino?»

«Questo casino! La musica e gli urli e tutto quanto.»

«Ma è normale, è una festa.»

«Non è normale per nulla, e infatti gli uccelli volano via. La Natura è sacra, la dovete rispettare! Sennò gli uccelli scappano, e noi non spariamo un colpo!»

E sarà perché questo discorso sulla Natura li ha convinti, sarà per il fatto che lo zio parlava sventolando il fucile in giro, ma nessuno ribatte. E allora magari adesso finisce così, con gli zii e i loro amici che si rigirano, tornano alla rete che hanno abbattuto e la sistemano in qualche maniera, poi spariscono nel folto del bosco insieme agli uccelli e al resto delle bestie selvatiche.

O almeno io ci spero, ci spero fortissimo. Ma ancor più forti sono questi urli nuovi, che saltano addosso alle mie speranze e le stroncano senza pietà. Perché vengono pure loro dal bosco, io guardo laggiù, e invece degli zii che se ne vanno, ne vedo altri che arrivano.

Sono Adelmo in carrozzina e Aramis che lo spinge. E allora ecco, adesso siamo al completo. Anzi, oggi il destino ha proprio deciso di esagerare, perché lo Zio Adelmo a caccia è una novità totale: con la sedia a rotelle non può avventurarsi sullo sterrato e allora deve restare a casa a insultare i suoi fratelli che escono, poi a bestemmiare da solo, poi a guardarsi le gambe tutto scuro e triste. Invece adesso eccolo lì, che arriva col fucile in mano e gli occhi spalancati addosso a me, a questo uccellino senza un posto dove scappare, in attesa del colpo che mi toglierà dal mondo.

Ma lo zio non mi spara mica, alza il fucile con tutte e due le mani e lo sventola, e mi chiama con una voce che quasi non la riconosco. Perché giuro che è felice, felice e dolce, tanto assurda nella sua bocca che lì per lì penso sia un'altra persona, uno che gli somiglia molto di faccia ma di carattere proprio zero.

«Fabio, Fabietto, guarda dove sono! Sono a caccia coi miei fratelli, Madonna XXX!», e una mano lascia il fucile per toccare la sedia a rotelle, per carezzare il bracciolo largo e morbido. E allora mi accorgo che non è la solita di sempre. «Digli al tuo babbo che è un grandissimo! E di tornare subito a casa, perché gli voglio dare un bacio! Un bacio sulla bocca gli do, vi avviso ragazzi, non vi scandalizzate, appena lo vedo gli do un bacio sulla bocca, porca puttana!»

Lo guardo, guardo la carrozzina nuova, e come tutte le cose davvero gigantesche della vita, lì per lì non la capisco mica. No, perché è troppo grossa e le serve spazio, quindi prima raccoglie con calma tutto quello che ho nella testa e lo butta nel nulla, poi prende la rincorsa e si tuffa, mi travolge e mi porta via.

E infatti non sono più qui. La festa non c'è più, non c'è la villa e neanche la piscina, spariscono gli invitati e muore il vento che mi ghiacciava i vestiti sulla pelle.

Non c'è più nemmeno questo giorno di maggio, perché rotolo controcorrente su per il fiume del tempo e di colpo eccomi qua, in un pomeriggio di dicembre di tre anni fa, che era quasi sera e quasi Natale. E giuro che fino a un attimo fa non me lo ricordavo per niente, ma adesso esiste solo lui.

Lui e me, che fisso due vecchie bici da cross senza ruote fuori dall'officina del babbo, sperando che ne stia costruendo una nuova tutta per me, un supermodello che scavalca i fossi da sola con dei salti che si avvicinano al volo. Entro, e nell'officina c'è poca luce ma mi basta per capire che il babbo è piegato su una cosa che non è una bici. Si vede subito, e dopo un po' si vede pure che è una carrozzina. Costruita tutta da lui saldando pezzo per pezzo, resistente e insieme leggerissima, colorata mimetica e con quattro ruote tutte uguali, appunto quelle delle bici da cross che stanno fuori. E i braccioli morbidi col portabicchiere per l'acqua o più probabile per il vino, e un boccione di plastica sotto il sedile, che il babbo mi fa segno che serve per quando ti scappa la pipì. Poi finisce di scriverci sopra col pennello il nome di questa carrozzina stupenda:

4X4 SUPER SPECIAL PER ADELMO MANCINI

Stacca il pennello e gli occhi dal metallo, mi guarda, sorride: «Regalo di Natale» dice. E a me manca il respiro, perché immagino la felicità dello Zio Adelmo quando riceverà questa sorpresa stupenda, che già a me mi viene da piangere, chissà a lui che brontola sempre che in carrozzina gli tocca rimanere sui sentieri battuti, «e non succede mai un cazzo di interessante, sui sentieri battuti».

Ma adesso cambia tutto, grazie a questa carrozzina super speciale del mio babbo, a questa invenzione geniale, una sorpresa così clamorosa che a Natale bisognerà stare attenti, perché magari lo Zio Adelmo la vede e ci resta secco dall'emozione.

Solo che a Natale mancano due giorni, e domani sera in chiesa ci sarà la grande gara dei presepi. E per far partire la cascata dal cielo il babbo salirà in cima alla scala, e io vestito da angelo e appeso lassù lo vedrò e poi non lo vedrò più, e lo ritroverò là per terra fermo e spento. E da lì niente avrà più senso, niente al mondo, figuriamoci la carrozzina per lo Zio Adelmo, per sempre impacchettata e nascosta nel buio dell'officina e della mia testa incasinata.

Cioè, per sempre fino a oggi, che chissà cosa cercavano gli zii nell'officina del babbo, però l'hanno trovata, e lo Zio Adelmo ha ritrovato la felicità. E si agita tutto scalmanato, con Aramis dietro che ride e gli urla di fare piano sennò si ribalta.

«Un bacio sulla bocca gli do al tuo babbo! Un bacio sulla bocca appena lo vedo! È da finocchi? Che me ne frega a me, io glielo do lo stesso!»

E ricomincia a sventolare il fucile, e a prendere la mira nell'aria, mentre gli altri zii applaudono e urlano *Bravo!* Perché la festa di compleanno non esiste più, esiste solo questa felicità improvvisa e smisurata, e tutta la roba qua nel parco che mi metteva tanta ansia adesso è solo scema e finta, spiaccicata sotto la bravura e il genio e la meraviglia del mio babbo.

Ecco perché mi sembra così assurda la voce lamentosa di Beatrice, che non si è accorta di non esistere più, e insiste a frignare col suo babbo: «Mandali via papà, ti prego, mandali subito via!».

E lui, serio, allargandosi il nodo alla cravatta: «Signori, adesso sono veramente stanco, uscite immediatamente dalla mia proprietà!».

Allora lo Zio Aramis e lo Zio Adelmo si accorgono di lui e degli invitati, la carrozzina si ferma, Adelmo studia il Signor Marconi e poi a modo suo lo saluta: «Ma te chi cazzo sei?».

«Io sono il padrone di casa, e voi non siete ospiti graditi.»

«Ah!» fa lo zio, «ho capito chi sei, sei Pompe Funebri Marconi!», e con la mano si tocca forte tra le gambe. «Ma che è successo, come mai hanno chiamato il becchino?»

«Non sono un becchino, e questa è casa mia, e voi qua non potete venire.»

«Oh, beccamorto, io da oggi con questo gioiellino posso andare da tutte le parti!», e carezza ancora il bracciolo della carrozzina. «Ora che non mi fermano le gambe, pensi che mi puoi fermare te?»

Il Signor Marconi stringe i denti, e sua figlia sotto il braccio, e al posto suo risponde uno dei suoi amici eleganti: «Certo che la fermiamo, grazie a una cosuccia che si chiama codice penale. Le dice niente?».

«E te chi sei» fa lo Zio Aldo, «un altro becchino?»

«No, io sono l'avvocato Balestri. E vi consiglio di sparire immediatamente, in nome della legge.»

Dice così, tutto serio e con la gola gonfia per l'importanza di quel che ha appena tirato fuori. E per un attimo c'è solo silenzio, pesantissimo nelle orecchie e nell'aria, e mi sembra un momento tanto grave che adesso gli zii e i loro amici non devono solo andarsene, ma proprio scappare via. E pure io con loro, prima che arrivi la Legge insieme alla polizia e ci portino tutti in galera.

Non posso sapere se sono colpiti o spaventati o cosa, perché dopo aver detto che non sono il loro figliolo e nemmeno il loro nipote non riesco a guardarli negli occhi. Però non ce n'è bisogno: passa un secondo e mi arriva questa risata fortissima di tutti loro insieme, così incontrollabile che l'unico attrezzato è lo Zio Adelmo con quel contenitore sotto il sedile, gli altri invece rischiano di ridere fino a farsi la pipì addosso.

Infatti è proprio Adelmo che parla, quando riesce a infilare le parole fra i colpi di riso: «La Legge? Ma hai detto davvero così, avvocato, la Legge? E chi cazzo se ne frega della Legge!», e giù altre risate.

«Bravi, ridete pure finché potete, ma presto vi toccherà piangere. La Legge è sacra.»

E loro ridono anche di più, si guardano e ripetono *La Legge è sacra!* come il finale di una barzelletta micidiale, e si danno mille pacche sulle spalle. E mi dispiace tanto che non ne diano qualcuna pure a me.

«Certo che la Legge è sacra» dice alla fine lo Zio Aldo, «è sacra sì, per voi: vi fa fare quello che vi pare! C'è un bosco bellissimo che è di tutti, e tutti ci possono andare a caccia, a passeggio, a fare l'amore. Però voi lo volete solo per voi, ne prendete un pezzo e dite che è vostro, e lo potete fare perché la Legge vi dà ragione. Prendete le piante e le buttate giù, addio verde addio nidi addio tutto, e la Legge ve lo fa fare, e vi fa pure mettere una rete intorno per tenere fuori il resto del mondo. Poi vi mettete a fare casino e urlare con la musica al massimo, e la Legge vi fa fare pure quello. E se però noi buttiamo giù un pezzetto di rete e facciamo un passo di qua, su questo prato che una volta era di tutti, ecco che la Legge corre a difendervi e dice *No, questo è illegale!*, e magari va a finire che in tutto questo schifo i fuorilegge siamo noi!»

«Questo è chiaro!» fa l'avvocato. «Siete ampiamente fuorilegge: esercizio della caccia in aree interdette, uso improprio di armi da fuoco, violazione di proprietà privata... la lista è infinita!»

«La lista è una stronzata» ribatte Adelmo, sempre con quel

sorriso sulla bocca che gli è nato oggi per non morire mai più. «Certo che vi piace, la Legge, ve la siete fatta come la volete e vi dà sempre ragione. A noi invece ce lo mette sempre nel culo, e allora che senso ha per noi seguire la Legge? A noi ci conviene fare come ci pare. E la Legge ci fa ridere, e la lasciamo tutta a voi, che ci fate ridere ancora di più. Un becchino, un avvocato, un farmacista, un assessore... che belli che siete, così ricchi, così eleganti. Sì sì, se c'è una cosa ridicola più della Legge, siete proprio voi!»

«Ma ridicolo sarà lei!» scoppia allora il Signor Marconi, con un urlo che fa girare tutti quanti. Ha gli occhi sbarrati e parla come quando si vomita, senza poter fermare questo schizzo di roba brutta che parte da dentro e vuole uscire per forza: «Lei viene a casa mia e mi dà del ridicolo, *lei*? Con quel cappello con le foglie sopra, e quei vestiti mimetici scemi, e quella carrozzina assurda che ha sotto il culo!».

«Già» ci si mette l'avvocato, «che poi non è certo un modello omologato, quindi non potrebbe nemmeno andarci in giro.»

Così dicono, giuro. E l'assessore e il farmacista fanno di sì. E il pubblico degli invitati anche se non ha capito quasi nulla gli dà ragione.

Gli zii e i loro amici invece non rispondono subito, ma poi per forza diranno qualcosa, e andrà avanti così un altro po'. Però sono discorsi che posso solo immaginare, senza sentirli più: troppo forte urlano i pensieri nella mia testa.

Perché io credo a qualsiasi cosa e lo so che nel mondo tutto è possibile, ma non riesco a credere che esistano persone che possono parlare male di questa carrozzina. Persone che non sono in grado di capire la meraviglia costruita dal mio babbo, quant'è stupenda e geniale e quanta felicità porta, così tanta che si sente proprio friggere nell'aria. Ma loro non la sentono, loro che un miracolo del genere non solo non saprebbero farlo, ma non sanno nemmeno a chi rivolgersi per chiederlo. E se alla fine lo trovano, quella persona glielo fa, sì, ma per soldi, senza la passione che ci ha messo il mio babbo mentre saldava e pitturava e intanto immaginava lo Zio Adelmo che dopo tanti anni tornava nella Macchia del Nuti col fucile in mano, e l'emozione di quell'immagine entrava tutta nel suo lavoro che diventava speciale e magico, fino all'ultimo colpo di pennello, fino all'ultimo bullone avvitato bene.

Ma questa gente non lo capisce, non lo può capire, perché loro non fanno nulla, loro ordinano e basta. Decidono le cose e poi le comandano agli altri. Pure le guerre, le mettono in piedi per qualche interesse loro e poi però a combattere mandano il mio nonno Dino. Che alla fine è tornato dalla nonna Mariuccia, ma se non tornava gli facevano un bel monumento ai caduti, e decidevano loro come farlo e dove piazzarlo, e all'inaugurazione erano lì con la fascia tricolore sul petto a parlare parlare parlare. Perché altro non sanno fare, e le mani non le sanno usare. Sanno solo decidere per gli altri, e stabilire cosa è legale e cosa no, cosa è normale e cosa è strano, chi è sano e chi è pazzo. E davanti a una cosa geniale e nuova come questa carrozzina possono solo accorgersi che è diversa dal normale, e allora non va bene. L'avranno detto anche della ruota, quando un mio antenato matto l'ha inventata dentro la sua caverna, l'avranno detto anche di quello che per primo ha raccolto i semi delle piante e li ha messi nella terra per coltivarli. Perché all'epoca era strano, era assurdo, ma tutto è strano all'inizio, e infatti le idee nuove e belle escono sempre dalla testa delle persone strane. È da lì che vengono le grandi invenzioni, e pure le grandi storie.

Mentre le storie della gente che comanda non si sanno mai, sono piene di cose brutte che hanno fatto per arrivare dove sono, e allora meglio non ricordarle. E nelle nostre storie bellissime invece loro non ci sono, oppure sì ma come personaggi secondari antipatici che fanno solo rabbia. E non se ne rendono mica conto, no, loro pensano di essere rispettati perché pagano, ma non lo sanno quanto schifo fanno a quelli che gli preparano il mangiare e glielo servono, a quelli che gli lavano la macchina e gli potano le siepi, a tutte le persone non eleganti che con le mani sanno fare tutto, tranne un nodo a quella grandissima scemenza che è la cravatta.

E allora va bene così, i miei zii forse sono pazzi, e i loro amici pure, e magari anche il mio babbo. Ma più di tutti sono pazzo io, che mi ci sto pure a preoccupare.

È così, è la nostra maledizione, ma se la maledizione è essere strani come siamo noi, ecco, evviva i maledetti. Anzi, non vedo l'ora di arrivare a quarant'anni per esserlo fino in fondo. Anche se mi riuscisse di fidanzarmi e sposarmi, spero di trovare una che sia pazza almeno quanto me, e farci dei figlioli ancora più pazzi, se vuol dire mettere al mondo persone come il mio babbo che è in grado di costruire miracoli tipo questa carrozzina, e come i miei zii che gli basta vederla per capirla al volo e provare tutta la felicità del mondo.

E allora maledetti, sì, maledetti tutta la vita, maledetti e lontani da queste feste, che grazie per avermi invitato una volta, così ho visto come sono e non ci torno mai più. Me ne vado dritto al mio Villaggio insieme ai miei zii, che però sono anche i miei nonni e i miei babbi pure, anche Marte e Urano e Gino, tutti quanti. Stanno tutti dentro di me, le loro vite e le loro storie, quindi sono pieno di meraviglia. E adesso me ne vado via insieme a loro, e voi invece restate qua alla festa, e mangiate e bevete e ballate, e soprattutto andatevene tutti in culo!

Sì, tutto questo mi ha travolto il cervello e la carne e il sangue, come una valanga di pensieri ed emozioni insieme. E non lo so a che punto sono diventati parole, e invece che dentro di me sono schizzati nell'aria. Però è successo, mi guardo intorno e lo capisco dagli occhi spalancati, dalle bocche aperte, poi dai salti e dagli urli degli zii, che vengono da me e mi abbracciano, mentre Marte e Urano e Gino festeggiano lasciando partire colpi di fucile verso il cielo, e ripetono *Ma quanto è tosto il bimbo, quanto cazzo è tosto!*

Mi prendono e mi strizzano e ce ne andiamo via così, senza guardarci indietro, io che spingo la carrozzina dello Zio Adelmo e mi sciolgo a sentire come fila liscia e veloce.

Ma non siamo soli, ci seguono il Piccolo Massimo, Manuel e Jolanda, e pure Martina. Anzi, lei viene proprio da me, e giuro che per un attimo mi guarda, poi mi abbraccia e mi dà un bacio. Che forse voleva posarsi sulla guancia, ma finisce sull'angolo della bocca. E allora ecco, ho tredici anni e ho appena baciato una ragazza sulla bocca, pensavo di essere indietro e invece sono quasi avanti, anche se è difficile dirlo perché non ho idea di dove andiamo. Ma va bene così.

La guardo per un attimo, ma mi vergogno e torno con gli occhi al bosco, mentre lo Zio Aldo sorride e mi fa di sì, e tutti insieme andiamo dritti nella direzione giusta. Che è il buco nella rete, verso il folto della macchia da dove sono arrivati loro e dove torniamo adesso tutti quanti. E anche se urliamo e spariamo, gli uccelli vengono lo stesso a salutarci, mentre rientriamo nel nostro mondo e ci lasciamo dietro la festa che subito smette di esistere.

Anzi, resta ancora lì per un attimo, ma uno solo: quanto basta per far capire agli invitati che stanno guardando la cosa più strana e straordinaria che abbiano mai visto, la storia più bella che sentiranno mai.

Mentre noi, fra canti e abbracci e fucilate e cinguettii, torniamo nel folto del bosco e ci tuffiamo in tutta questa splendida, fitta, clamorosa meraviglia.

23
Chi insegna le canzoni agli uccelli

È il 28 agosto, c'è un sole che arrostisce gli uccelli in volo, e il mio babbo torna a casa.

Solo per un fine settimana, ma oggi torna a casa insieme a noi.

Sono passati tre mesi dal sabato che mi ha salutato con la mano, e ogni giorno impara qualcosa. Prima a mangiare e bere, poi a vestirsi e pettinarsi e ancora e ancora. Così tante cose che faticavo a scriverne una nuova da insegnargli ogni volta, poi per fortuna la scuola è finita e mi ha lasciato il tempo per le robe importanti, sennò mica ce la facevo. E intanto il babbo ha aggiustato i piedi del suo comodino, poi la testiera del letto che cigolava, i cardini delle finestre e due prese della corrente che non avevano mai funzionato in vita loro. E ogni giorno quando gli infermieri lo portano a fare la riabilitazione c'è gente che lo ferma per chiedergli qualche riparazione, parenti di altri pazienti portano cose da casa, frullatori telecomandi radioline, tanto che i dottori hanno detto basta, perché la sua camera è diventata una specie di officina.

E vabbè, i dottori esagerano sempre, però in effetti stamani siamo arrivati a prenderlo tutti insieme e il babbo sul letto ci stava a malapena, sotto una montagna di aggeggi smontati che aspettavano di funzionare ancora. Ma aspetteranno un po', perché da oggi e per tutto il fine settimana il babbo viene via, viene a casa con noi.

Si è tirato su da sé, è scivolato fino al bordo del letto e da lì sulla carrozzina, perché le sue gambe ancora non sono tornate. E nemmeno la voce, il dottore ci ha detto che potrebbe restare muto per sempre, e io gli ho spiegato che non c'è problema perché già prima non è che il babbo chiacchierasse tanto di più. Poi però ho scritto una pagina nuova, dove gli insegnavo come si parla: il segreto è respirare l'aria e farla uscire dalla bocca invece che dal naso, e intanto muovere le labbra e la lingua per trasformarla in un suono, anzi in tanti suoni che messi insieme diventano parole e discorsi e anche canzoni. Che a pensarci bene è una cosa pazzesca, e mentre la scrivevo per il babbo mi stupivo anch'io che potesse succedere, allora fra una riga e l'altra provavo a dire A, A, A, poi B, B, B, suoni a caso e poi accoppiati e poi messi in fila, e pure questa del parlare è una di quelle robe tanto impossibili che però succedono. Anzi, succede tantissimo, succede ogni giorno a tutti quanti, e il mio babbo se l'è scordata e allora gliela insegno di nuovo, ma le persone la imparano da piccolissime anche senza che gliela insegni nessuno, ci nasci e basta.

Come gli uccellini appena nati che lo Zio Aramis prende dai nidi, li alleva e gli fa mangiare una specie di pastone su un bastoncino, e loro a un certo punto aprono il becco e partono a cantare le loro bellissime canzoni. Ma da dove vengono, quelle canzoni? Chi le ha inventate, chi gliele ha insegnate a loro? Io non lo so, e nemmeno gli uccelli, però le conoscono e le cantano così bene, e le usano per far innamorare le femmine e discorrere tra loro. Anzi, i fringuelli cantano canzoni diverse a seconda di dove vivono, parlano in un modo che cambia da posto a posto, i fringuelli insomma parlano in dialetto.

Una cosa impossibile anche questa, eppure succede, c'è scritto su *Nuovissima enciclopedia pratica della caccia* che ho preso al mercato all'inizio dell'estate. Continuo a comprare un manuale ogni settimana, ma soprattutto per salutare la Signora Stella e controllare che sia ancora al mercato e non alle Hawaii, perché in realtà non li leggo quasi più. Ho meno tempo adesso, e imparo tanto anche così, aiutando il mio babbo che torna, scrivendo le pagine del mio manuale per lui.

E scrivo pure un sacco di cartoline a Martina, un giorno sì e uno no, e il giorno no è lei che mi scrive. Va così da giugno, e lo so che è scemo mandare cartoline del tuo paese a una persona che ci vive pure lei, però Martina sta passando l'estate in cima ai monti del Trentino, insieme alla sua mamma che non ho capito bene che lavoro fa in un albergo lassù. Mi manda cartoline piene di boschi e casette di legno e monti appuntiti col sole dietro, e mi dice di spedirle le nostre col mare e i gabbiani e gli ombrelloni, così non si dimentica com'è l'estate da noi.

Però fra poco torna, e mi ha fatto promettere che quel giorno andiamo subito a tuffarci, non importa se magari piove o tira vento o c'è il mare così mosso che si mangia la spiaggia, noi andiamo lo stesso e ci tuffiamo insieme. E io ho risposto di sì, che come idea mi piace tanto, che il mare mosso non mi fa nessuna paura. Perché io so nuotare, è la cosa che so fare meglio in vita mia, e non l'ho imparata dai manuali e nemmeno a scuola. È il mio babbo che un pomeriggio mi ha portato lontano, nel mare dove non si tocca, mi ha buttato in quel blu senza fine e io tutto solo a forza di agitarmi e smanaccare sono rimasto a galla, sono sopravvissuto, ho continuato a sopravvivere giorno per giorno.

E se penso alle cose importanti che ho imparato in questi mesi, in fondo le ho imparate tutte così, tuffandomici dentro a caso, facendole da solo e per lui. È strano: aspetti sempre che qualcuno ti aiuti a imparare qualcosa, e invece impari così tanto quando sei tu che ti metti ad aiutare qualcun altro.

Ci ripenso adesso, mentre viaggiamo in macchina con la mamma che guida, il babbo accanto e io e la nonna dietro, e il camion con gli zii là davanti ad aprirci la strada. Athos ovviamente sta sul cassone, e per tutto il tempo da Lucca si affaccia verso di noi e saluta e alza le mani al cielo ridendo. E anche il babbo lo guarda e sorride, guarda fuori dai finestrini e sorride, guarda me e sorridiamo tutti e due.

Ma l'unica cosa amarognola è che il babbo sorride stupito, come di fronte a una roba tanto bella e però nuova. Perché insieme alle gambe che non si muovono e al fiato che non diventa voce, un'altra roba che ancora non gli riesce è ricordarsi di noi.

L'ho capito a inizio giugno, ed è stato un giorno brutto. Arrivavo da lui e ogni volta mi salutava sempre più forte, mi abbracciava pure, però quando gli raccontavo della scuola o magari della carrozzina speciale che aveva costruito per lo Zio Adelmo, lo vedevo che mi seguiva poco. Perché per lui ero un ragazzino gentile e simpatico, che andava a trovarlo e gli leggeva delle cose utili, ma quando gli ho detto che sono suo figlio, il babbo ha sorriso come sorride adesso in macchina, piacevolmente stupito. Che secondo me è troppo poco. Come uno che pensa di non avere nulla da mangiare, e te gli dici che hai comprato pollo arrosto e patate in rosticceria, e lui sorride, certo, perché il pollo arrosto con le patate è buonissimo, ma insomma, avere un figlio e una moglie e una famiglia gigante che ti aspetta dovrebbe essere di più.

I dottori però dicono che è normale. Sono fatti così, per loro le cose belle sono tutte impossibili, quelle brutte invece sono normali. Ma piano piano è sembrata sempre meno brutta anche a me, questa cosa che il babbo non si ricorda di noi. È solo uno dei tanti pezzi di vita che ha perso lungo la strada, li sta recuperando uno per uno e presto arriverà da me.

E sicuramente adesso gli fa bene rivedere i suoi posti, le vie piene di case dove bagni e tubi funzionano per merito suo. Scorrono là fuori dai finestrini sempre più vicine a casa nostra, e però sempre più lente, finché non ci fermiamo proprio.

Perché è il 28 agosto, e per la famiglia Mancini è il giorno che Giorgio torna a casa, ma per il resto del paese è la festa di Sant'Ermete. Con la grande fiera che la gente arriva da tutta la provincia, il centro si riempie e le strade si bloccano, e lo Zio Athos salta giù dal cassone e viene a dirci che qualcuno là davanti ha tamponato qualcun altro e non si passa più.

E questo è un problema, perché in macchina fa caldissimo e il babbo suda. Sudiamo tutti, ma lui non deve. E poi è l'ora di pranzo, e a casa cuciniamo il suo piatto preferito che sono gli spaghetti con le arselle, che proprio ieri gli zii sono andati a pescarle nel mare con un rastrello apposta che ha una rete in fondo e devi piantarlo bene sotto la sabbia, nell'acqua vicino alla riva, e portartelo dietro raccogliendo uno per uno questi animaletti che sono minuscoli ma con un sapore gigantesco.

Per farci la pasta ce ne volevano almeno un paio di chili, solo che gli zii erano carichi per la notizia del babbo che tornava, e sulla riva c'era lo Zio Adelmo tutto felice perché con la sua nuova carrozzina speciale finalmente poteva arrivare fino lì, e allora li incitava urlando *Su, forza, più forte, datevi una mossa o vengo io a farvi vedere come si fa!* E mentre loro spingevano e rastrellavano sono sicuro che gli ha raccontato un'altra storia di com'è rimasto sulla sedia a rotelle, una storia stupenda e con dentro la pesca delle arselle. E loro ascoltavano e tiravano dritto, avanti così fino al tramonto, e adesso a casa abbiamo una quantità di arselle che possiamo farci indigestione da qui fino a Natale.

E allora, quando torna, posso darne un po' anche a Martina, oppure addirittura invitarla a pranzo da noi. Tanto ormai lo sa com'è la mia famiglia, a quella famosa festa vicino alla Macchia del Nuti l'ha conosciuta anche troppo bene, e alla fine mi ha dato un bacio lo stesso. Un bacio sulla bocca, o quasi. E anche se dopo non me ne ha dati altri, anche se adesso sta sui monti, secondo me quando torna me ne ridà qualcuno. Insomma, mi sembra giusto, anche se non lo so di sicuro. Non so nemmeno cosa siamo, fidanzati, amici, amici di penna, boh. Però fra poco torna e vediamo che succede, così come fra poco comincia la terza media e vedo cosa succede anche lì. Basta aspettarle, e le tue cose ti trovano e arrivano da te.

Lo diceva sempre il babbo, *Il pesce tuo, Fabio, non te lo prende nessuno.*

Ma adesso no, non possiamo aspettare, la strada è bloccata e il babbo suda e gli spaghetti vanno cotti e mangiati. Allora accostiamo il camion e l'auto e scendiamo, e senza discutere, senza parlarne e decidere, semplicemente partiamo: il fiume delle persone che vanno alla fiera si apre in due e ci lascia passare mentre noi andiamo in una direzione opposta e solo nostra, andiamo a casa.

A piedi, che tanto ormai siamo vicini. La carrozzina del babbo la spingo io, la mamma cammina accanto a noi e la nonna di là, poi Aldo e Athos e Aramis che spinge Adelmo sulla sua carrozzina speciale, mentre lui guarda il babbo con gli occhi dell'amore.

E forse anche questa folla di sconosciuti ci guarda mentre si apre davanti a noi, ci guarda tantissimo, ma a me non mi fa nessuna vergogna. Anzi, li capisco: quando gli ricapita di vedere uno spettacolo così?

E il nostro spettacolo procede ancora per qualche minuto, lungo vie sempre meno trafficate e fino a una stradina dove siamo solo noi, a fondo chiuso e piccolissima e insieme la più importante del mondo, con un cartello di legno scritto a mano:

BENVENUTI A VILLAGGIO MANCINI
VIETATO ENTRARE

Il babbo ancora non sa leggere, ma lo stesso gli poso una mano sulla spalla e gli dico che non deve preoccuparsi, perché lui è uno di noi, e noi possiamo entrare. Questo è il nostro villaggio, questa è casa nostra, e oggi finalmente siamo a casa.

Lui si gira qua dietro, alza gli occhi e mi sorride. Ma sorride bene, meglio di prima, e io allora anche di più, mentre torna a guardare queste cose che per lui sono nuovissime anche se sono le stesse da una vita.

Anzi, non è mica vero: passa un attimo e davanti a noi una roba incredibile, che ci spaesa tutti quanti. Perché in mezzo alla strada, insieme al suo cane Bufera, giuro che ci aspetta lo Zio Arno. È la prima volta che lo vedo così, fuori dal suo campo, senza granturco e senza piante intorno, e mi fa stranissimo. Come una lumaca senza il guscio, come un cinghiale nello spazio. Eppure eccolo che sventola la mano, e tutti lo salutiamo, pure gli altri zii lo abbracciano dopo aver visto che non ha il fucile in spalla. Ci dice «Se c'è posto mangio con voi. Oggi solo, però». E la mamma risponde che è stupendo e la nonna pure, e certo che c'è posto, e se non c'è lo mettono al posto del nonno Arolando, che è sempre vuoto e lui glielo lascerebbe volentieri.

La nonna corre a casa a preparare gli spaghetti, mentre gli zii vanno tutti a recuperare il tavolone grosso che poi si posa su due ciocchi di legno nel giardino e diventa una tavola gigante. Io e la mamma invece spingiamo il babbo di là dalla strada, sull'erba di casa nostra e sotto la tettoia accanto alla sua officina, che è lì pronta per lui e i suoi miracoli.

La mamma gli si siede accanto, e io pure vorrei ma non posso, perché le gambe mi scalpitano dalla voglia di fare la cosa che sto per fare, l'unica che adesso serve al mio babbo. Che è qua con noi, è tornato, e insieme è come se fosse appena nato. E nascere è bellissimo, è l'inizio di questa avventura sgangherata che si chiama vita, e tra le mille cose impossibili che mi sono successe in questi anni la vita è proprio la più impossibile di tutte.

E chissà cosa ci aspetta ancora là davanti, non lo so e non lo sa nessuno, però sappiamo quel che abbiamo dietro, quello che abbiamo fatto giorno dopo giorno, che poi è la grande storia di come siamo arrivati fino qui. E ogni mattina ci alziamo e facciamo un altro passo, e la nostra storia è la magia che trasforma questo passo corto e scemo in una roba gigantesca, che è la nostra direzione. Verso dove non è mica chiaro, ma intanto si va, e questa magia dietro non la vedi ma ti spinge, uguale identica a quella che hai sotto i piedi quando stai in mezzo al mare, e lì per lì pensi di andare a fondo e invece no, perché qualcosa di invisibile ti tiene a galla, senza fiato e però vivo, con gli occhi spalancati all'orizzonte.

E allora ecco cosa gli serve davvero, al mio babbo. Ecco perché comando alle gambe di piegarsi e mi siedo, accanto a lui e alla mamma che gli prende la mano nella mano, sotto la tettoia di casa nostra e sotto il cielo altissimo e smisurato che ci guarda. Pesco nella tasca dei pantaloni e tiro fuori un quadratino di carta, lo spiego e diventa un foglio, la pagina che ho scritto stamani per lui.

Al momento è una, ma ne serviranno molte altre per questa lezione che mi è venuta in mente solo oggi ma è la più importante del mondo. Perché è utile saper mangiare e bere e camminare, sì, ma non vai da nessuna parte se non sai da dove vieni, e dove sei, e chi sono questi qua intorno che ti vogliono tanto bene. Allora cominciamo dall'inizio, e giuro che giorno per giorno gliela racconto tutta quanta fino a questo pomeriggio stupendo, la nostra avventura clamorosa.

Che il babbo non la sa, e la gente in giro potrebbe dirgli che è solo una favola, invece è andata proprio così. E ancora continua da qua sotto la tettoia fino a... fino a boh, questo non lo so nemmeno io, ma ho troppa voglia di vederlo. Mentre stiro la pagina sulle gambe e riempio il respiro con l'aria di casa nostra, che sa di piante cresciute storte ma sempre in piedi una addosso all'altra, sa di salmastro e di olio con l'aglio che soffrigge di là dalla via, e comincio a raccontare la nostra storia.

O almeno quel che ne so io, che magari non è tanto, ma è tutto quel che ho.

Com'è iniziata, nessuno lo sa. Forse un nostro antenato ha profanato la tomba di un faraone, forse ha fatto arrabbiare una strega o ha stecchito un animale che era sacro a un dio vendicativo, l'unica cosa certa è che da quel momento la nostra famiglia si porta addosso una maledizione spaventosa.

È brutto ma è così, è la prima cosa che ho imparato a scuola.

Anzi no, la prima l'ho imparata appena entrato in classe, e cioè che nel mondo esistevano tanti altri bambini della mia età, e questi bimbi avevano solo tre o quattro nonni a testa. Io invece ne avevo una decina.

Perché il mio nonno dalla parte di mamma aveva un sacco di fratelli solitari, che non si erano mai sposati e a una donna non avevano mai nemmeno stretto la mano, così da quella famiglia gigante ero venuto fuori solo io, che ero il nipote di tutti...

Indice